GINETTE P

FEUX DE BRINDILLES

ROMAN

Quinze

Données de catalogage avant publication (Canada)

Paris, Ginette, 1946-

Feux de brindilles: roman historique

ISBN 2-89026-405-X

I. Titre.

PS8581.A74F48 1990 C843'.54 C90-096766-8
PS9581.A74F48 1990
PQ3919.2.P37F48 1990

Dépôt légal: 4e trimestre 1990
Bibliothèque nationale du Québec
ISBN 2-89026-405-X

À la mémoire de mon père, Olivier Paris.

Notice

À l'époque où se situe l'action de ce roman, il y a d'un côté les Canadiens (mot souvent prononcé «Canayens»), qui sont d'origine française, et les Britanniques, qui se désignent eux-mêmes par le terme British. *Pour éviter toute confusion avec la signification actuelle du mot* Canadien, *j'ai préféré, malgré l'anachronisme, avoir recours à l'expression «Canadiens français».*

Les lettres adressées à Colborne par l'épouse du notaire Cardinal, la veuve Duquette et l'avocat Drummond sont authentiques, de même que les faits et données d'ordre historique concernant les Frères Chasseurs et la deuxième insurrection des patriotes.

Je remercie les historiens Jean-Paul Bernard et Jean Provencher pour leur lecture attentive des faits historiques et les corrections qu'ils ont apportées.

Plusieurs personnes ont lu les versions successives de ce roman et ont fourni des suggestions précieuses: Denyse Bilodeau, Sylvie Brouillette, Jean-Pierre Issenhuth, Suzanne Kasabgui, Nicole Laroche-Rochat, Zénon Maheu, Marjolaine Marois, Marquita Riel, Claudette Saint-Denis et Céline Sinclair. Je les en remercie.

I

— Ti-Noir! Ti-Noir!... Viens, Ti-Noir, viens!

Ti-Noir était le nom d'un chien qui n'existait pas. Le long gaillard maigre qui répétait l'appel était Timoléon, l'homme engagé des Potvin.

Il s'approchait de la grange et les appels scandaient sa démarche de grand dégingandé. En ouvrant la porte basse sur le côté de la grange, il haussa encore la voix: «Ti-Noir!»

C'était le signal convenu pour avertir le patriote qui se cachait là de ne pas s'inquiéter, qu'on venait en ami.

Timoléon pénétra dans la grange. Il tenait une gamelle d'étain enveloppée dans une serviette chaude. Jean-Baptiste Paradis, l'homme à qui il apportait un repas, était juché comme un hibou sur la poutre maîtresse, juste au-dessus d'une masse de foin. Jean-Baptiste lisait, emmitouflé dans une peau d'ours que les Potvin utilisaient pour leurs voyages en carriole.

Quand il s'était enfui de Montréal, Jean-Baptiste Paradis avait d'abord échangé sa redingote et son haut-de-forme habituels contre sa tenue de patriote toute en laine du pays, avec une tuque pointue et un ceinturon rouge. C'est dans cet uniforme qu'il avait combattu à Saint-Eustache et à Saint-

Denis, où il avait bien failli être capturé, d'ailleurs. Mais après la défaite des patriotes à Saint-Denis, devant la nécessité de se cacher pour éviter la prison, il avait repris ses vêtements de ville et s'était réfugié chez les Potvin en prévision d'une éventuelle fuite vers les États-Unis. Il s'était dit que ce serait plus facile de passer inaperçu, dans une grande ville américaine, s'il s'habillait selon sa classe plutôt que de porter la tenue typique du patriote canadien.

Les Potvin l'avaient convaincu de ne pas risquer de passer la frontière, mais de se cacher plutôt dans la grange de leur maison de campagne, à Contrecœur. Jean-Baptiste avait eu le temps de regretter la tenue de grosse laine, parce qu'en décembre, le froid et l'humidité pénétraient ses vêtements de confection anglaise et le gelaient jusqu'aux os dès qu'il sortait de la peau d'ours. Il était si bien emmitouflé, avec la fourrure et un foulard enroulé autour de sa tête, qu'on ne voyait de son visage que le bout du nez et les lunettes cerclées d'or qui le surmontaient. Dans sa main gantée qui dépassait de la peau d'ours, il tenait un livre avec le nom de Voltaire inscrit en lettres dorées sur le cuir noir de la couverture.

La cachette de Jean-Baptiste était un simple trou dans une montagne de foin. De sa poutre, il n'avait qu'à y sauter, tout enveloppé de sa fourrure, s'il entendait venir quelqu'un sans le signal convenu. Ensuite, il ne lui restait qu'à tirer sur un câble attaché à sa cheville pour qu'une masse de foin retenue au plafond, dans un filet subtilement entrelacé, descende et vienne refermer sa cachette. Ce n'était pas très confortable, mais Jean-Baptiste ne manquait pas d'air et pouvait dormir là sans inquiétude.

En la levant à bout de bras, Timoléon montra la gamelle qu'il apportait:

— Vous allez grassement fricoter, M'sieur Paradis.

Jean-Baptiste avait faim. Il se délesta de la fourrure et se laissa glisser sur le foin qui coulait en pente douce. Il atterrit sur ses deux pieds à côté de Timoléon:

— Merci, Timoléon. Avec ce que tu m'apportes à manger, je deviens gourmand!

Jean-Baptiste déplia la serviette de table qui enveloppait la gamelle et la posa sur l'établi de bois. C'était là que, debout, il prenait ses repas. Il était caché depuis une semaine dans cette grange et n'en était pas encore sorti une seule fois. L'homme engagé n'en revenait pas qu'un membre de la classe de Monsieur Paradis, notaire à Montréal et fils de seigneur par-dessus le marché, en soit réduit à manger debout et à dormir dans une grange, comme un quêteux.

— Vous devez pas être habitué à vivre comme un mulot, caché dans le foin... un Monsieur comme vous...

Un fumet appétissant se dégageait du ragoût de lièvre arrosé d'un bouillon à l'oignon, parfumé de thym et parsemé de petits morceaux de carottes. Timoléon renifla et demanda:

— C'est-y aussi bon dans un plat d'étain que dans un plat d'argent, M'sieur Paradis?

— C'est surtout bien meilleur que le pain sec et l'eau glacée que Colborne fait servir dans ses prisons de Montréal! Tu diras à Marie que ses ragoûts me feront quasiment regretter cette grange quand je retournerai chez moi. Elle cuisine comme un grand chef, la petite brindille de Marie!

Timoléon fut tout content d'avoir à transmettre ce message à Marie. Il venait de trouver un bon prétexte pour aller pointer son nez dans la cuisine.

— J'm'en vas lui faire la commission à cette minute même, M'sieur Paradis. J'repasserai plus tard, avec des galettes pour vot' dessert, pis du thé. Si j'me fie à l'odeur qui se dégage de la cuisine comme une vapeur sucrée, ces galettes-là vont vous fondre dans la bouche comme une hostie; de quoi vous faire oublier toutes les aut' misères...

Timoléon sortit de la grange et, comme un animal qui flaire une trace, se dirigea vers la cuisine où Marie, la cuisinière des Potvin, faisait pâtisserie. Il ne manquait jamais une occasion de venir se réchauffer, se sucrer le bec et écourter sa journée de travail par une petite pause volée sur les dix heures de labeur quotidien. Les maîtres étaient partis depuis le matin pour deux jours, et Marie lui offrirait certainement de se bourrer la panse.

Cette cuisine, quand la petite Marie lui permettait d'y entrer, représentait pour Timoléon le paradis sur terre, même si ce n'était ni sa cuisine ni celle de Marie. Sa fantaisie préférée consistait à s'imaginer que Marie était *sa* femme, que cette cuisine était *sa* cuisine et que ces pâtisseries étaient celles qu'elle cuisait pour *lui*, l'homme de la maison. Un tel paradis, se disait-il, les jours où son courage était à la hausse, devait pouvoir se trouver, ou du moins se bâtir, si on y travaillait de toutes ses forces.

Ce n'étaient ni la force ni la vaillance qui manquaient à Timoléon, mais l'argent, la maison, la femme... Il s'étonnait parfois de constater que, pour être heureux, les gens de la classe de ses maîtres avaient besoin de tellement plus que lui! Lui, avec le centième de ce que possédaient les Potvin, il n'attendrait plus rien pour être heureux. Par exemple, pensait-il, non seulement les maîtres ne se contentaient pas d'une grande cuisine bien propre et bien chaude, mais il leur fallait en plus une salle à manger et un salon. Et comme si tout cet espace n'était pas encore suffisant, les Potvin disposaient de deux maisons: une à la campagne, ici, à Contrecœur, et l'autre, encore plus vaste, à Montréal, sur la rue Notre-Dame! Timoléon considérait que tant d'extravagance faisait paraître encore plus simple son rêve à lui: une petite maison et, dedans, une femme qui vous fait des enfants et des repas. Faute d'avoir une terre — la terre, forcément, c'était à son frère aîné qu'elle irait, surtout que lui, Timoléon, s'était enfui de la maison paternelle — il se contenterait d'une échoppe de cordonnier à Contrecœur. Quant à sa maison, elle pouvait se réduire à trois pièces: une grande cuisine et deux petites chambres au-dessus de l'échoppe. Une maison à deux chambres, c'était déjà énorme et tellement plus que les cabanes des Sauvages! Il ne faisait pas le capricieux, mais il lui fallait à tout prix une maison avec *deux* chambres. Celle du couple aurait une porte bien ajustée, derrière laquelle se dérouleraient les intimités conjugales — et ces intimités-là, il avait grand plaisir à se les imaginer. Il faudrait aussi une chambre réservée à la marmaille, et cette pièce serait assez grande pour se diviser à l'aide d'une cloison — un rideau ferait l'affaire — quand arriverait le temps de séparer les garçons et les filles. Une échoppe, une femme, une maison, des enfants, de bons repas; ce n'était pourtant pas pure folie!

Ce beau rêve éveillé surgissait invariablement quand Marie l'invitait dans sa cuisine. La fantaisie durait tout le temps qu'il se réchauffait à côté du poêle en mangeant un morceau.

Ensuite il ressortait au froid, et la distance entre son rêve de plénitude et sa réalité étriquée se rétablissait, invariablement. Mais pour l'instant, puisqu'il s'apprêtait à entrer au chaud, son imagination marchait dans le bon sens.

* * *

Marie s'attendait à voir revenir Timoléon, même si, en principe, une fois le repas de Monsieur Paradis livré à la grange, il aurait dû demeurer dehors et faire son ouvrage. Mais Timoléon rebondissait toujours à la cuisine quand les maîtres s'absentaient.

Le chez-soi de Timoléon se limitait à une chambre glaciale louée chez la veuve Rose-Alma, qui habitait la terre voisine. On la surnommait la «Grosse Alma» parce qu'étant aussi grosse que chicanière, le nom de la reine des fleurs et de la plus tendre des couleurs ne semblait pas du tout lui aller. Quand il parlait de sa logeuse, Timoléon disait aussi «la Grosse Épine» parce qu'elle était blessante chaque fois qu'elle ouvrait la bouche, toujours pour médire. Le plus souvent, il l'appelait «la grosse truie», parce qu'il était écœuré de l'odeur de soupe au chou et de marinade aigre qui imprégnait les murs en lattes de bois de sa cuisine.

Mal nourri par sa logeuse, généreux à l'effort, Timoléon ne refusait jamais la nourriture que Marie lui offrait, plus ou moins en cachette de leur maîtresse. Mais il aurait trouvé difficile d'expliquer à Marie que sa faim était vaste et qu'elle englobait des éléments aussi peu comestibles que la chaleur de cette cuisine remplie des odeurs de pâtisserie, et les images qu'elle faisait surgir en lui.

Marie n'aimait pas quand la Grosse Alma abusait de Timoléon. Il n'était ni bête ni trop stupidement bonasse, mais il se rendait à bout avant de dire «ça suffit». Hier encore, elle avait essayé de le convaincre: «Tu payes ben assez pour ta chambre... la grosse truie a pas d'affaire à te faire fendre pis rentrer le bois de poêle, surtout si c'est pour te nourrir de soupe au chou et de patates à l'eau», avait-elle dit à Timoléon en lui servant une grosse portion de ragoût. Il avait avalé ce reste comme un sauvage affamé qui sort du bois après un dur hiver. «Tu pourrais ben loger icitte, comme moé, avait-elle ajouté, y suffirait que tu ramasses ton courage et que t'en parles à M'ame Potvin. C'est toutte! T'as rien qu'à demander! Y a pas meilleurs maîtres que les nôtres. T'es assez fin pour t'en être aperçu!»

Oui, Timoléon appréciait ses maîtres. Il avait été suffisamment misérable ailleurs pour pouvoir comparer. Mais à vingt-cinq ans, il avait déjà épuisé toute la réserve d'audace avec laquelle il était né. Grand, maigre, les muscles durs, les épaules tombantes et le cou long comme une encolure de cheval, il avait beau être vaillant et fort, cela ne lui donnait aucune assurance. On aurait pu croire qu'il se contentait, en fait d'idéal, de ne pas être battu, ni humilié trop directement.

Engagé à treize ans par un Anglais pour lui servir d'homme de main, il avait mis six ans avant de se rendre compte que John Henry Dashwood abusait de lui en exigeant treize heures de travail quotidien, sept jours par semaine, avec seulement trois jours de vacances annuelles: Noël, le Premier de l'an et Pâques. Parce que Dashwood ne lui donnait pas de coups de bâton, Timoléon s'était satisfait d'être nourri, habillé de vêtements usagés, et logé dans une chambre étouffante en été et glaciale en hiver. Le lendemain du jour de l'An, John Henry Dashwood recevait Timoléon dans son grand manoir pour lui remettre une petite poignée de pièces de monnaie; cet argent représentait tout ce que Timoléon recevait pour une année de travail. Il devait le garder pendant toute une année afin de se payer les deux verres de bière et le repas annuels qu'il prenait à l'auberge, pour fêter son Noël en même temps que d'autres esseulés. Pourtant, ce qui avait fini par décider Timoléon à quitter son maître, ce n'avait été ni la dureté du travail ni l'absence de salaire, mais le fameux cérémonial annuel de la remise des shillings.

Pendant cinq ans, les choses s'étaient toujours passées de la même façon: J.H. Dashwood envoyait chercher Timoléon par son cocher, un dénommé Ryan. Celui-ci examinait la tenue de Timoléon, lui tendait la brosse à cheval pour qu'il racle la semelle de ses bottes, vérifiait la propreté de ses mains et lui donnait un peigne à grosses dents pour qu'il mette de l'ordre dans sa tignasse. Ryan amenait ensuite Timoléon jusqu'au salon et le plantait là, debout, égaré au milieu de la vaste pièce, attendant que le maître, assis devant une grande table encombrée de paperasses, daigne lever les yeux et lui parler. Quand enfin Dashwood regardait Timoléon, il se demandait toujours comment ce grand efflanqué pouvait se tenir droit tout en ayant les jambes fléchies: à la hauteur des genoux, son pantalon en grosse laine du pays était si renflé qu'il ressemblait à un coude de tuyau de poêle.

Timoléon était convaincu que la chaleur du feu de foyer faisait se dégager de sa personne des vapeurs de laine mouillée et d'étable; il croyait que c'était pour cette raison que J.H. Dashwood lui jetait des regards qui le ravalaient au rang des animaux dont il portait l'odeur. La dernière année où il avait été à son emploi, Mrs. Elinor Dashwood-Middleton était présente au moment de la remise annuelle des shillings. Elle aussi, s'était dit Timoléon, voyait les vapeurs s'échapper de la laine humide de ses vêtements. Il l'avait vue lancer un regard épouvanté à son mari comme si elle le croyait soudainement devenu fou d'avoir invité le plus gros goret de la porcherie à prendre le thé, au salon, avec les dames.

Timoléon pouvait comprendre qu'un type crotté comme lui ne devait tout de même pas s'attendre à ce que le maître l'invite à s'asseoir dans un des fauteuils aux bras ornés de têtes de sphinx dorées et aux coussins recouverts de brocart rouge. Mais il avait beau être raisonnable, il y avait un instant dans ce court cérémonial qu'il était incapable d'accepter et qui l'offensait dans sa dignité: celui où John Henry Dashwood saisissait, sur le meuble qui lui servait de secrétaire, une petite boîte en marqueterie incrustée de nacre dans laquelle il gardait des pounds, des shillings et des pences. C'est à ce moment-là qu'il faisait signe à Timoléon d'approcher. John Henry Dashwood ouvrait la boîte, en extrayait méticuleusement l'argent de papier qu'il déposait là, sur sa table. Sans compter, comme s'il eût vidé une poubelle, J. H. Dashwood versait ensuite tout ce qui restait dans les mains tendues de Timoléon. Pour retenir cette poignée de pièces — jamais bien plus qu'une dizaine de pounds — Timoléon devait garder les mains tendues et ouvertes jusqu'à ce qu'il ait quitté le salon, ce qu'il faisait aussitôt, à reculons et sans dire un mot. Il ne parlait pas anglais.

Est-ce que cet argent était une obole? Un cadeau? Un salaire? Timoléon n'arrivait pas à le savoir. Devait-il montrer de la reconnaissance parce qu'après tout, il ne crevait pas de faim, ou devait-il réclamer un salaire plus régulier? La question du salaire l'obsédait, mais il n'osait pas l'aborder avec Dashwood, car il craignait d'être trop enragé si le maître faisait exprès de lui parler en anglais, sachant que son engagé ne pourrait pas le comprendre.

Il aurait continué encore longtemps à se poser la question, à travailler comme un forçat, à geler en hiver et à suer en été, à manger des restes et à s'habiller avec des pantalons trop courts qui lui découvraient les chevilles, pendouillaient aux genoux et lui donnaient l'air ridicule d'un adolescent attardé, s'il ne s'était senti humilié jusqu'à l'os par la façon qu'avait Dashwood de verser ces pièces, sans lui adresser la parole et en évitant de lui toucher les mains. Après sa cinquième cérémonie annuelle, il sortit, toujours à reculons, et décida de s'enfuir. Il ne lui était pas venu à l'idée qu'il pouvait tout simplement quitter cet emploi. Il était parti à l'aube comme un esclave qui s'évade. Les Dashwood, qui ne pouvaient comprendre qu'un homme soit aussi bonasse sans être un peu dérangé, avaient considéré cette fuite comme une autre preuve de la débilité de Timoléon, et ils n'y avaient plus pensé.

Timoléon était parti de chez l'Anglais de la même façon qu'il s'était enfui de la ferme de ses parents. Quand son père réussissait à l'attraper pour lui balancer une paire de gifles à lui en étourdir les idées, ou quand sa mère lui tirait les oreilles jusqu'aux larmes, il criait et jurait qu'il allait, une de ces nuits, se sauver. C'est ce qu'il avait fini par faire. Cette nuit-là, il ne s'était pas interrogé longtemps: on le battait, il n'avait pas toujours à manger et il devait quitter la ferme paternelle un jour ou l'autre puisque son frère devait en hériter. Mais chez l'Anglais, on ne l'avait pas battu et il avait à manger.

Il avait fui sa propre colère.

Son arrivée chez les Potvin, avec les petits à-côtés que Marie lui donnait à manger, avait été une promotion extraordinaire. Il s'était trouvé si bien traité qu'il s'était mis à imaginer davantage. Depuis qu'il était au service des Potvin, son rêve avait pris forme.

Timoléon n'osait pas entrer sans permission dans la cuisine; il entrouvrit seulement la porte, juste assez pour glisser la tête, et attendit. Marie, qu'il voyait de dos, abaissait de la pâte à tarte sur une grande table enfarinée. Pour attirer son attention, il huma bruyamment à pleins poumons. Marie tourna la tête et, sentant le courant d'air glacé qui s'engouffrait par la porte entrouverte, elle l'apostropha.

— Bon yenne, Timoléon! Rentre ou ben sors, mais referme la porte, tu vas me faire perdre toute ma chaleur.

Pour Timoléon, cela voulait dire qu'il pouvait entrer. Il s'introduisit résolument dans la cuisine et referma la porte derrière lui d'un coup sec, content de son coup et jubilant de se trouver enfin enveloppé de la chaleur et de l'odeur sucrée des pâtisseries. Il enleva ses mitaines mouillées, trouées, salies. Quand il les approchait de son visage, elles sentaient toujours le lait suri, le crottin séché, l'étable et la misère. Mais ici, dans la cuisine chaude, l'odeur des tartes et des galettes dominait tout; et puis Marie prendrait ses mitaines pour les suspendre au fil de fer tendu au-dessus du poêle à bois.

Absorbée dans son travail, Marie ne se souciait pas de Timoléon, qui demeurait debout près de la porte, agitant ses orteils dans ses bas de laine gris, comme si ses doigts de pied étaient de petits animaux qu'il venait de mettre en liberté. Il salivait en regardant, sur l'énorme poêle à bois en fonte, la première douzaine de galettes qui refroidissaient. Ses yeux étaient agrandis de convoitise, mais il ne savait pas encore comment s'y prendre pour en obtenir. Il s'avança de quelques pas vers le centre de la cuisine, mais n'osa pas se rendre jusqu'aux délices exposés sur le poêle. Il resta planté au beau milieu de la pièce, comme devant un précipice. Les orteils retroussés dans ses bas, il tirait à petits coups nerveux sur les tresses de chanvre qui lui servaient de bretelles, comme si ce geste pouvait les rendre élastiques et pomper les mots de son cerveau jusqu'à ses lèvres. Mais rien ne lui venait. Son regard allait et venait du poêle à bois à la table couverte de retailles de pâte crue et de tartes au sucre déjà cuites. Pendant un moment qui lui parut très long, il chercha quelque chose à dire pour aborder Marie. Il trouva enfin et, content de lui, lâchant ses bretelles, il lança:

— Ça sent bon icitte à damner un chrétien! Même le Bon yeu, dans son paradis, y doit pas en manger souvent des tartes pis des galettes qui sentent bonnes de même!

Satisfait de la tournure de son compliment et, du coup, plein de confiance en lui, Timoléon s'avança à côté de Marie et s'étira le bras pour saisir une retaille de pâte à tarte. Mais Marie fut plus rapide que lui et agrippa la grande main de Timoléon d'un mouvement aussi sec que celui d'un piège à souris. Elle reprit la boule de pâte et la plaça à sa gauche, hors de la portée de Timoléon.

Un jeu s'était établi entre la cuisinière et l'homme engagé: quand Timoléon lui quémandait de quoi se sucrer le bec, Marie faisait d'abord mine de le repousser, de le jeter hors de sa cuisine, puis elle s'adoucissait et en venait à poser certaines conditions. De sa main libre, Marie donna une petite tape sur les doigts de Timoléon et s'exclama avec énergie:

— Veux-tu ben déguerpir de ma cuisine, faraudeur! T'as pas d'affaire icitte, à piquer ma pâte à tarte, retourne donc à ton ouvrage, pis laisse-moé faire la mienne, là! Sinon, c'est à mon rouleau que tu vas goûter!

Timoléon recula et recommença à tirer sur ses bretelles. L'allusion aux coups de rouleau lui avait fait perdre sa repartie. Il avait beau mesurer six pieds, alors que Marie n'en faisait pas cinq, et avoir la certitude qu'elle le menaçait de son rouleau dans le seul but de mettre un peu de piquant dans leur petite joute verbale, la seule image d'un cylindre de bois frappant son épaule le décontenançait. Il en perdait l'inspiration. Ce n'était jamais facile pour lui de trouver les mots pour engager une conversation. Il était en admiration devant Marie parce qu'elle semblait capable de penser vite, de travailler vite, de parler vite et de se déplacer par petits bonds d'écureuil, alors que dans son cerveau à lui, le grand maigre à Timoléon, les pensées, les reparties, et les idées étaient comme gelées. Elles étaient là, mais il fallait les faire sortir, et cela prenait du temps, à croire que les mots se transformaient dans sa bouche en un sirop épaissi par le froid. Quand elles finissaient par s'écouler de sa bouche, ses phrases avaient la même imprécision maladroite que les gestes de son grand corps efflanqué. Il n'eut pas le temps de trouver une réponse que Marie reprenait:

— Si tu veux te rendre utile, bourre donc le poêle de petit merisier, on verra après à te bourrer la panse.

«Ah, tout va bien, se dit Timoléon, v'là ce qu'y faut faire: bourrer le poêle.» Il s'exécuta et, pendant ce temps, trouva sa réplique:

— Batêche, Marie! C'est toujours ben ainque une rognure de pâte que j'te demande, ainque un restant! J' te demande pas de me servir un réveillon de Noël dans une assiette en argent ni de me donner du vin de France, là! J'me prends pas pour le roi d'Angleterre, moé!

Les yeux arrondis et le sourire malin, la main pointant la lèchefrite pleine de galettes, il ajouta:

— Une rognure, pis... peut-être ben une pointe de tarte au sucre? pas plus large qu'une note de piano? juste assez pour y goûter?

Marie lui jeta de gros yeux. Timoléon allait trop vite; il ne jouait pas le jeu selon leurs règles. Il avait seulement bourré le poêle, après tout; ce n'était pas assez en échange de la grosse pointe de tarte, de la tasse de café d'orge brûlé et de la pile de galettes qu'elle était disposée à lui servir. Il devina qu'il était allé un peu vite et recula d'un pas, soulevant dans un grand geste ses mains jusqu'aux épaules pour bien montrer qu'il n'aurait pas l'effronterie de tenter de dérober une de ces galettes, comme il avait essayé de le faire avec la pâte.

— Ces belles galettes-là sont ben trop belles pour un pauvre type comme moé, Marie! Des retailles, ça ferait tout aussi ben mon bonheur… J'aime ben ça, moé, la pâte crue. J'trouve ça bon: ça vous pèse dans la panse comme si on avait mangé un gros repas. Les restants, seulement les restants, j'te demande ainque de me les donner à moé, plutôt qu'aux gorets!

— Tu sauras ben, Timoléon Pilotte, que les gorets, je les laisse pas venir dans ma cuisine et pis que je leu donne pas de ma pâte. Tu serais ben avisé de déguerpir avant que j'me fâche.

Timoléon connaissait bien Marie et savait qu'avec elle, pour avoir une pomme, on devait lui faire croire qu'on se contenterait d'en sucer le cœur; pour avoir une galette, il fallait s'intéresser aux miettes qui collaient à la lèchefrite; pour se faire offrir une pointe de tarte, il fallait être convaincant et montrer que les retailles de pâte feraient l'affaire. Il avait bien essayé, mais ses arguments n'avaient pas suffi. Il fallait faire sentir à cette petite bonne femme qu'elle vous accordait une immense faveur en vous offrant des miettes, car pour Marie, toute nourriture était sacrée. Il fallait également réussir à lui faire sentir qu'elle était la maîtresse absolue de cette cuisine, même si, en fait, elle n'en était que la fille engagée. Cela, Timoléon en avait plus ou moins conscience, depuis les cinq années qu'il travaillait pour les Potvin et qu'il venait faire son tour à la cuisine.

Maintenant qu'il avait bourré le poêle de petit bois et ranimé le feu, Timoléon cherchait de nouveaux arguments pour jouer leur jeu selon les règles; il se fouillait l'esprit dans un effort intellectuel qu'il avait rarement l'occasion de fournir. On ne lui demandait pas, ordinairement, de faire de beaux discours, et il n'avait pas souvent l'occasion de se dérouiller les méninges. Chez ses parents, on lui avait dit de fermer sa grande gueule et d'obéir; chez les Dashwood, on lui avait demandé de pelleter le fumier et la neige, de nourrir les chevaux à la place du cocher pour éviter qu'il ne salisse sa livrée, et, du printemps à l'automne, de bêcher, biner, sarcler, planter et faucher. Il n'aurait pas eu de langue que cela aurait été pareil.

Il croyait vraiment que son esprit s'était rouillé à si peu servir. Ses joutes verbales avec Marie étaient une huile bienfaisante qui se répandait sur le métal grinçant du mécanisme de sa pensée et le remettait en marche. Avec elle, il fallait argumenter, gagner chaque faveur, même la plus infime, par un jeu compliqué de négociations. Il jouissait autant de parlementer avec Marie que de se bourrer la panse. Comme un enfant ravi d'utiliser le mot qu'il vient juste d'apprendre, Timoléon s'enthousiasmait de prouver à Marie qu'il méritait d'être régalé. Quand il y réussissait, il considérait la nourriture appétissante qu'elle déposait devant lui non pas comme une récompense, mais comme son salaire d'orateur. Il en était tout fier.

Les yeux au plafond et la bouche ouverte, il cherchait ses paroles en tirant encore à petits coups sur ses bretelles. Après quelques instants, il fut certain d'avoir trouvé ce qui emporterait le morceau. Il prit un grand souffle et bomba le torse à la manière d'un politicien qui commence son discours:

— Même si t'es ainqu'une fille engagée, comme moé j'suis un homme engagé, toé pis moé, y a pas de comparaison à faire; parce que toé, t'es une cuisinière dépareillée. T'es comme un trésor que les Potvin auraient trouvé par hasard, une bénédiction que le bon Dieu leur envoie parce qu'y sont du bon monde. Supposons, hein, ainqu'une supposition: les Potvin apprennent que tu me refiles des bons morceaux ! Y te demandent-t-y de faire ton paquet pis de t'en aller? Non! Oh que non! Aussi çartain que la messe du dimanche! Et pourquoi ça? Parce que M'sieur Potvin est pas un homme à se contenter de soupe au lard pis de pétaques à l'eau, entre le bénédicité pis les grâces! C'est lui que ça punirait, si toé, tu faisais ton paquet. C'est à toé que les Potvin doivent leur réputation de monde qui reçoivent comme des seigneurs! D'une manière, c'est toé la plus GRANDE, la plus GRANDE cuisinière de la région, pis peut-être même du grand Montréal, même si t'as pas tes cinq pieds de hauteur. T'es petite comme un brin de foin, tu pourrais quasiment te perdre dans un sous-bois de fougères, mais d'une autre manière, t'es GRANDE. C'est pour cette raison que tu peux ben prendre la liberté de me sucrer le bec… si tu le veux, Marie, ben sûr, si tu le veux… J'oserais jamais tendre ma grosse patte sur tes belles p'tites galettes dorées. Y a juste toé pour décider de m'en donner.

Timoléon sentit que cette fois, il avait gagné. Un discours d'une telle longueur, avec un tel souffle! Il s'impressionnait lui-même. Les mots, cette fois, s'étaient mis à couler comme une cascade au dégel. Marie était rose de plaisir et, pour mieux écouter l'envol de Timoléon et les compliments qu'il faisait pleuvoir sur elle, elle avait cessé de rouler la pâte. Le qualificatif «grande», surtout, constituait un compliment suprême pour elle, qui avait eu, pendant toute son enfance l'impression d'être aussi petite et légère qu'une quantité négligeable. Grandie par les éloges, elle était maintenant prête à faire asseoir Timoléon, à lui offrir une tasse de café dans une tasse sans ébréchure, à lui servir un énorme morceau de tarte, plus quatre ou cinq galettes, et, gentiment, à suspendre au-dessus du poêle ses mitaines humides. Quand il ressortirait dans le froid de décembre, cet homme-là serait parfaitement revigoré; Marie pourrait se dire que c'était grâce à elle.

Voyant que Marie approuvait de la tête, Timoléon s'enhardit et ajouta, pour finir en grande sur une note d'humour:

— Rien qu'une galette… une galette pas plus épaisse qu'une brindille? Hein, Brindille?

Timoléon vit tout de suite qu'il venait de commettre une terrible bévue. Il aurait dû deviner que Marie n'apprécierait pas du tout qu'il fasse allusion à son surnom. Tout le monde, dans le village de Contrecœur, avait oublié que ce sobriquet venait de la Grosse Alma, sauf Marie. On continuait de l'appeler «la Brindille» et cela lui allait parfaitement bien, car elle était un si minuscule brin de fille, un si petit «brin sur rien». De plus, son surnom la distinguait du grand nombre de Marie qui habitaient le village. Timoléon savait pourtant qu'il fallait toujours s'adresser à elle par son nom de baptême. «Je-m'appelle-Marie-du-même-nom-que-Sainte-Marie-Mère-de-Dieu, c'est pourtant pas difficile à se rappeler, ça!» répétait-elle, tout d'un souffle, chaque fois que quelqu'un — si c'était une personne à qui elle pouvait se permettre de parler sèchement — l'appelait la Brindille. Elle ne pouvait pas empêcher les Potvin, le curé, les sœurs du couvent et tout le monde qui parlait d'elle en son absence de la désigner par ce nom. Mais elle pouvait se choquer contre Timoléon quand il se ralliait à ceux qui suivaient l'exemple de la Grosse Alma.

La Grosse Alma disait aussi de Marie qu'on aurait pu la surnommer la Bridée, parce que, prétendait-elle, si la Brindille avait les yeux légèrement en amande, le teint foncé et les cheveux raides, noirs comme du charbon de poêle, c'était qu'elle avait eu une sauvageonne pour mère. La Grosse Alma laissait entendre que la sauvageonne, une Algonquine mourante qui avait déposé la Brindille aux portes du couvent, avait peut-être seulement fait croire que son bébé avait été baptisé. Et puis la Grosse Alma s'en référait aux archives de la paroisse de Contrecœur, ou plutôt à l'absence d'archives concernant le supposé baptême de Marie. Le petit vicaire qui avait prétendument baptisé la Brindille était mort presque aussitôt tonsuré et avait eu le temps de faire un seul baptême, celui de l'enfant de la sauvageonne. Et il avait trépassé avant d'avoir pu l'inscrire dans le livre de la paroisse. On pouvait avoir des doutes sur la qualité de chrétienne de cette Brindille, n'est-ce pas? Le Seigneur n'avait-il pas lui-même hésité en en faisant une demi-portion d'être humain? Une si minuscule Brindille devait se nourrir seulement en trempant ses lèvres dans la nourriture qu'elle préparait pour les Potvin... C'était ça, insinuait la Grosse Alma, le supposé talent de cuisinière de la Brindille: elle ne coûtait rien à nourrir!

Les médisances de la Grosse Alma à propos de la Brindille étaient dictées par la jalousie et l'envie, tout le monde au village était d'accord là-dessus, mais le sobriquet restait collé à la petite personne de Marie. Si elle ne pouvait rien contre la Grosse Alma, Marie pouvait du moins dompter Timoléon:

— Toé, mon grand cochon de six pieds, tu peux toujours te licher les babines, t'auras rien pantoute si t'es pour me traiter de brindille! Tu sauras qu'une brindille, c'est ben assez pour mettre le feu à ta tignasse en voyage de foin. Au lieu de bêtiser, rhabille-toé en vitesse pis va inspecter les collets à lièvres. Si tu m'en ramènes un ou deux, épluche-les, j'vas les mettre à cuire en même temps que ma deuxième fournée de galettes.

Timoléon, désolé, mais voyant la chance de rattraper sa gaffe, remit son manteau, chaussa ses bottes et prit le temps de les lacer, parce qu'il avait tout de même un assez long chemin à faire pour se rendre jusqu'aux collets. Le vent de décembre et cette neige en gros flocons exigeaient l'attirail complet des vêtements d'hiver. Sur le perron, grimaçant de froid, il remit ses mitaines qui n'avaient pas eu le temps de sécher et replia le bout de ses doigts vers ses paumes, tellement le contact de la laine froide et mouillée lui déplaisait. Il se dirigea vers l'érablière d'un pas pressé, pensant que cela ne lui prendrait qu'une petite demi-heure et qu'aussitôt les lièvres ramassés et épluchés, il reviendrait s'attabler à côté du poêle. Cette fois, certainement, il aurait sa récompense.

À l'autre bout de l'érablière, une butte rocheuse aux arbres clairsemés ouvrait une vue sur le chemin principal; celui-ci contournait les terres et faisait un long détour pour éviter un étang, à mi-chemin entre la propriété des Potvin et celle de la Grosse Alma. C'était sur cette butte, de l'autre côté de l'étang, que Timoléon posait ses collets à lièvres. Comme chaque fois qu'il venait là, Timoléon scruta la route, car il aimait voir qui pouvait bien se diriger vers le village ou en revenir. C'était toujours un bon point pour lui que de rapporter quelque commérage intéressant. Même si elle ne sortait pas souvent de la cuisine, la Brindille se tenait au courant, et Timoléon ramassait pour elle la moindre parcelle de nouvelle: «J'ai vu Beaudoin qui se dirigeait vers le village; y avait attaché deux jeunes veaux derrière sa charrette. Pour moé, y a besoin d'argent, y a peur à l'hiver, pis y vend ses veaux pour la boucherie» ou: «J'ai vu le jeune Lepailleur qui a fait monter la petite Bergevin dans sa wagginne; pour moé ça va finir à l'église!».

Mais ce qu'il aperçut cette fois lui fit battre le cœur comme si un ours enragé fonçait sur lui: une dizaine de cavaliers se dirigaient, au pas, vers la ferme des Potvin. Timoléon reconnut tout de suite la veste rouge et la casquette bleue des soldats de l'armée. La peur le figea pendant quelques instants, puis il s'efforça de réfléhir: en piquant à travers l'érablière et l'étang gelé, il serait à la maison une dizaine de minutes avant les Anglais. Timoléon partit comme un étalon qu'on fouette et lança ses longues jambes dans un galop affolé. Il atteignit la maison en un temps record. Ses jambes tremblaient comme celles d'un cheval après une montée. À bout de souffle, d'une voix quasi éteinte par l'air glacé qui avait transpercé ses poumons, il s'écria:

— Marie! Marie!... c'est eux autres!... les soldats anglais!... les habits rouges... en cavalerie... Y s'en viennent par icitte... Y cherchent le patriote... ça c'est sûr... Y vont être icitte dans le temps que ça prend... pour contourner l'étang... en faisant le grand tour... par le chemin... Qu'est-ce qu'on fait?

II

Le matin, quand les maîtres étaient partis, Marie avait eu le pressentiment qu'il y aurait une fouille précisément pendant leur absence. Leur fille se disait malade et ils allaient la chercher à Québec, chez les ursulines. D'habitude, à ce temps-là de l'année, les Potvin habitaient leur maison de Montréal, où les affaires de Monsieur Potvin le réclamaient. Mais cette année-là, à cause de l'insurrection des partisans de Papineau, toutes leurs habitudes avaient été bouleversées.

«Il fallait, avait pensé la Brindille pendant toute la semaine, que M'sieur Potvin ait ben de l'attachement pour le jeune M'sieur Paradis pour sortir de son chemin à ce point-là!»

Ignace Potvin avait en effet une grande amitié pour Jean-Baptiste Paradis, dont il admirait la fougue nationaliste. Le jeune homme incarnait tout ce qu'il aurait souhaité retrouver dans un fils, s'il avait eu le bonheur d'en avoir un. Ignace Potvin reconnaissait en lui des traits de sa propre jeunesse: l'idéalisme, la passion philosophique, l'emportement dans la défense des plus hautes valeurs. Ignace Potvin avait également eu de l'amitié pour le père de Jean-Baptiste, un seigneur de Saint-Hyacinthe qui, en vendant ses terres, avait perdu son titre. Habile en affaires, Ignace Potvin avait essayé de l'aider, mais il n'avait pas pu.

Il y avait, entre les Potvin et les Paradis, tout un réseau de parenté qui incluait même des membres de la famille d'Antoinette Potvin, la femme d'Ignace. Seules les femmes pouvaient préciser tous les détails de ces liens complexes. Quand Antoinette Potvin et ses trois sœurs s'y mettaient, elles pouvaient démêler le fil en remontant jusqu'aux débuts de la colonie.

Les liens d'amitié et de parenté n'expliquaient pas tout le dévouement d'Ignace Potvin pour Jean-Baptiste. Du jour où il avait retrouvé Jean-Baptiste parmi les patriotes réunis à l'hôtel Nelson, à Montréal, pour fonder l'association des Fils de la Liberté, il avait été prêt à sacrifier sa tranquillité pour l'aider. Jean-Baptiste n'était pas son fils, mais il était un Fils de la Liberté et cela, aux yeux d'Ignace, méritait qu'on déploie toutes les ressources de l'imagination pour qu'il échappe à la police de Colborne.

Même si Ignace Potvin manquait de temps pour participer aux réunions de l'hôtel Nelson, il n'en partageait pas moins l'idéal des patriotes; en aidant Jean-Baptiste, il servait la cause de la justice et de la liberté. Il en était arrivé à l'âge où l'on a du ventre, de la calvitie et un besoin de confort. Mais la sécurité matérielle que donne l'âge additionné au succès le rendait paradoxalement plus libre de revenir aux idéaux de sa jeunesse, nourrie des idées républicaines françaises.

Jean-Baptiste faisait maintenant partie des vingt-six personnes sur qui pesait un mandat d'arrestation *pour cause de haute trahison ou menées séditieuses*. Il était l'auteur présumé de quelques articles incendiaires dans *Le Vindicator*. En avril, il avait écrit:

> Le sort en est jeté: le ministère britannique a résolu de marquer cette province du sceau de la dégradation et de

l'esclavage, et de la rendre réellement ce qu'elle passait déjà pour être: l'Irlande de l'Amérique du Nord... Privé ainsi de toute justice au-delà de l'Atlantique; abandonné, rejeté par ceux en qui il a mis follement sa confiance, le peuple du Bas-Canada n'a plus qu'un devoir à remplir. Qu'il étudie l'histoire de la révolution américaine. Qu'il étudie les philosophes des Lumières. Il y trouvera de la sagesse, de la consolation et de l'encouragement. Ses dominateurs anglais, se reposant sur leur force brutale et rendus insolents pas leur nombre, ont rejeté les leçons que donne cette histoire. C'est au peuple à profiter de la sagesse que ses dominateurs rejettent. Le peuple du Bas-Canada doit adopter la suggestion de Papineau: s'abstenir de consommer les articles importés sur lesquels les Anglais prélèvent une taxe excessive et encourager la contrebande. Par ce moyen, il anéantira le revenu dont l'Angleterre dispose de manière illégale et inconstitutionnelle, et il paralysera le bras de l'oppresseur.

En plus d'écrire dans *Le Vindicator* et à l'occasion dans *La Minerve,* Jean-Baptiste s'était fait connaître dans les villages en bordure du Richelieu, lors de sa campagne pour Papineau. Il concluait toutes ses harangues par un «À bas le régime des bureaucrates! Vive les tuques!». Pour couronner le tout, il avait été vu à Saint-Eustache et à Saint-Benoît! C'était plus qu'assez pour être accusé de trahison et de sédition.

Quand Antoinette Potvin avait lu à son mari une lettre de leur fille Joséphine, qui se plaignait d'être souffrante et d'avoir froid chez les ursulines, Ignace Potvin, après une heure ou deux d'hésitation, avait finalement décidé d'accompagner sa femme jusqu'à Québec et de ramener leur fille à Contrecœur, faute de pouvoir la ramener à la maison de la rue Notre-Dame. Mais cela l'inquiétait de laisser Jean-Baptiste.

Ni Ignace ni sa femme n'avaient prévu que Colborne choisirait cette journée pour faire fouiller leur maison de campagne. Le fait même que les Potvin se soient réinstallés à la campagne en plein mois de novembre avait éveillé les soupçons des hommes de Colborne, qui pourchassaient les patriotes dans tout le Bas-Canada pour les entasser dans la prison de Montréal.

* * *

À l'annonce de l'arrivée des royaux, Marie ne s'énerva pas. Pendant quelques instants, elle demeura là, les deux mains immobilisées sur le rouleau à pâte, la mâchoire pendante, l'air d'un enfant qui s'applique à comprendre. Voyant la Brindille, d'habitude si vive, tout à coup paralysée et sans réaction, Timoléon pensa qu'elle ne le croyait pas, et il se mit presque à crier de sa voix éraillée par le froid:

— J'te fais pas crère une histoire, c'est vrai comme j'suis là! Y faut faire quoque chose... Y vont le trouver, pis y vont le pendre, pis peut-être ben nous autres avec... c'est sérieux là, Marie, c'est pas une accrère. Grouille-toé, batèche! Plante-les là, tes tartes!...

Timoléon ajouta aussi vite et presque à voix basse, en détournant son regard.

— On ferait peut-être aussi ben de se pousser, j'veux pas être pendu, j'ai rien faite, moé... On s'enfuit par l'érablière, pis on marche jusqu'au presbytère... Qu'est-ce t'en dis? Réponds-moé vite... Marie.

— Non!

Marie venait de sortir de sa torpeur. Le ton sec qu'elle avait employé coupa court aux idées de Timoléon et la remit en action. Elle évalua à environ dix minutes son avance sur les royaux. Sans énervement, mais avec la vivacité qu'elle mettait d'habitude à faire toute chose, elle sortit les lèchefrites de galettes et les mit à refroidir sur un torchon posé sur la table. Puis, elle rafla toutes les retailles de pâte à tarte et les enfouit dans la poche de son grand tablier de coton blanc. En même temps qu'elle enfilait ses bottes et son manteau accroché à côté de la porte, elle donnait ses ordres à Timoléon.

— Toé, assis-toé icitte pis mange des galettes, le dos à la porte. Fais comme si t'étais sourd; continue de manger des galettes pis de chauffer le poêle. Quand y vont rentrer dans la cuisine, y vont se servir, ces cochons-là; laisse-les manger toutes les galettes pis toutes les tartes sans dire un mot, ça me donne du temps. Moé, je m'en vas dans la grange aider le M'sieur Paradis à se cacher pour de vrai. Caché dans le foin, y est pas mieux que mort.

Tout en lançant ses ordres, Marie avait jeté son gros châle de laine tricotée par-dessus son manteau; elle le croisa sur sa poitrine et l'attacha par derrière, puis mit ses petites mitaines rouge betterave. Une fois dehors, elle descendit les trois marches du perron de bois, fouilla en-dessous et en sortit une vieille catalogne repoussante de saleté qu'elle roula et se mit sous le bras. Se tournant vers Timoléon qui se tenait devant la porte entrouverte, elle lui donna ses derniers ordres:

— Toé, t'es sourd, oublie pas. Montre tes oreilles, comme si t'avais pas de compréhension, pis exprime-toé en gestes comme le quêteux qui est sourd. Y vont fouiner partout, inquiète-toé pas, y sera pas trouvable... J'vas le cacher assez ben notre patriote, y a pas un Anglais qui va y mettre la main dessus!

Avant d'entrer dans la grange, elle se retourna une dernière fois et, élevant la voix pour être entendue malgré la bourrasque, elle cria à Timoléon, qui s'agitait encore en travers de la porte:

— Bon yenne! Calme-toé le poil des jambes, Timol! Vas t'asseoir pis bourre-toé la face, ça sera toujours ça de pris...

Quand Marie pénétra dans la grange après avoir lancé quelques «Ti-Noir!» expéditifs, elle trouva Jean-Baptiste souriant, inconscient du danger, tranquille comme chaque fois qu'on s'était annoncé par le signal convenu. Comme d'habitude, il lisait, bien au chaud dans sa grosse peau d'ours.

Contrairement à Jean-Baptiste Paradis et à Timoléon, Marie n'avait pas une grande confiance en la cachette. Depuis une semaine que les Potvin cachaient ici ce Fils de la Liberté, elle avait eu le temps de le connaître assez pour se désoler à l'idée qu'il soit capturé. Il le serait, car se cacher dans le foin, même au plus creux d'une énorme masse, même avec un savant mécanisme de poulies et de cordes pour boucher le trou, ni vu ni connu, cela ne valait rien selon elle. «Un trou dans le foin, avec un bouchon de foin par-dessus! A-t-on idée! Aussi ben se cacher en dessous de son litte», avait-elle dit à Timoléon. Mais les maîtres ne lui avaient pas demandé son avis et maintenant, c'était elle, avec Timoléon, qui devait faire face à la situation. Et à ses yeux la situation était claire: cette cachette ne valait rien et les royaux seraient là dans dix minutes! Il fallait agir!

Quand Marie préparait un banquet pour douze personnes, comme cela arrivait souvent à la résidence de la rue Notre-Dame où les Potvin recevaient en grand, elle s'enflait d'importance jusqu'à atteindre la stature d'un général sur le champ de bataille. C'était ce général en jupon qui venait d'entrer dans la grange comme un coup de foudre. L'absence des Potvin, la vulnérabilité de Jean-Baptiste et peut-être aussi son apparence ridicule — une boule de fourrure surmontée d'une tête enveloppée comme un bonbon en papillote — lui firent oublier la distance sociale entre elle et un Monsieur de la classe de Jean-Baptiste. Agitant au-dessus de sa tête ses deux mitaines rouges, comme deux drapeaux indiquant un danger, elle lui signifia l'urgence de la situation:

— La police des Anglais est sur le chemin, M'sieur Paradis! Y a une dizaine de cavaliers qui s'en viennent au petit trot. Ça tombe ben mal: les maîtres sont partis jusqu'à demain. Croyez-moé, comme cachette, le tas de foin vaut pas mieux que le dessous de votre litte! Descendez de votre poutre aussi vitement que vous le pouvez, suivez-moé par la porte d'en arrière. Moé, j'en ai une cachette pour vous, une vraie: y aurait rien que des Sauvages pour vous trouver! Me faites-vous confiance?

À entendre Marie lui annoncer la venue des royaux, Jean-Baptiste sentit son cœur cogner tellement fort dans sa poitrine qu'il n'eut pas assez de voix pour discuter, ni de volonté pour résister. Il ressentait l'étrange autorité qui émanait de ce petit brin de femme et, sans hésiter, il jeta sa peau d'ours et son livre dans le trou de foin et tira sur le câble pour refermer la cachette. Il glissa ensuite sur le foin comme sur une pente enneigée et aboutit à côté de Marie. Elle l'entraîna dehors et se mit à courir en direction de l'érablière. Jean-Baptiste n'avait plus que sa redingote et ses bottillons de cuir fin. Mais comme il portait encore la tuque d'habitant et le long foulard de laine enroulé autour de sa tête, il avait l'air d'un blessé au crâne recouvert de bandages épais.

Il se demanda, inquiet, si la fille avait l'intention de le faire courir longtemps. Elle se déplaçait avec la légèreté d'une petite renarde maigre, sautillant comme s'il y avait eu une épaisse couche de neige, alors qu'ils couraient sur un sentier bien tapé, que Timoléon empruntait pour se rendre à ses collets. Malgré sa puissante musculature d'homme jeune, fort et en bonne santé, Jean-Baptiste était peu habitué à l'exercice physique et mal vêtu pour supporter le froid. Il sentit qu'il ne pourrait pas tenir longtemps à ce pas de course. Déjà, il n'avait plus assez de souffle pour parler en courant, sinon il aurait demandé à Marie où elle pensait se rendre comme ça. S'agissait-il simplement de fuir à toutes jambes? En hiver, avec la forêt dégarnie, c'était de la folie! Peut-être n'aurait-il jamais dû quitter son trou dans le foin. Pourquoi avait-il fait confiance à cette petite bonne femme pas plus vieille que lui? Aussitôt que les Anglais lanceraient leurs chevaux à leur poursuite, ils seraient repérés et pris.

Juste à ce moment, Marie s'arrêta brusquement et lui désigna l'énorme tronc d'un bouleau jaune mort.

— Rentrez-vous là-dedans, c'est un arbre creux. Venez de ce bord icitte, y a une grande ouverture dans le tronc. Ce qui restait de bois pourri, je l'ai vidé avec une pelle à farine. Cet arbre-là, y tient quasiment rien que par l'écorce, y est ben fragile; y faut vous glisser dedans ben précautionneusement pis rester debout ben droit, sans forcer sur l'espace. J'vas boucher l'ouverture avec une pièce d'écorce. Faites vite!

Voyant que Jean-Baptiste ne comprenait pas qu'une telle cachette ait été toute prête pour lui, elle s'expliqua, en détournant la tête comme si elle confessait une faute:

— J'y ai jamais cru à votre cachette. J'me disais que peut-être ben que vous auriez besoin d'une meilleure cachette. À tout hasard, j'ai vidé cet arbre-là. C'était pas plus compliqué que de vider un poulet, hein? C'est vous qui allez servir de farce!

Puis, reprenant son sérieux:

— Vitement, M'sieur Paradis! C'est pas le temps de se raconter nos vieux péchés... J'vas vous recouvrir avec cette vieille guenille de tapis, qu'est imbibée de pisse d'animal. Prenez pas offense, et excusez la manière, mais c'est pour tromper le nez des chiens. Avec l'odeur du lièvre pogné là dans le piège, l'odeur des pas de Timoléon, des miens, pis des vôtres, avec de la pisse de raton laveur par-dessus tout ça, les chiens vont avoir de la misère à flairer cette soupe-là.

Marie déroula la catalogne usée qu'elle avait emportée, un tapis qui avait longtemps servi à s'essuyer les pieds à la porte de la cuisine et qui n'était plus qu'une guenille à moitié effilochée. Il s'en dégageait une écœurante odeur d'urine. Jean-Baptiste fit la grimace mais n'eut pas le temps de dire un mot que la Brindille lui entourait la catalogne autour du corps, lui laissant un bras libre, au cas où il aurait besoin de se pincer le nez pour ne pas éternuer. Elle le poussa ensuite doucement vers l'arbre.

— Astheur entrez dedans sans faire de vagues.

Jean-Baptiste s'y glissa: il pouvait amplement tenir debout dans cet arbre, mais il se retrouvait à mille lieues de l'impression de sécurité que lui avait donnée sa cachette dans le foin, protégé qu'il était par les murs rassurants d'une grange et l'odeur familière du foin sec. La cachette imaginée par la Brindille était aussi fragile qu'un vêtement fin et semblait plus adaptée à un animal qu'à un homme; elle ne ressemblait pas à un abri, mais à un cercueil; elle était trop froide, trop légère, si inquiétante! Debout au creux de cet arbre, il observa la Brindille qui saisissait un grand morceau d'écorce et il comprit qu'elle l'avait préparé à l'avance: plusieurs morceaux sains étaient raboutés et collés avec de la gomme d'épinette. Le pan d'écorce suivait la courbure du tronc et se confondait avec l'enveloppe naturelle du gros bouleau jaune évidé.

Marie regarda Jean-Baptiste une dernière fois avant de boucher l'ouverture, tenant à bout de bras le morceau d'écorce plus grand qu'elle-même. Jean-Baptiste la regardait avec des yeux à la fois tristes et terrifiés; cet arbre serait-il son cercueil? Marie ne voulut pas être dérangée par ce regard: l'émotion lui ferait perdre du temps et de l'aplomb. Elle détourna vivement les yeux, ajusta l'écorce une dernière fois, et enferma prestement un Jean-Baptiste de plus en plus blême dans la noirceur de son arbre. Elle lui souffla tout de même, une fois que l'arbre fut complètement scellé:

— Craignez pas trop, recommandez-vous à la bonne sainte Vierge. Si ces démons d'Anglais nous prennent pour du bétail, le bon Dieu et sa sainte Mère, eux autres au moins, y savent que vous êtes un homme de cœur. Tenez vous drette comme le bâton de la justice, pis pensez au sourire de notre bonne sainte Mère devant son p'tit Jésus étendu sur la paille de sa crèche de Noël. Ça vous tiendra chaud.

Elle s'éloigna de son pas de course sautillant.

Jean-Baptiste n'était pas rassuré par la recommandation dévote de Marie. Depuis qu'il avait reçu son diplôme du Collège de Montréal en 1832, la fréquentation quotidienne des Anglais de religion protestante, dont il combattait l'emprise politique mais qu'il considérait comme plus libérés que les catholiques, les idées fortes que la lecture de Voltaire lui avaient mises en tête, tout cela avait eu plus d'emprise sur son esprit que la piété mariale; depuis la fin de son adolescence, il ne tirait plus aucune sécurité de sa foi, et n'en tirerait pas plus aujourd'hui, même s'il était en danger de mort. La révolte qui le faisait aboutir au creux de cet arbre n'était-elle pas dirigée en partie contre la religion, contre les idées étriquées des curés qui prêchaient la soumission inconditionnelle aux Anglais, à l'autorité, à l'Église? Il n'allait certainement pas avoir la faiblesse de retourner dans le giron de la foi parce qu'il avait peur.

Mais Marie avait raison sur un point: il devait occuper son esprit avec des idées qui le tiendraient au chaud, sinon la panique s'emparerait de lui.

«Le sourire de notre sainte mère la Vierge», avait dit la Brindille... Oui, il était capable de puiser du réconfort à l'image du sourire d'une mère, mais c'était à sa mère humaine qu'il pensait, et non à la mère divine, dont le sourire triste de Vierge éplorée lui gelait le cœur.

Le sourire de sa mère à lui était autrement plus maternel; c'était celui, généreux et abondant, d'une femme corpulente; à l'occasion, ce sourire éclatait en un rire roulant et chaud qui mouillait ses yeux de larmes. Elle se le reprochait ensuite comme un manquement à sa dignité: «Oh! Oh! Ça n'a pas de bon sens!» Elle considérait que l'épouse d'un seigneur de Saint-Hyacinthe aurait dû se contenter de sourire. Mais elle repartait de plus belle et son double menton tremblait comme des œufs en neige, son visage rond devenait aussi rouge et luisant qu'une pomme. Quand enfin elle réussissait à maîtriser la cascade de son rire et que tout le comique de la situation avait été consommé, comme pour se rattraper, elle prenait un air de lady et suggérait une tasse de thé, se montrant d'autant plus altière qu'elle avait ri comme une paysanne.

Le souvenir des accès de fou rire de sa mère aida Jean-Baptiste à dominer son angoisse, mais aussitôt qu'il eut cessé d'entendre le rire bouillonnant, la panique revint de plus belle.

«Peut-on mourir de peur?» se demanda-t-il. Oui, il sentait que son cœur pourrait bien s'arrêter s'il ne ralentissait pas la montée de l'épouvante. Il mit alors toute sa puissance de concentration à retrouver l'image maternelle la plus rassurante.

Après quelques instants, un tableau se forma: il était assis à côté de sa mère, toute la famille était au salon et on buvait du champagne avant le dîner du jour de l'An. Sa mère racontait un souvenir de sa Normandie natale, qu'elle avait quittée à regret, l'année de ses quinze ans, car depuis la Conquête, partir pour le Canada, c'était partir pour une vie de misère. Si elle avait pu, elle ne se serait jamais embarquée. Mais elle avait hérité de cent arpents de terre dans la région de Deschaillons et d'une maison à Québec. Cet héritage de son grand-oncle, établi ici avant la Conquête, représentait tout son avoir à la mort de ses parents. À mesure qu'elle vieillissait, elle embellissait son souvenir de la France. Le père de Jean-Baptiste, comme s'il avait voulu mettre habilement fin à cette évocation nostalgique, s'était avancé vers sa femme avec un paquet joliment emballé. Elle ne déchira pas le papier bleu imprimé de marguerites blanches qui enveloppait le cadeau, car sur ce papier était inscrit, en guirlandes de fleurs, le nom d'une boutique de Paris. Un emballage aussi joli, et parisien de surcroît, faisait partie intégrante du cadeau et valait la peine que des mains attentives le retirent sans l'abîmer. Le paquet ouvert et le papier replié, la boîte révéla quatre paires de draps de lit en fine toile blanche. La large bordure était ornée de luxueuses broderies en fil de coton blanc, qui formaient le même motif que celui des draps de la maison natale, en Normandie. Elle avait soulevé délicatement le premier drap de la pile et, de sa joue, de sa main, de ses lèvres, avait caressé la fine toile... comme s'il y avait eu, recroquevillé dans le tissu, un nouveau-né silencieux qui l'aurait pâmée par sa beauté endormie. Des larmes avaient coulé sur ses joues rondes et luisantes, comme si ces draps lui avaient redonné son enfance.

Jean-Baptiste se souvint aussi que ce sentimentalisme extravagant avait rendu son père un peu impatient; il se reculait du fauteuil dans lequel sa femme était assise, ne voulant pas être inclus dans le tableau des réminiscences de Normandie. Jean-Baptiste, alors presque adolescent, avait ressenti la même gêne que son père: sa mère exagérait avec son débordement d'affection pour sa chère France! Mais son père, comme d'habitude, n'avait fait aucune remarque. «Mon père avait trop besoin de la bonne humeur de ma mère pour risquer de la mettre en colère...», pensa Jean-Baptiste. Quelques mois plus tard, lui-même avait osé faire remarquer que la mère patrie était une bien drôle de mère pour abandonner ainsi ses enfants aux Indiens et aux Anglais; la France, plutôt que de se comporter en mère, lui apparaissait comme une coquette irresponsable qui abandonne ses enfants pour aller danser à la cour.

Sa mère n'avait pas bronché. Il avait essayé, le plus doucement possible, de lui faire admettre l'évidence: que le roi Louis ne s'était pas vraiment soucié de sa colonie et qu'il l'avait sacrifiée à sa politique interne; que tous les Canadiens français étaient des orphelins, définitivement orphelins, et devraient bien un jour prendre leur destinée en main. Les Anglais, eux, continuaient de se présenter comme des Anglais, car leur lien avec l'Angleterre n'était pas rompu; ils n'étaient pas des orphelins. Mais les Canadiens français ne pouvaient plus se dire Français, ne pouvait-elle pas l'admettre? Quand accepterait-elle de se considérer définitivement comme une Canadienne? «Jamais! Jamais de ma vie! Je suis Française et je le resterai!» avait-elle répliqué à tous ses efforts. «Que les Iroquois nous aient massacrés et que nous les ayons massacrés en retour, cela, elle semblait capable de l'accepter; que les Anglais prennent nos terres, fassent travailler les paysans canadiens comme des esclaves noirs, elle pouvait toujours le comprendre, car elle pouvait imaginer que cela changerait un jour. Mais que la France nous ait abandonnés, non, impossible, elle ne pouvait pas l'admettre», pensa Jean-Baptiste. Un tel abandon aurait été une si grande blessure que sa mère, qui aimait le rire plus que la tristesse, avait préféré le nier. Si Jean-Baptiste avait réussi à diminuer l'attachement qu'éprouvait sa mère pour son pays natal, cela aurait été comme s'il lui arrachait les souvenirs heureux de sa jeunesse, qu'il lui volait sa mémoire. «Si au moins, se disait-il, j'avais pu lui faire comprendre que, pour moi, l'idée d'un pays tout neuf, sans grande histoire, même s'il fallait le disputer aux Anglais, ce pays à peupler et à définir me stimulait infiniment plus que l'idée de faire la courbette dans les salons royaux de la vieille France!»

À mesure que le souvenir de sa mère prenait de la substance, Jean-Baptiste commençait à comprendre que sa révolte passionnée, son goût pour les idées romantiques et pour les penseurs révolutionnaires de la France étaient peut-être un effet de l'influence maternelle qu'il avait tant cherché à combattre. N'avait-il pas hérité de sa mère un caractère inflammable et n'est-ce pas d'elle qu'il avait pris la passion de défendre ses idées, comme elle, envers et contre tous, défendait son amour pour la France? En devenant un Fils de la Liberté, il avait ressenti de nouveau son amour pour la France; il l'aimait, non plus comme une mère patrie, mais comme une grande courtisane qui allumait sa passion pour les idées de liberté, de fraternité, d'égalité.

Mais ces grandes idées-là, si elles l'avaient réchauffé jusqu'à le brûler, ne lui apportaient plus le moindre réconfort maintenant. Elles étaient comme refroidies par la conscience de sa situation actuelle: les idées n'étaient plus, tout à coup, seulement quelque chose qui se loge dans la tête; cela avait le pouvoir de déraciner un jeune notaire de son confortable bureau pour l'enfermer *à l'intérieur* d'un arbre mort. Les arbres, jusqu'ici, n'avaient eu pour lui qu'un extérieur. Mais il comprenait subitement que l'écorce a un envers, que les arbres vivent aussi de l'intérieur et que cette vie est multiple, étrange... Hostile à la vie humaine ou amie? Il ne pouvait pas dire... Une vie étonnante, aussi belle que terrifiante. Tout l'édifice patiemment érigé de son système philosophique s'effritait comme s'était effrité le bois du bouleau jaune qui l'abritait maintenant. Une fois l'arbre mort, sa chair s'était métamorphosée en une pulpe poussiéreuse, tandis que l'écorce persistait à tenir debout, donnant à cette forme creuse l'apparence d'un bouleau.

Il se rappela le sentiment de sécurité absolue qu'il avait, enfant, lorsqu'il courait se réfugier dans la grande jupe plissée de sa mère, ramenant un pan du tissu devant ses yeux pour ne plus rien voir du monde et demeurer là, réchauffé, protégé, aimé, et il eut envie de pleurer. Il se retint de peur qu'en ouvrant, même prudemment, les écluses au flot de larmes qui montait dans sa gorge, il soit secoué si fort que le mur fragile de son abri éclate comme une coquille d'œuf, le laissant, nu comme un poussin que sa mère refuse de couver, à la merci des hommes de Colborne qu'il entendait approcher.

III

Marie s'était éloignée du bouleau jaune d'une centaine de pas, jusqu'à un énorme sapin dont les branches touffues touchaient le sol. Sous les plus basses, qui s'étalaient en éventail, se cachaient deux petits ratons laveurs qu'elle avait apprivoisés à l'automne, quand leur mère avait été piégée par le fils du tonnelier, qui s'en était fait un chapeau de fourrure. C'était leur urine qui imbibait la guenille dont Jean-Baptiste était couvert. Au début des neiges, Marie avait transporté les orphelins dans ce grand abri au pied du sapin. Autrefois, des ours avaient l'habitude d'y hiverner. Quand la neige avait recouvert l'arbre comme une toile de wigwam, la Brindille avait scellé autour du tronc un espace parfaitement clos que n'atteignaient ni la neige ni le vent. L'abri était d'autant plus profond que la neige était épaisse, et il devenait aussi confortable qu'un igloo réchauffé par l'haleine d'énormes bêtes. Marie savait que les ours avait fui la proximité des maisons et qu'il n'y avait aucun risque à abriter là ses petits protégés. Elle préférait les ratons aux chats, les trouvant aussi intelligents, sinon plus; ils avaient des dents effilées et puissantes comme celles des renards et se montraient aussi affectueux que des chiens. Voilà des bêtes qui ne faisaient jamais les difficiles: elles se contentaient des restes les plus défraîchis et, avec elles, jamais aucune parcelle de nourriture ne se perdait. Contrairement aux cochons de la porcherie, qui avalaient tout comme des poubelles vivantes, les ratons charmaient la Brindille par leurs manières humaines: ils se servaient de leurs pattes de devant pour manier la nourriture avec la précision d'une marquise saisissant un petit gâteau sur un plateau.

Elle fouilla sous son manteau et sortit les boulettes de pâte crue qu'elle avait emportées dans son tablier en quittant la cuisine. Elle les déposa dans la neige, au pied du sapin, puis dénoua son châle et s'en fit un turban. Elle reprit ses boulettes de pâte et se glissa comme un chat sous les grandes branches de l'arbre, sachant que les ratons reconnaîtraient son odeur et ne s'énerveraient pas. La cachette était excellente et vaste, elle aurait pu loger Monsieur Paradis et la Brindille en même temps, sans qu'ils y soient à l'étroit, mais les ratons auraient protesté, et ces petites bêtes, quand elles se fâchaient, pouvaient vous croquer un doigt et emporter le morceau en une seule bouchée. Marie avait beau les aimer, elle n'ignorait ni la puissance de leur mâchoire ni le pointu de leur dents. La cachette n'était bonne que pour elle, leur mère adoptive. Selon son habitude, Marie leur parla, comme elle parlait à toutes les bêtes auxquelles elle avait affaire.

— Tassez-vous, les bêtes, me v'là. Je m'en viens vous visiter chez vous et j'vous amène de ma pâte à tarte.

Les deux petits chats sauvages reniflèrent l'odeur familière de la Brindille et, sur ses mains, l'odeur de pâtisserie; elle leur donna les boulettes de pâte. Quand elles eurent fini de manger, les bêtes tournèrent en rond, tels des chats sur leurs coussins, et se recroquevillèrent contre le corps de la Brindille. Elle appuya sa tête sur la plus grosse racine de l'arbre, emmitouflée dans la laine épaisse de son châle comme les ratons dans leur fourrure, et son corps léger ne prit pas plus de place que le leur. Le vent sifflait dans les bois, mais les branches bloquaient la bourrasque et la neige. Quelques minutes plus tard, toutes trois, la femme et les deux bêtes, devinrent aussi immobiles que si elle s'étaient endormies pour l'hiver.

* * *

Timoléon avait refermé la porte de la cuisine et il était retourné s'asseoir quand les soldats de Sa Majesté arrivèrent. Aussitôt, la troupe de dix hommes se divisa en trois: le premier groupe ne descendit pas de cheval et partit en direction de l'érablière; le deuxième reçut l'ordre de fouiller la grange, l'étable, la laiterie et le poulailler, tandis que le dernier fouillait la maison de la cave au grenier, dans ses moindres recoins, y compris la boîte à bois et le caveau à légumes, les malles du grenier et les tentures du salon, le garde-manger et le dessous des lits. Timoléon, pendant ce temps, ne bougeait pas de son banc dans la cuisine. Aucun des soldats n'avait encore fait attention à lui.

Les trois hommes qui fouillaient la grange découvrirent en peu de temps le mécanisme de la poulie et du bouchon de foin. Au creux de la cachette, en plus de la peau d'ours et du livre, Jean-Baptiste avait laissé un vieil exemplaire du journal *La Minerve,* dont le propriétaire, Ludger Duvernay, était un patriote bien connu. C'était lui qui, en 1834, avait fondé la société Saint-Jean-Baptiste, qui regroupait tous les Canadiens français devenus ensuite des Fils de la Liberté. Ce journal constituait une preuve supplémentaire que la cachette était celle d'un patriote; les royaux le ramenèrent à leur chef, qui s'était attablé à la cuisine et mangeait de la tarte sans se préoccuper de Timoléon, pendant que deux de ses subalternes fouillaient.

Après avoir mangé, le chef commença à interroger Timoléon. Celui-ci, fidèle au commandement de Marie, se contentait de garder la bouche ouverte comme un poisson hors de l'eau et de se donner l'air le plus idiot possible. Il n'en menait pas large et semblait avoir rapetissé d'un pied tellement ses épaules étaient basses. Quand le soldat lui posait une question, il gesticulait comme un débile pour signifier que sa langue était morte et que ses oreilles n'entendaient pas. Par souci de réalisme, il faisait des bruits inarticulés qui imitaient, du mieux qu'il le pouvait, les sons gutturaux du quêteux que la Brindille lui avait donné en modèle.

Mais quelque chose dans son jeu ne convainquit pas un des hommes. Ils convinrent entre eux, discutant en anglais, à l'écart, de faire une petite mise en scène pour voir si la parole et l'entendement ne reviendraient pas à ce débile qui avait dans les yeux assez d'intelligence pour avoir peur. Deux hommes se saisirent de Timoléon et l'entraînèrent dehors, le poussant dans la neige, en bas de laine et sans manteau. Ils l'éloignèrent de la maison d'une dizaine de pas et le tournèrent face au perron, d'où les six autres, regroupés à la manière d'un peloton d'exécution, levèrent leurs fusils et le mirent en joue, comme s'ils n'attendaient plus que l'ordre de tirer. L'homme qui avait eu l'idée de la mise en scène, s'adressa à Timoléon dans un français écorché:

— Parle ou bien on tire!

Aussitôt, Timoléon se jeta à genoux en criant:

— Pitié! Tirez pas! Pitié! J'ai rien faite de mal, j'suis même pas un patriote; j'crains Dieu pis l'autorité des Anglais!

Les trois soldats se mirent à rire de la couardise de Timoléon, encore à genoux dans la neige. Celui qui avait organisé la pseudo-exécution le força à se relever et, l'agrippant par les bretelles, il lui administra un grand coup de pied au derrière. Les bretelles de Timoléon s'arrachèrent net de son pantalon, et il piqua du nez dans la neige.

En se relevant, il dut retenir ses culottes pour qu'elles ne lui tombent pas sur les chevilles. Le soldat le saisit par une oreille et le ramena ainsi, comme un cancre, jusque dans la cuisine, où il le laissa planté au beau milieu de la pièce, les mains crispées sur sa culotte. L'un d'eux jeta les bretelles dans le poêle et, riant encore de leur bon coup, les hommes, avec la permission de leur chef, avalèrent leur part de tartes et de galettes avant d'interroger Timoléon.

Une fois le sérieux rétabli, l'homme qui lui avait dit «parle ou bien on tire» le questionna dans son mauvais français. Timoléon jura encore une fois: il ne savait rien, il était innocent, il n'était que l'homme engagé. Il n'avait su que le matin qu'un patriote se cachait ici; il pouvait même leur dire où: dans un tas de foin, dans la grange.

Il raconta ensuite comment, au matin, le Monsieur qui se cachait était parti avec les maîtres. Quant à savoir leur destination, ça, c'était une autre affaire. Avait-on jamais vu des maîtres informer des domestiques de leurs allées et venues? En tout cas, pas ici. Surtout qu'il ne logeait pas chez les maîtres et n'était donc pas au courant des affaires de la famille; libre à eux de vérifier: il logeait chez la veuve Rose-Alma. Une femme qui n'était pas du bord des rebelles, pas plus que lui «ça c'est sûr et çartain, vous avez qu'à vérifier auprès du curé, qui lui non plus est pas de ce bord-là», ajouta-t-il en guise d'argument final.

Plus il jurait qu'il n'était pas du bord des patriotes, plus il essayait de les convaincre qu'il était un sujet soumis à l'autorité des Anglais, plus il se sentait triste. D'avoir à retenir ses culottes et de se voir planté là comme un piquet de clôture, en plein milieu de la cuisine, pendant que les soldats, assis, lui posaient des questions, lui rappelait l'humiliation qu'il avait ressentie pendant des années lorsqu'il tendait la main pour recevoir sa poignée de sous. Une chaleur lui monta de la poitrine et bloqua sa gorge. Il s'empêcha de trop respirer: l'air attisait la colère réfugiée au creux de son estomac, comme une braise rougeoyante que la tristesse recouvrait encore d'une cendre protectrice. Souffler sur cette braise, c'était risquer de s'enflammer d'un coup, jusqu'à sa tignasse blonde, et de se jeter comme un fou sur les Anglais pour les mordre.

Voyant qu'il n'y avait rien à tirer de ce domestique, les soldats cessèrent leur interrogatoire et signifièrent à Timoléon de déguerpir. Il partit vers la grange où, pour se calmer, il se fit une ceinture, qu'il noua rageusement sur son pantalon, et se tressa une autre paire de bretelles avec la corde des ballots. À tout moment, il ouvrait la porte du fond, qui donnait sur l'érablière, et se rassurait chaque fois de ne pas voir revenir Jean-Baptiste ou la Brindille encadrés par les quatre cavaliers lancés à leurs trousses.

* * *

Après avoir ratissé toute l'érablière, les soldats chargés de fouiller ce secteur revinrent vers l'arbre qui dissimulait Jean-Baptiste. Il entendait, amplifié par le tronc creux, le tremblement que le trot des chevaux communiquait à la terre. La noirceur de sa cachette le forçait à regarder au-dedans de lui-même. Sa lucidité augmentait avec l'urgence. Les idéaux politiques pour lesquels il s'était cru prêt à tout sacrifier étaient maintenant concurrencés par un autre désir, plus primitif, puissant, débordant: survivre! Son imagination se lançait à toute allure vers un avenir qu'il sentait menacé. Sa passion, jusqu'ici, s'était nourrie de politique jusqu'à l'intoxication. Bien sûr, il avait projeté de se marier, de fonder un foyer et de s'installer dans une confortable maison pour profiter un peu de la fortune amassée par son père et son grand-père. Mais à vingt-cinq ans, aucune femme ne l'avait encore séduit au point de lui faire oublier la politique assez longtemps pour qu'il ait le loisir d'aimer et de se marier.

Il fallait qu'il soit menacé de mourir pour que la politique passe au second plan et qu'il découvre le désir qu'il avait de vivre, tout simplement vivre... Tout à coup, la domination des Anglais, leurs injustices dans la distribution des terres, leurs moyens d'exclure les Canadiens français des postes de commande et du monde des affaires, leur insupportable mépris des habitants de sa race, tout cela ne pesait pas encore assez lourd pour qu'il veuille en finir avec la vie. Il y avait trop de sève en lui. Il n'était pas encore vidé de sa substance, comme cet arbre mort dans lequel il se cachait. Il était soudainement pressé de goûter à tout ce que la vie offre à un homme, à côté de la politique et de la philosophie. L'amour, par exemple... Ce mystère qui, jusque-là, lui avait paru insondable, l'avait rebuté par sa profondeur même, ne lui semblait plus tout à fait incompréhensible. La peur agissait comme un révélateur. La cause patriotique méritait-elle qu'il renonce à l'amour, à la vie?

Pour la première fois, ses idées de liberté pour son peuple avaient une prison glacée comme toile de fond; sa passion révolutionnaire apparaissait soudainement avec une ombre en forme d'échafaud, et cette vision lui glaçait l'âme. Fils de la Liberté, c'était une chose, martyr, c'en était une autre.

Les soldats avaient amené des chiens habitués à flairer des pistes jusque dans la neige; les bêtes jappaient et reniflaient, mais les passages fréquents de Timoléon sur ces pistes qui menaient à ses collets et l'odeur forte des lièvres qui s'y étaient pris confondaient l'odorat des bêtes. Lorsqu'ils s'approchèrent de l'endroit où Jean-Baptiste était caché, leurs aboiements se firent plus nerveux; ils tournaient près de l'arbre. Mais il y avait un collet et un lièvre pris dedans, à quelques pieds, en plus du mélange de toutes les odeurs animales et humaines. Le chien le plus entraîné, comme un commandant de troupe, en s'approchant du lièvre et en en faisant très peu de cas, avait l'air de sentir autre chose qu'un banal lièvre étranglé par un fil de fer. Les hommes, montés sur leurs chevaux et regroupés autour de leur chef, observaient attentivement les mouvements du chien.

Jean-Baptiste entendait les chevaux piétiner le sol à quelques pas de lui. Une idée l'obsédait: que sa peur ne sente plus fort que l'urine des ratons laveurs; les chiens, il le savait, flairaient la peur. Malgré le froid, il suait des gouttes d'une transpiration glacée, gluante, un sudation de frayeur. Le froid était une autre menace: l'écorce, pensa-t-il, pouvait éclater sous l'effet du tremblement de ses genoux. Ou peut-être le bouleau tremblait-il déjà d'un léger mouvement transmis par son grelottement? Pour se dominer, il essaya de respirer le plus profondément possible, quitte à se remplir les narines de l'insupportable odeur d'urine; mais l'angoisse lui bloquait l'air et son grelottement ne cessait de s'amplifier. «C'est plus facile de risquer sa vie dans le feu de la bataille que de demeurer passif, invisible, glacé de peur... je préférerais me battre contre un ennemi précis, je n'en peux plus.» Il souhaita de toutes ses forces que la ruse de la Brindille le protège jusqu'au bout.

Les chiens s'approchèrent encore plus près du bouleau mort et cessèrent de japper, comme s'ils étaient devenus précautionneux. Leur odorat reconnaissait une odeur différente du reste, homme ou bête. Mais on les avaient dressés à chasser l'homme et non le raton laveur. Jean-Baptiste sentit qu'un chien s'approchait jusqu'à flairer le pied de l'arbre et son écorce. Mais aussitôt, le chien s'éloigna comme s'il craignait quelque chose et rejoignit les autres. La Brindille avait-elle eu raison? Il y avait autour de cet arbre un cercle invisible que les bêtes hésitaient à franchir. Quand tous les chiens, un à un, eurent effectué la même manœuvre un peu craintive, cavaliers et chiens s'en retournèrent par le chemin d'où ils étaient venus. Jean-Baptiste ne bougea toujours pas, mais à mesure que le danger s'éloignait, il entendait monter en lui, de plus en plus fort, la musique éclatante d'un alléluia.

Il sut qu'il était sauvé quand il entendit Timoléon, dans le lointain:

— Ti-Noir!... Viens, Ti-Noir, viens!

Pour plus de précaution, il s'imposa de demeurer caché encore quelques minutes.

La Brindille, elle aussi, avait entendu l'appel de Timoléon et en avait conclu que tout danger était passé. Cela faisait une heure et demie qu'elle était allongée dans la tanière des ratons. Elle avait suivi, autant qu'elle le pouvait, les mouvements des cavaliers. Ils étaient venus près de l'abri, mais les chiens avaient, là aussi, hésité à s'approcher davantage. Maintenant, elle écoutait le silence laissé par le départ des royaux, un silence brisé seulement par l'appel confiant de Timoléon. Elle sortit de sa cachette en poussant les petites bêtes endormies. Un peu inquiète de l'état de Jean-Baptiste, et pour se réchauffer, elle reprit son trot léger de petite renarde.

Jean-Baptiste crut reconnaître le pas vif de la Brindille, mais il ne pouvait en être absolument certain. Il resta caché. Lorsqu'il l'entendit, à côté de lui, affirmer qu'il pouvait sortir, il se délivra à grands coups de pieds et de poings, comme ces enfants qui naissent avec une fureur de bouger, pour tirer à eux une première et décisive bouffée d'air. L'écorce éclata et ce qui restait de la substance de l'arbre tomba mollement à ses pieds: il vit des milliers de confettis de bois d'un jaune brûlé. Ce jaune lui parut magnifiquement beau; le blanc de la neige semblait lui aussi s'être teinté de surprenantes nuances de jaune, de mauve, de bleu... comme si, en cette fin d'après-midi de décembre, les couleurs chaudes du jour et les couleurs tendres de la nuit se disputaient la partie sur la toile vierge. La neige n'est blanche que pour ceux qui ne savent pas la voir; pour la première fois, Jean-Baptiste en voyait les innombrables nuances.

«Il était temps», pensa la Brindille, en voyant les lèvres bleuies de Jean-Baptiste, qui claquait des dents et tremblait comme s'il allait se disloquer. Il avait les yeux agrandis par son séjour dans l'obscurité et ouvrait la bouche comme pour avaler la beauté du monde.

— Ben, grouillez-vous un peu, secouez votre frisson, vous avez l'air de Saint-Antoine figé dans son extase.

Jean-Baptiste se mit à sauter, à gesticuler, à respirer comme un plongeur qui a manqué d'air. Il se retenait de crier sa joie trop fort, mais le fait de pouvoir gigoter et respirer librement le réchauffa et finit de le débarrasser de sa peur. Pris d'un désir de mouvements encore plus amples, il saisit la petite Brindille par la taille et riant, la souleva à bout de bras.

Elle se tenait, raide et sérieuse, les bras le long du corps, comme si, dans sa dignité d'adulte, elle souffrait de se voir projetée en l'air comme une enfant de trois ans. Elle finit par sourire en se voyant plus haute que la tête de Jean-Baptiste. Transformée en trophée, elle riait de tout son visage aux petits yeux vifs, légèrement bridés.

— Aïe! C'est quasiment comme de monter dans le clocher! Mais r'mettez-moé sur mes pattes, M'sieur Paradis, avant que j'm'envole comme un moéneau!

Jean-Baptiste la déposa par terre et fléchit les genoux, pour lui parler à la hauteur des yeux:

— Tu m'as sauvé la vie, Brindille, tu peux me demander ce que tu veux; si c'est en mon pouvoir, je te l'accorderai. Parole d'honneur.

La Brindille eut l'impulsion de répondre: «Dans ce cas, appelez-moé pas Brindille», mais elle se dit que ce serait un gaspillage tout à fait stupide. Monsieur Paradis semblait prêt à lui accorder une récompense en rapport avec l'importance du service rendu. Donc, il fallait une occasion tout aussi importante qui userait de toute la valeur de ce crédit. Rajustant le châle qui lui entourait encore la tête, elle réfléchit intensément pendant quelques secondes, mais ne trouva rien qui en valait vraiment la peine.

— M'sieur Paradis, dit-elle finalement, votre récompense, là, pouvez-vous me la mettre sur la glace? À un moment donné, j'aurai quoque chose à vous demander, quoque chose de valable pour moé. Pour astheur, j'ai toute ce qu'y me faut... j'trouve rien de bon à demander.

— Bien sûr! répondit Jean-Baptiste en riant, tu as toute la vie. Tu me demanderas la faveur que tu voudras, au moment que tu choisiras.

— Ben, dans ce cas, conclut la Brindille, je garde votre promesse en réserve pour un mauvais temps. Bon! Astheur, on va rentrer boire une lampée de bagosse, question de se décongeler les os. Ça serait pas d'avance de vous sauver de la potence des Anglais, si c'était pour vous voir attraper une pomonie double!

IV

En arrivant à la maison, Jean-Baptiste et la Brindille virent Timoléon qui les attendait sur le perron. Il était monté jusqu'à la butte rocheuse pour s'assurer que le départ des soldats n'était pas une feinte; il en avait compté dix à l'arrivée et dix qui s'en retournaient et devaient maintenant avoir dépassé le village. Ils entrèrent ensemble dans la cuisine; Jean-Baptiste ressentit tout ce qu'une bouffée de chaleur accueillante pouvait signifier pour un homme qui s'était cru exclu de la vie. Il détortilla son foulard et ôta sa redingote malodorante. Avant d'accepter un verre de bagosse, Jean-Baptiste demanda à Marie de lui donner de l'eau chaude pour faire un brin de toilette. Elle remplit aussitôt le broc avec l'eau de la grosse bouilloire qui se trouvait en permanence sur le poêle à bois et lui suggéra d'utiliser la table de toilette de la chambre attenante à la cuisine, une pièce vide qu'on appelait «la chambre des aïeux». Jean-Baptiste disparut et la Brindille se tourna vers Timoléon.

— Qu'est-ce que t'as, toé? dit-elle doucement en s'asseyant près de lui sur le grand banc de la cuisine. T'as l'air tout rabougri. As-tu encore la frousse?

Timoléon baissait la tête, accablé de tout ce qu'il venait de vivre. Il ressentait un irrésistible besoin de confesser ce qu'il considérait comme une lâcheté. Mais la faute vague dont il se sentait coupable n'était pas de celles qu'il aurait pu confesser à un prêtre, la lâcheté ne faisant pas partie des péchés dûment catalogués. De toute façon, il n'y avait que les absolutions de Marie qui le nettoyaient vraiment en profondeur.

— Marie, dit-il à voix basse, y a quoque chose qui me picote le cœur, ça me pèse sur la conscience comme une pierre dans l'estomac: j'ai pas tenu ma langue! J'ai déballé tout ce que j'savais, même si j'ai essayé de les mettre sur une fausse piste en disant que le patriote était parti pour les États.

Timoléon releva la tête et vit le visage sérieux de Marie. Il prit son écoute attentive pour de la sévérité et se lança à toute vitesse dans l'énumération des circonstances atténuantes.

— Y m'ont pointé au fusil, ces cochons d'Anglais, y m'ont fait accrère qu'ils allaient tirer, y m'ont fait mettre à genoux, y m'ont fait crier pitié, y m'ont botté le cul, y-z-ont arraché pis brûlé mes bretelles... y m'ont traité comme si j'étais du crottin, du vomi, du pus... J'avais rien fait, moé, j'étais pas coupable de rien, rien pantoute. Si tu penses que j'suis une guenille d'homme, j'veux le savoir drette là, j'vas m'en aller pour jamais r'venir.

La Brindille lui demanda de la voix posée et enquêteuse du confesseur:

— Tu leur as dit quoi, au juste? Dis-moé toute, toute la vérité.

Timoléon, avec une attitude contrite, les yeux baissés, avoua:

— J'leur ai dit que le patriote vivait caché dans la grange. Mais ça, y le savaient déjà!

— Comment tu sais ça, qu'y savaient ? dit la Brindille.

— Parce qu'y-z-avaient trouvé le journal, t'sé le journal que M'sieur Paradis lit...

La Brindille eut un petit sourire de quasi-satisfaction.

— Je l'savais qu'y trouveraient la cachette en un rien de temps, je l'savais... marmonna-t-elle.

— J'leur ai dit que le patriote était parti aux États-Unis avec les Potvin, poursuivit Timoléon. J'ai pas été capable de tenir ma grande gueule fermée... Astheur je suppose que les Potvin vont être dans le trouble... Si j'étais resté sourd, y-z-auraient rien su de moé. J'ai de la contrition. Donne-moé donc une grosse punition pis j'serai quitte.

À voir son échine courbée et ses yeux peureux qui semblaient attendre le coup, Brindille ne ressentit aucune envie de punir Timoléon. Il s'adressait à elle comme si elle était un général et lui, un soldat avouant une désobéissance. Mais le personnage du général avait complètement quitté Marie; elle était maintenant une mère à qui son petit garçon confessait une lâcheté. La faute n'était pas bien grave, il n'y avait pas de quoi accabler ce pauvre Timoléon; après tout, n'étaient-ils pas tous les trois sains et saufs? Et les Potvin étaient-ils vraiment en plus mauvaise posture parce que les royaux savaient qu'ils avaient caché un patriote? Ne le savaient-ils pas déjà puisqu'ils étaient venus fouiller ici? Et si Timoléon avait réussi à faire croire que le patriote avait filé pour trouver asile aux États-Unis, alors c'était tant mieux, ils ne reviendraient pas de sitôt. Mais Timoléon jugeait, lui, qu'il avait été lâche. Et Marie, comme un mère qui éduque un fils, ne pouvait pas se comporter comme si une lâcheté, même toute petite, n'était rien.

— Mon pauv' Timol, t'es tout rétréci de remords, c'est une ben assez grosse punition, ça.

— C'est toute? dit-il, insatisfait que la pénitence ne soit pas égale au remords, car cela voulait dire qu'il en garderait des traces sur le cœur.

— Timoléon, reprit la Brindille, t'exagères un peu sur le remords... parce que si t'as vraiment pensé qu'ils allaient tirer, pourquoi tu les aurais laissés te fusiller? Ainque pour pas faire de trouble aux Potvin? Arrête un peu, là! Un vrai lâche,

Timoléon, c'est pas quelqu'un qui refuse de mourir pour pas faire de trouble aux maîtres, c'est quelqu'un qui s'arrange pour que *les autres* prennent les risques à sa place. Y a des lâches qui s'habillent en guenilles pis d'autres en redingote; y en a en soutane pis d'autres en robe de satin. Les pires poussent leur lâcheté jusqu'à ramasser ensuite des honneurs qui leur ont rien coûté, pas un risque! Ceux-là s'organisent pour mettre leur lâcheté à profit, pour faire porter leur cause sur les épaules des autres. Pis après, quand l'affaire réussit, ils passent leur râteau sur les bénéfices. Ça, c'est lâche! Mais toé: où c'est qu'est ton bénéfice? À mes yeux, tu mérites une grande absolution générale.

La Brindille passa sa main dans la tignasse jaune de Timoléon et l'ébouriffa, car c'était là son rituel d'absolution. Il releva tranquillement la tête et son accablement le quitta. Après un temps, la Brindille ajouta:

— Au cas où t'aurais des miettes de remords qui te picotent encore le cœur, mets ta bougrine et va me chercher six œufs au poulailler. Et pis, tiens donc, ramène aussi du gros lard de la cave. Pendant ce temps-là, je vas fricoter de quoi nous remettre la panse à la bonne place.

Timoléon enfila prestement bottes et manteau et revint aussi vite avec les œufs et le lard. Marie avait posé sur la grande table de la cuisine la cruche de bagosse et trois gobelets d'étain. C'était la première fois qu'elle servait Jean-Baptiste dans la vaisselle des domestiques, mais en l'absence de sa maîtresse, et après ce qu'ils venaient de vivre, elle aurait eu une impression d'incongruité à servir Jean-Baptiste à la salle à manger, pendant que Timoléon et elle auraient mangé à la cuisine. Aussitôt qu'il eut fini de se laver, Jean-Baptiste revint s'asseoir à un bout du grand banc de la cuisine, en face de Timoléon, et il but pour se réchauffer. Dix minutes plus tard, la Brindille posa devant eux une énorme omelette à la crème, au fromage et au lard. Avant d'entamer ce repas, sur le ton d'un bénédicité, elle déclara:

— Les Anglais peuvent ben essayer de nous enlever notre pays, dresser leur potence pour nous faire peur, nous faire travailler jusqu'à en crever... y peuvent ben manger mes trois tartes pis mes deux douzaines de galettes sans dire marci, v'là tout de même une omelette qu'y se mettront pas dans la panse, ces cochons-là!

Et d'un grand coup de spatule, elle attaqua l'omelette pour la diviser en trois énormes portions.

Jean-Baptiste n'était pas parfaitement à l'aise avec la tirade que venait de lancer la Brindille. Il aurait voulu préciser que les Fils de la Liberté ne se révoltaient pas tant contre les Anglais que contre les injustices des bureaucrates de l'empire britannique et qu'il ne fallait pas tout confondre. Tous les Anglais n'étaient pas à confondre avec Lord Colborne. Il y avait même quelques Anglais d'ici qui partageaient leurs idéaux démocratiques, sans compter que tous ceux qui parlaient anglais n'étaient pas forcément britanniques. Il y avait même des immigrés Américains installés dans les Cantons de l'Est qui se disaient *Patriots*. Ceux-ci voyaient dans la révolte des Fils de la Liberté une guerre d'indépendance aussi légitime et nécessaire que celle que les Américains avaient livrée et gagnée. Surtout, Jean-Baptiste aurait voulu expliquer à ces deux domestiques imbus de religion que sa révolte était autant dirigée contre l'emprise de la foi sur le domaine de l'esprit que contre les Anglais. Il aurait voulu les prévenir du danger que la lutte politique ne dégénère en une guerre de race ou de religion. Les Fils de la Liberté se battaient pour l'idéal démocratique, pour le respect du vote de la majorité, qui était française. Mais tout cela, allait-il le dire maintenant? Allait-il leur faire la leçon alors que Timoléon ouvrait déjà la bouche toute grande pendant que Marie découpait les portions? Allait-il accuser la Brindille, qui l'avait sauvé de la prison, de bafouer son idéal parce qu'elle exprimait tout haut sa haine des Anglais et qu'elle les mettait tous dans le même sac? Il n'avait plus du tout envie de discourir comme il le faisait inlassablement avant l'insurrection. Son expérience au creux de l'arbre l'avait changé: ce qui comptait en cet instant, c'était de manger l'omelette pendant qu'elle était encore chaude et ensuite, d'aller dormir dans un lit. Son corps, d'avoir été enfermé à l'intérieur d'un arbre, avait profité de la leçon et se faisait maintenant entendre.

Jean-Baptiste tendit son assiette creuse à Marie, qui la remplit à ras bord; dès qu'il commença à manger, sa tête se vida de toute considération intellectuelle. L'omelette fut suivie de patates poêlées au beurre, de pain, de beurre frais et de fromage. Timoléon mangeait voracement, ses yeux ronds s'ouvrant en même temps que ses mâchoires. Il émettait des bruits pareils à ceux que font les veaux qui lapent leur lait dans la chaudière. En remplacement des tartes et des galettes disparues, la Brindille amena sur la table de la crème épaisse et de la confiture de fraises, dont Timoléon se gava, avec du pain qu'il trempait dans la crème rose de confiture. Ensuite il y eut du café de chicorée et encore de la bagosse. Jean-Baptiste, peu habitué aux manières de Timoléon, mais heureux de se trouver dans cette cuisine chauffée par le gros poêle qui ronflait comme un ours endormi, mangea son repas plus goulûment que d'habitude, avec la joie d'un rescapé.

Après le souper, Jean-Baptiste n'eut pas le courage d'envisager une autre nuit à dormir enveloppé dans une peau d'ours, dans un tas de foin, d'autant plus que sa cachette ne valait plus rien. Marie n'eut pas besoin de beaucoup d'arguments pour le convaincre de dormir dans la maison.

— Vous dormirez dans la chambre des aïeux, icitte en bas, à côté de l'escalier.

La chambre était meublée d'un grand lit de bois, de deux tables de nuit et d'un grand coffre en cèdre. Marie bassina longuement les draps et les couvertures et elle installa une petite chaufferette, une élégante boîte de fonte finement ajourée et remplie de braises. Jean-Baptiste dormit d'un sommeil profond, tout comme Timoléon, que Marie autorisa à dormir sur le banc du quêteux. Elle voulait, par cette permission, finir de le convaincre que son absolution était totale. Il s'endormit heureux, la panse pleine et la bedaine bien au chaud.

* * *

Le lendemain après-midi, lorsque les Potvin revinrent avec leur fille Joséphine, Antoinette Potvin insista pour que sa fille se mette tout de suite au lit, et la Brindille lui apporta son souper sur un plateau. Jean-Baptiste prit son repas dans la salle à manger avec Ignace et Antoinette Potvin, les distinctions entre les domestiques et les maîtres étant maintenant rétablies. La Brindille prenait son temps, chaque fois qu'elle apportait un plat sur la table, de façon à ne rien manquer du récit des événements que Jean-Baptiste faisait à ses hôtes. Elle saisit qu'Ignace Potvin ne s'inquiétait pas trop de l'enquête. Il considérait le risque d'être accusé de cacher un patriote comme sa contribution à la résistance.

— Si les Anglais veulent mettre en prison tous ceux qui cachent des patriotes, dit Ignace Potvin, en passant à Jean-Baptiste le plat de purée de pommes de terre, ils n'auront pas assez de toutes les prisons du pays, il faudra encore qu'ils les enferment dans les églises, les hôpitaux, les couvents...

Ignace Potvin n'avait pas un caractère inquiet. Les humiliations d'ordre social que les Britanniques faisaient régulièrement subir aux descendants des seigneurs français ne le dérangeaient pas beaucoup. Par contre, il était très impatienté par le fait que tous les bateaux abordant à Québec, même ceux qui provenaient de France, devaient battre pavillon anglais. Il s'était rebiffé contre le fait que tous ces commerçants qui, comme lui, importaient du vin de France devaient s'associer à un Anglais connu dans les milieux commerciaux de la métropole. C'était une façon qu'il jugeait malhonnête d'exclure les Canadiens français des commerces les plus lucratifs et de remplir les poches des Anglais sans qu'ils aient à travailler.

Quant à Antoinette Potvin, l'état de santé de sa fille était pour elle une source d'inquiétude autrement plus concrète que le fait d'être tenue à l'œil par Colborne. Sa fille Joséphine, à dix-neuf ans, représentait son plus cher trésor, car cette enfant avait été la source de ses joies les plus profondes. Elle reportait sur elle toute l'affection qu'elle aurait voulu partager entre une tribu d'enfants. Mais le destin en avait décidé autrement, et il avait bien fallu qu'elle accepte son drame de n'en avoir qu'un.

Jean-Baptiste et Ignace Potvin arrosèrent de plusieurs verres de bière le civet de lièvre aux petits oignons blancs que la Brindille avait préparé pour le retour de ses maîtres. Les Potvin, en buvant de la bière plutôt que du vin, dont pourtant Ignace Potvin avait une forte provision dans ses caves, suivaient la directive de Papineau: priver le gouvernement de son revenu en refusant d'acheter des produits importés sur lesquels il prélevait une lourde taxe. Ce boycottage incluait le vin de France, le thé, le sucre et les tissus anglais — ce qui donnait à la tenue en pure laine du pays une valeur patriotique. Ignace Potvin, heureusement, se rattrapait dans la vente des produits de contrebande et il écoulait sa réserve de vin sans avoir à payer de taxe.

— La bière n'est pas mal, mais on s'ennuie du vin, dit-il.

Lorsque la Brindille apporta le dessert de compote de pommes et de petits beignets au sucre, les deux hommes en étaient arrivés à la même conclusion qu'elle: les royaux ne reviendraient pas. Ignace avait entendu dire à Montréal que tant de patriotes avaient fui vers les États-Unis qu'on renonçait à les capturer.

Au moment de prendre le café — un produit de contrebande —, assis au salon devant le feu de foyer, Jean-Baptiste déclara que le mieux pour lui serait de partir aux États-Unis. Il ne voulait pour aucune considération mettre en péril la sécurité de ses hôtes et souhaitait trouver une nouvelle solution à son exil temporaire. Il se croyait capable de passer la frontière et de s'installer à Burlington. Il ne pouvait tout de même pas passer tout l'hiver chez ses amis.

— Vous savez, dit Jean-Baptiste, comme à l'appui de son projet, que notre ami George-Étienne Cartier s'est caché dans un baril pour passer la frontière? Si je devais m'enfuir, je préférerais passer à travers bois car j'en ai assez des barils et des cachettes...

Mais Ignace Potvin le pria d'accepter de passer au moins les Fêtes avec eux. Antoinette Potvin se joignit à l'invitation de son mari et il sentit la sincérité de cette offre. Elle ajouta qu'il ne devait surtout pas se faire voir des personnes du village, surtout pas du curé, et s'empressa d'expliquer pourquoi, de sa voix haute et chantante:

— Quand notre curé a entendu dire que si le parti de Papineau avait gagné, on aurait aboli les rentes aux seigneurs et les privilèges des bureaucrates britanniques, il était prêt à entendre ces idées-là. Mais quand il a su, par une lettre de Monseigneur Lartigue, que les idées libérales remettaient en question la dîme obligatoire aux curés, le salaire de l'évêque et le privilège de l'Église de ne pas payer de taxe sur ses nombreuses possessions, son opinion a viré. Depuis qu'il sait cela, notre curé se sert de sa chaire de vérité pour dénoncer les patriotes.

— Et ce n'est pas l'évêché qui reprocherait à votre curé de se mêler de politique, ajouta Jean-Baptiste. Savez-vous de quelle entourloupette s'est servi Monseigneur Lartigue pour discréditer, en pleine chaire, le parti de Papineau?

Antoinette Potvin adorait les cancans. Ils étaient la matière première de l'importante correspondance qu'elle entretenait avec son vaste réseau familial. Elle posa sa tasse de café, et son visage disait qu'elle voulait connaître toute l'histoire. Jean-Baptiste reprit:

— Je me suis trouvé à l'entendre, vers la fin d'octobre, dans un sermon où il a commencé par dire qu'il ne se permettrait jamais, lui, évêque de Montréal, de donner son opinion de citoyen sur une question purement politique; qu'une telle conduite était trop basse pour une âme droite comme la sienne. Mais aussitôt il a enchaîné sur les «devoirs d'un catholique à l'égard de la puissance civile, établie et constituée dans chaque État». Sur cette question, qu'il a qualifiée de religieuse, il a soutenu que c'était de son devoir d'évêque de donner son opinion, et à nous de l'écouter... Il a ensuite enchaîné avec un texte de saint Paul qui demande la soumission à l'autorité dûment constituée, puis avec l'encyclique de Grégoire XVI du 15 août 1832, qui souligne encore la nécessité de cette soumission. «Ne vous laissez pas séduire, a-t-il conclu, si quelqu'un voulait vous engager à la rébellion contre le gouvernement établi, sous prétexte que vous faites partie du peuple, et qu'en démocratie, le peuple est souverain.»

Antoinette était ravie de l'anecdote; elle l'écrirait à tout son réseau. Ignace ajouta avec une certaine amertume:

— Avec un pasteur comme celui-là, il ne nous reste plus qu'à bêler pendant qu'on nous tond.

Jean-Baptiste accepta de passer les Fêtes avec les Potvin et remit son départ à la première semaine de janvier.

V

Le mal dont souffrait Joséphine n'était pas bien grave; il était causé en partie par le froid qui régnait dans les dortoirs des ursulines et en partie par la nostalgie qu'elle avait de sa maison. Avec les soins de sa mère et de la Brindille, elle se remit rapidement de ses malaises. La Brindille, qui avait seulement cinq ans de plus que Joséphine, lui était pourtant attachée comme si Joséphine avait été encore une petite fille et elle, sa nourrice. Elle la gava de son sirop contre la toux, confectionné à base de gomme d'épinette, et lui fit boire beaucoup de vin de salsepareille, qui était censé refaire ses forces — deux recettes indiennes auxquelles la Brindille tenait autant qu'à ses prières du soir.

Deux jours après son retour, l'avant-veille de Noël, quand Joséphine descendit de sa chambre pour le déjeuner, la Brindille avait déjà commencé à servir dans la salle à manger. Sachant que Jean-Baptiste Paradis était leur invité pour le temps des Fêtes, Joséphine s'était habillée soigneusement. Le dernier souvenir que Jean-Baptiste devait avoir d'elle remontait à ses quatorze ans.

Elle apparut dans la salle à manger, vêtue d'une robe en laine du même jaune que les confettis du bouleau. Les larges manches de sa robe étaient resserrées aux poignets par une garniture de dentelle écrue assortie au petit col rond. Ses abondants cheveux bruns et luisants étaient coiffés en bandeaux de chaque côté de son visage et ramassés à l'arrière, dans une toque de tresses agrémentée d'un ruban de satin doré. L'allure sage de sa coiffure et la modestie de son petit col de dentelle semblaient contredites par la vivacité de ses gestes et de ses regards, comme si cette mise ordonnée servait à excuser un reste de sauvagerie qui n'aurait pas dû transparaître chez une jeune femme de dix-neuf ans.

Son père la présenta à Jean-Baptiste, car la transformation de la fillette en jeune femme exigeait cette politesse. Elle fit une petite révérence: «Je suis très heureuse de vous revoir, Monsieur Paradis», puis elle s'assit pour manger.

Pendant que son père et Jean-Baptiste continuaient à discuter de la loi martiale, toujours en vigueur à Montréal, Joséphine examinait les traits de cet invité qui lui plaisait assez. Elle remarqua ce qui, à quatorze ans, ne l'avait pas intéressée: des yeux très foncés et des lèvres charnues, des cheveux noirs coupés carré, légèrement ondulés et sans ordre, comme s'il se contentait de se peigner en y passant les doigts pour les ramener librement vers l'arrière, acceptant le désordre. Jean-Baptiste lui fit penser à une gravure qu'elle avait vue, représentant Victor Hugo; il en avait le regard intense, la fougue contenue, les cheveux fous et la même mèche rebelle sur les sourcils. L'aura du poète se projetait sur Jean-Baptiste; elle lui prêta tout de suite de grands idéaux et assez de passion pour les défendre.

Jean-Baptiste la regardait lui aussi à la dérobée, et il ne lui trouvait pas du tout l'air malade. Les joues rondes et hautes, le regard clair malgré la couleur noisette de ses yeux, elle semblait sourire au contentement d'être là. Joséphine s'attaqua avec une énergie de bien portante au déjeuner que la

Brindille lui servait: œuf à la coque, café d'orge brûlé avec du miel, pain grillé et confiture...

La Brindille se traînait un peu les pieds pendant le service, pour observer avec quelle faim Joséphine mangeait son déjeuner. L'appétit, selon les théories médicales de la Brindille, était le signe universel et infaillible du retour à la santé. «L'appétit, c'est la base, la base de toute», répétait-elle comme une sentence à quiconque prenait le lit.

Ignace Potvin s'excusa de quitter la table: il devait partir pour Montréal, ses affaires souffraient d'être menées par courrier. Il ne pouvait remettre sa visite à la Banque du Peuple où, grâce à l'influence de son ami Michel Viger, il s'était fait nommer parmi les administrateurs.

— Je ramènerai un petit tonneau de vin de Bordeaux qui se trouve dans ma cave depuis un an. Si nous ne lui faisons pas honneur, j'ai à craindre que ce bon vin ne tourne au vinaigre. On peut être patriote sans pour autant gaspiller le bon vin, n'est-ce pas?

Jean-Baptiste comprit que son ami n'en pouvait plus de boire de la bière plutôt que du vin et qu'un Noël à la bière et au cidre rendrait leur défaite encore plus cuisante. Il approuva l'idée de son ami, qui partit content. Antoinette Potvin pressa sa fille d'en finir avec son déjeuner; elle voulait lui faire essayer une robe qu'elle avait fait confectionner à Montréal, en prévision du jour de l'An. La robe était un peu trop chic pour être portée à Contrecœur, car Antoinette l'avait commandée en pensant que toute la famille passerait les Fêtes à Montréal. Mais, se disait-elle, les Fêtes à la campagne n'en justifiaient pas moins une robe neuve, et avec une écharpe de soie, le décolleté serait atténué.

Pendant que la jeune fille et sa mère montaient à l'étage, Jean-Baptiste se retira dans sa chambre et écrivit, comme chaque jour, à son clerc resté à Montréal. Contrairement à Ignace Potvin, qui n'était visé par aucun mandat d'arrestation, Jean-Baptiste ne pouvait pas mettre les pieds à Montréal sans risquer la prison. Il devait régler toutes ses affaires par courrier.

Il ne revit Joséphine qu'à midi, quand elle vint demander à la Brindille si, pour le dessert, elle pouvait avoir de la confiture de fraises et de la crème épaisse. Jean-Baptiste se trouvait lui aussi à la cuisine, attendant que la Brindille lui donne une tasse de café. Il remarqua que le corps de la jeune fille se déplaçait dans le grand espace de la cuisine avec une harmonie lente et des gestes d'une élégance simple. Malgré sa jeunesse et sa taille encore mince, Jean-Baptiste avait, à la voir marcher, une impression de force, de sécurité. «Ma mère devait avoir cette apparence-là, dans sa jeunesse», pensa-t-il.

Au repas du midi, en l'absence d'Ignace Potvin, la conversation s'amorça sur une question d'Antoinette, qui s'inquiétait de la fiabilité du courrier, étant donné que Jean-Baptiste l'utilisait abondamment.

— Est-ce possible, demanda-t-elle, que les royaux interceptent le courrier pour mener leurs enquêtes?

Jean-Baptiste rassura Antoinette: cela ne pouvait se faire, au risque de scandaliser l'Angleterre au grand complet.

— Le courrier, dit Jean Baptiste, représente, pour un pays qui se respecte, quelque chose d'aussi sacré que l'autorité papale pour un curé.

Joséphine profita de cette ouverture pour s'immiscer dans la conversation.

— Les religieuses n'ont pas tant de respect pour le courrier de leurs élèves; elles se permettent d'ouvrir le courrier qui nous est destiné. Elles appellent ça «de la surveillance»; moi, il me semble que c'est de l'indiscrétion. C'est comme ces vertus de prisonnières qu'elles veulent nous inculquer: elles appellent ça «de la distinction»!

Antoinette, qui avait reçu son éducation chez les ursulines et les respectait encore profondément, fut heurtée du jugement de sa fille:

— Il me semble que vous portez un jugement péremptoire, ma fille. Les religieuses ne sont pas toutes aussi indiscrètes ni toutes éteintes de soumission.

Mais Joséphine voulait profiter de la présence de Jean-Baptiste — un auditoire qu'elle pressentait favorable — et de l'absence de son père pour gagner un point, car son entreprise de dénigrement, moins spontanée qu'elle n'en avait l'air, visait un but: ne pas retourner chez les ursulines après les vacances des Fêtes. Elle continua de parler en s'adressant à Jean-Baptiste, mais c'était sa mère qu'elle visait par un argument qui ne pouvait manquer de la toucher.

— Monsieur Paradis, dit Joséphine, sûre d'elle-même, que pensez-vous d'une religieuse qui tente de me convaincre qu'il vaut mieux mourir jeune, parce qu'alors on est plus vite délivré de la prison de la chair? Il paraît que notre âme, heureuse d'être libre si tôt, s'envole comme un petit oiseau pour rejoindre son Créateur. Cette religieuse va jusqu'à soutenir que nous devons implorer Dieu pour qu'il nous accorde la grâce de mourir avant d'avoir trop vécu.

Joséphine avait visé juste. Antoinette Potvin fut horrifiée: inciter les enfants à vouloir la mort! C'en était trop! Son visage montrait de l'indignation, mais elle ne dit rien sur le coup pour entendre la réponse que Jean-Baptiste donnerait à la question de Joséphine.

— Qu'avez-vous répliqué à cette religieuse?

— Je lui ai dit que je commencerais d'abord par vivre ma vie et que, question de mourir, on verrait ça plus tard. Je lui ai dit aussi que je n'étais pas si pressée de commencer une longue éternité à chanter des cantiques dans le grand ciel bleu. Que je chantais faux et que le solfège m'ennuyait assez comme ça sur terre. Elle a été très, très offusquée...

Par le sourire qu'elle avait provoqué chez Jean-Baptiste, Joséphine devina qu'il aimait sa malice. Elle continua ses récriminations contre les religieuses et le couvent, exagérant un peu sa prise de bec avec la religieuse.

— La seule façon de ne pas aboutir en enfer en compagnie du diable, si je devais en croire toutes leurs histoires, serait de devenir une sainte.

— Et que faut-il faire, demanda Jean-Baptiste, pour mériter la béatification quand on est une jeune fille, dites-moi?

— Il n'y a qu'une façon: vierge et martyre! répondit Joséphine d'un ton catégorique. Mais je n'ai pas la vocation...

Antoinette Potvin s'exclama, d'un ton qui se voulait scandalisé:

— Je comprends que la directrice m'ait laissé entendre que tu étais insolente pendant les instructions religieuses...

— Mais maman, protesta Joséphine d'un air faussement éploré, je ne cherchais pas à faire la forte tête: simplement, j'ai demandé à celle qui donne les cours de religion de me nommer une seule sainte qui n'était pas vierge et martyre. Je vous assure, maman, qu'elle s'est creusé les méninges et n'a pas pu m'en nommer une seule. En désespoir de cause, elle a donné l'exemple de la sainte Vierge, qui est sainte, et qui est vierge, mais qui n'est pas, strictement parlant, une martyre.

— Que lui avez-vous répondu? s'enquit Jean-Baptiste, de plus en plus amusé par le piquant qu'il voyait dans les yeux de Joséphine.

— Je lui ai demandé si elle considérait comme un bouquet de roses le fait pour une mère d'assister à la flagellation de son fils unique et adoré, de voir un soldat le clouer sur une croix et lui enfoncer une lance dans les côtes... À mes yeux du moins, cela semblait confirmer la règle du martyre.

Comme pour amadouer sa mère, dont le visage montrait une agitation grandissante, Joséphine se tourna vers elle pour la suite de son plaidoyer:

— Selon votre opinion, maman, la mère qui assiste à la torture jusqu'à la mort de son enfant unique ne vit-elle pas un martyre? C'est cette simple remarque, voyez-vous, qui m'a attiré une mauvaise note de conduite. Je ne faisais qu'essayer de comprendre la définition de la sainteté...

Jean-Baptiste était charmé, mais Antoinette ne savait que répondre. Joséphine ne perdit pas une minute.

— Certaines de mes compagnes, dit-elle en regardant encore sa mère, ont la chance de compléter leur éducation à la maison, avec un tuteur. Comme je les envie!

Elle leva les yeux au ciel et soupira comme une enfant devant la table d'un banquet auquel elle ne serait pas conviée. Reprenant le ton plus sérieux de sa défense passionnée, elle ajouta:

— Elles n'étudient pas au rythme de la plus lente; elles ne grelottent pas dans le froid des dortoirs, ne mangent pas une nourriture à vous couper l'appétit, ne se remplissent pas la tête avec des insignifiances à vous faire souhaiter d'être illettré.

Cette dernière phrase avait été dite au moment où la Brindille apportait le plateau contenant la crème épaisse et les confitures. Les yeux de Joséphine aussitôt s'allumèrent de plaisir, et elle mit fin à son plaidoyer.

Antoinette Potvin venait de comprendre! Voilà donc où sa fille voulait en venir: avoir un tuteur à la maison et ne pas réintégrer le couvent des ursulines. Mais cela n'était pas possible tant qu'ils ne retourneraient pas dans leur maison de la rue Notre-Dame. Il ne pouvait pas y avoir de tuteur convenable dans la paroisse de Contrecœur. Mais elle ne perdrait rien à en parler avec son mari, pour voir ce qu'il en penserait.

* * *

Ignace Potvin revint de Montréal vers six heures du soir, transi de froid après un long trajet en traîneau. Il ramenait quelques petits barils de vin de France et du porto qu'il avait importé de Londres, avant le boycottage. Le tout provenait de sa cave à vin personnelle, rue Notre-Dame. Il était également passé chez Jean-Baptiste, pour prendre une malle remplie des effets dont celui-ci avait besoin — livres, vêtements, courrier.

Antoinette retarda l'heure du souper pour donner à son mari le temps de se réchauffer les membres et de se reposer au salon. Elle lui versa un verre de porto et, voyant que les couleurs lui revenaient, décida de lui parler de Joséphine. Pour dissimuler l'influence que sa fille exerçait sur elle, Antoinette fit sien le projet de Joséphine et parla comme si elle exprimait sa propre volonté. Avec beaucoup de détails et d'arguments, elle expliqua à son mari comment, après mûre réflexion, il lui semblait préférable de ne pas renvoyer leur fille au couvent de Québec.

— Il n'est pas question, trancha-t-elle, comme si quelqu'un devait la contredire, que les ursulines brisent la santé de cette enfant en la laissant geler tout l'hiver et en lui gâchant son bel appétit. Je crois que nous devrions la garder avec nous pour le reste de l'hiver. Nous pourrions lui trouver un tuteur, dès notre retour à Montréal.

Ignace Potvin avait d'autant moins de raisons de contredire ce projet que c'était sa femme qui avait voulu placer Joséphine chez les ursulines, son *alma mater* à elle. Il aurait préféré, quant à lui, ne jamais se séparer de sa fille. Il approuva et prit une longue gorgée de porto qu'il dégusta lentement en se demandant si ce qu'il allait ajouter était raisonnable.

— Nous serons cantonnés ici pendant tout le temps des Fêtes et peut-être davantage, dit-il. Pourrions-nous demander à Jean-Baptiste, qui est un jeune homme d'une grande culture, de donner quelques leçons de littérature ou de philosophie à Joséphine? Cela la changerait des livres et des idées à l'eau de rose!

— Mais bien sûr! s'exclama Antoinette, Jean-Baptiste cherche sans cesse des occasions de nous obliger.

Les deux parents n'étaient pas totalement dupes de leur connivence: avec une jeune fille en âge de se marier, tout rapprochement avec un célibataire de qualité pouvait allumer les feux de l'amour et de la destinée. Ignace et Antoinette Potvin étaient capables d'imaginer l'avenir de Jean-Baptiste, s'il réussissait à surmonter les épreuves actuelles. Il y avait tellement d'hommes de son rang sous le coup d'un mandat d'arrestation que cela devenait presque une distinction, pensait Ignace, qui ne pouvait imaginer que les Anglais enverraient qui que ce soit à l'échafaud. L'ordre serait bientôt rétabli, Jean-Baptiste retrouverait sa situation en même temps que sa clientèle de la rue Notre-Dame, et il pourrait devenir un bon parti pour Joséphine. Mais tout cela comportait encore beaucoup trop d'imprévu pour en parler ouvertement. Ignace avala d'un trait le reste de son apéritif et déclara qu'il était prêt à passer à table.

Aussitôt que la Brindille eut déposé la soupière au milieu de la table, Jean-Baptiste demanda des nouvelles de Montréal. Il souhaitait entendre dire que la loi martiale avait été révoquée, que les prisonniers étaient libérés et que les proscrits pouvaient rentrer à Montréal. Il en avait plus qu'assez de son statut de hors-la-loi; tant qu'un mandat d'arrestation pèserait sur lui, il ne pourrait pas reprendre son travail à son bureau de la rue Notre-Dame.

— A-t-on des nouvelles de George-Étienne Cartier? demanda anxieusement Jean-Baptiste en acceptant une assiette de potage.

— Aucune nouvelle! répondit Ignace. Pas de nouvelles non plus de Louis-Hippolyte LaFontaine, de Ludger Duvernay... Il semble bien qu'un grand nombre des amis avec lesquels nous avons fondé l'association des Fils de la Liberté aient fui vers les États-Unis, tandis que d'autres se cachent à la campagne, chez des amis ou des parents. Vous voyez combien vous avez eu raison de venir vous réfugier ici. Il n'est pas encore temps de rentrer. Vous êtes condamné... à passer les Fêtes avec nous!

— Cette perspective vous déçoit-elle tant que ça? demanda Joséphine ingénument.

Jean-Baptiste ne savait trop que répondre à ce piège de gentillesse. Il se contenta de sourire. Depuis le matin, il était en effet moins pressé de partir. Il avait écrit au clerc qui s'occupait du bureau en son absence pour lui demander de préparer la malle qu'Ignace venait de lui rapporter. Le lourd coffre de bois clouté était rempli de vêtements propres et surtout de livres. Jean-Baptiste voulait utiliser son temps de captivité pour lire ou relire ses auteurs préférés. Il en profiterait aussi pour réfléchir à son avenir personnel; cela voulait dire, entre autres choses, faire plus ample connaissance avec Joséphine.

Au dessert, Antoinette Potvin poursuivit si habilement l'idée des leçons qu'elle eut l'air parfaitement spontanée; Jean-Baptiste offrit de jouer au tuteur, si l'idée plaisait à Joséphine et si ses parents croyaient utile qu'il remplace les cours de catéchisme par de la philosophie, sa branche forte. Il fut convenu qu'une première leçon aurait lieu le lendemain matin, dans la salle à manger que l'on transformerait pour l'occasion en salle d'étude.

— Mon clerc, dit Jean-Baptiste en se tournant vers Ignace Potvin, vient de m'envoyer, mes livres de Voltaire... de Montesquieu... N'est-ce pas une nourriture un peu trop épicée pour l'appétit d'une jeune fille?

— En effet, répondit Ignace, il s'agit là d'un gibier pour de solides constitutions. Je vois que vous avez déjà la préoccupation de ne pas brusquer votre élève avec des idées trop fortes.

Joséphine suivait la conversation comme si les deux hommes étaient en train de décider de tout son destin, alors qu'il s'agissait d'un jeu pour occuper le captif et la convalescente. Elle n'avait même pas remarqué la portion de gâteau meringué que la Brindille venait de déposer devant elle, ce qui était un signe de son attention anxieuse. Elle plaida sa cause auprès de son père mais, cette fois, elle n'était pas du tout certaine de la gagner:

— Papa, seriez-vous du nombre des personnes qui croient que le cerveau des jeunes filles est fait d'une substance beaucoup plus fragile que le cerveau de leurs frères? Donnez-vous raison à ceux qui maintiennent les jeunes filles dans un régime de famine? Je veux dire, bien sûr, un régime intellectuel.

— Mais, répliqua Ignace, te rends-tu compte du scandale si tu claironnais Voltaire ou citais Montesquieu dans certains salons de Montréal? Ou, pire encore, dans ceux de Contrecœur?

Joséphine reprit, la tête basse et le feu aux joues, en contenant difficilement sa colère:

— On pardonne à une jeune fille les mièvreries et le sentimentalisme le plus débile, mais pas les audaces d'un libre penseur.

Cet argument toucha son père, qui demeura silencieux. Elle avait raison; la littérature sucrée dont les filles se gavaient avec la permission de leurs éducatrices était débilitante, quasiment une insulte à l'intelligence humaine. Mais il était inquiet de la force des opinions de sa fille. C'était dangereux. Il retrouvait en elle son propre entêtement. Certaines libertés qu'il n'aurait pas appréciées chez sa femme, il les tolérait chez sa fille, comme une preuve de la puissance de son hérédité. Il ne la rabroua pas, mais il ne l'approuva pas non plus.

Joséphine essaya de maîtriser sa flambée de colère en mangeant une bouchée du gâteau meringué. Mais le plaisir que ce gâteau lui apportait d'ordinaire n'y était pas. Elle déposa sa cuillère, repoussa le gâteau et mit dans sa voix toute la douceur dont elle était capable:

— Papa, je vous demande de me faire confiance. S'il y a une chose que j'ai apprise chez les ursulines, c'est du moins la discrétion qui sied à une jeune fille.

Ignace Potvin était fier de sa fille: elle se défendait bien, maniant à la fois les armes de l'argumentation et celles du charme d'une jeune personne sûre de sa féminité. Il vit le visage attentif de sa fille, de sa femme et de Jean-Baptiste, qui attendaient sa réaction. Il pencha, encore une fois, du côté où sa fille voulait aller, faisant confiance à l'entêtement de Joséphine comme il se faisait confiance à lui-même.

— Allons-y donc pour la philosophie des Lumières! conclut-il en souriant à sa fille; cela t'aidera à comprendre pourquoi notre ami risque d'être arrêté et pourquoi, tous les deux, nous sommes si mal vus de l'évêché!

Joséphine soupira d'aise et, délicatement, du bout des doigts, tira imperceptiblement vers elle son assiette de gâteau meringué. Elle continua de manger le dessert qui venait de retrouver son goût délicieux.

Le lendemain matin, 24 décembre, Joséphine aida la Brindille à débarrasser la table de la salle à manger des restes du déjeuner. Aussitôt, Jean-Baptiste déposa pesamment sur le coin de la table au vernis sombre la dizaine de livres qu'il s'était fait envoyer de Montréal. Il mit sa main sur la pile, comme pour empêcher Joséphine, impatiente, de commencer à les feuilleter, et prit un air professoral pour donner à leur occupation le ton qui convenait.

— Les idées contenues dans cette petite pile de livres sont une lime pour scier les barreaux de la prison dans laquelle nos idées étriquées nous enferment. Ne vous offusquez pas, Joséphine, si je crois nécessaire de reprendre l'avertissement que votre père vous a donné hier soir. Le prisonnier qui a le projet de s'évader n'affiche pas, comme un bijou, l'instrument avec lequel il s'évadera, n'est-ce pas?

Joséphine comprenait tout à fait et s'amusait à prendre l'attitude d'une élève attentive. Jean-Baptiste commença sa leçon de philosophie avec un livre de Voltaire. Ce philosophe, expliqua-t-il à la jeune fille qui l'écoutait avec des yeux ronds, était un de ceux qu'on appelait «les penseurs des Lumières».

— Ils sont donc si brillants? dit Joséphine.

— C'est qu'ils ont été, pour notre esprit, l'équivalent d'un lever du jour; à les fréquenter, on y voit plus clair dans notre âme.

Après cette affirmation, il se demanda si la philosophie l'avait vraiment aidé à voir plus clair dans son âme. Elle avait nourri son esprit, sans aucun doute. Mais son âme? Et que pouvait bien signifier ce mot *âme,* hors du contexte religieux? Pour lui, l'âme n'était ni le cœur, dont les palpitations s'amplifiaient sous le coup d'une émotion, ni la tête, servante docile de la volonté, mais quelque chose d'autre, quelque mystérieuse partie de lui-même, immatérielle et brumeuse, à la présence diffuse et discrète. C'était son âme qui reculait devant le mystère de l'amour; c'était elle qui avait été transformée par son séjour dans l'arbre, et c'était elle qui gouvernait maintenant son penchant pour Joséphine.

De son côté, Joséphine réfléchissait à l'interdiction qui frappait la lecture des philosophes des Lumières.

— Ne faut-il pas que notre clergé soit épris de noirceur, dit-elle après un long silence, pour interdire la lecture de ces esprits de lumière? C'est à en perdre la foi!

— Quand on veut former son esprit à la philosophie, répondit Jean-Baptiste en continuant de jouer au professeur, il importe de faire des distinctions: l'Église et la foi ne sont pas du tout une seule et même chose. Mais nous reviendrons sur ce sujet, ce n'est pas le thème de la leçon d'aujourd'hui.

Pourquoi prenait-il tant de plaisir à parler sur le ton du maître d'études? Le formidable sentiment de puissance de l'homme qui ouvre l'esprit d'une jeune femme le poussait à lui révéler le vaste monde des idées, à l'éblouir de philosophie, à la renverser d'admiration pour la connaissance et pour ses connaissances à lui.

Mais voilà que le parfum de Joséphine, sa façon de soulever la poitrine pour respirer, sa manière de bouger, animale, confiante, généreuse, tout cela le submergeait comme s'il découvrait, pour la deuxième fois en quelques jours, que le corps pouvait parler aussi fort que l'esprit.

Une intuition le troublait: Joséphine était consciente, tout à fait consciente de son pouvoir sur lui. Était pris qui avait cru prendre? Cette compétition entre l'homme et la femme le fascinait à un point tel qu'il ne voulait surtout pas la faire cesser. De toute façon, l'aurait-il voulu qu'il n'aurait pas su comment. Voilà un autre navire dont il n'était pas maître!

Il laissa le ton professoral pour prendre celui de l'homme du monde:

— Les auteurs que voilà ont été publiés à Paris il y a déjà un siècle. Mais il ne faudrait pas croire qu'ils ont perdu en actualité. Les génies, heureusement, ne se démodent pas tout à fait aussi vite que les chapeaux.

— À condition que leur génie soit autre chose qu'une mode.

— Je constate, rien qu'à regarder le charme de vos robes, que vous êtes soucieuse de la mode française. Je ne vous cacherai donc pas que Montesquieu et Voltaire ne sont pas de la dernière mode à Paris. Ce n'est pas parce que leurs idées sont du siècle passé, mais parce que les Français ont eu, eux, leur révolution. Ils n'ont plus besoin de ces idées-là parce qu'elles sont partout. On pense parfois que les idées sont disparues, alors qu'elles ne sont qu'assimilées, comme un aliment devenu chair ou sang.

— Même qu'ils commencent à en revenir, de leur révolution, n'est-ce pas?

— Oui, bien sûr, c'est le fameux mouvement de balancier. Mais ici, à Montréal, on discute encore des idées de Voltaire et de Montesquieu et on se passionne pour ces Lumières du siècle précédent pour la simple raison que l'éclairage ne nous a pas encore atteints. On a été privés de ces idées de feu; pour nous, elles sont de la première actualité.

Joséphine s'agita sur sa chaise.

— Sommes-nous vraiment en retard de tout un siècle?

Jean-Baptiste répondit promptement, car Joséphine avait l'air déconfite à l'idée d'une arriération d'une telle ampleur.

— Les idées sont de mode quand elles sont neuves, surprenantes, et elles le demeurent tant que nous en avons besoin. Les esprits d'ici on faim d'idées antimonarchistes, républicaines, anticléricales, parce qu'elles sont le remède dont notre esprit a besoin pour se guérir de la soumission, de la bigoterie, du refus du progrès et de la science.

— Mais si nous en avons un tel besoin, allons-nous tolérer longtemps de les discuter à voix basse dans des cercles réduits, comme s'il s'agissait du souffle du démon?

«Comme elle est belle quand elle prononce "le souffle du démon", les yeux soudainement noircis par le désir de se battre, les mains lancées en l'air comme des appels à la liberté!» pensa Jean-Baptiste. Joséphine pétillait d'intelligence devant les idées que Jean-Baptiste lui présentait. La candeur intellectuelle dans laquelle l'éducation des religieuses l'avait gardée était contrebalancée par un instinct sûr de jeune femme qui découvre son pouvoir sur l'homme. Mais il avait de quoi lui donner le change.

— Voyez-vous, Joséphine, les idées flamboyantes représentent à la fois une lumière et une menace d'incendie. Gardez-vous d'être une incendiaire...

— C'est comme l'amour, en somme... rétorqua Joséphine aussi vite. Un feu qui réchauffe autant qu'il brûle.

Joséphine avait l'esprit vif et cela plaisait à Jean-Baptiste. Il reprit, plus sobrement, pour éviter qu'ils ne s'exaltent trop.

— Voilà pourquoi les membres de notre clergé, même s'ils ont souvent l'esprit obtus, ont l'intelligence de combattre la menace que représentent les idées libertaires.

Joséphine voulait brûler de tous les feux: ceux de l'esprit, ceux du cœur, ceux du corps... Jean-Baptiste parlait si bien! C'était lui l'incendiaire. Un libre penseur... encore plus pâmant qu'un poète...

Mais aussitôt elle se demanda quelle place une jeune femme pouvait avoir dans une société de libres penseurs. Puisqu'il voulait jouer au professeur, elle lui poserait la question.

— Pourquoi le mot «liberté» est-il associé, quand il s'agit d'un homme, à la qualité de libre penseur et, quand il s'agit d'une femme, à celle de libertine? Expliquez-moi comment il se fait que les idées que vous avancez là, Monsieur Paradis, soient considérées comme si dangereuses pour notre sexe?

Comme Jean-Baptiste se mettait à rire, Joséphine se demanda si sa remarque était ridicule.

— Mais non, vous associez mal ces mots de liberté... libre penseur... et libertine... Une femme de qualité ne devient pas une libertine parce qu'elle refuse d'être une bigote! Je connais bien des femmes distinguées qui ne gardent pas leur esprit enserré dans le corset d'une moralité étroite. Je vous présenterai de ces femmes extraordinaires, qui sont de la meilleure société, dès que nos vies auront repris leur cours normal et que vous serez revenue à Montréal.

Antoinette Potvin entra à ce moment dans la salle à manger et s'excusa de les interrompre. Il fallait bien, dit-elle, mettre la table pour le dîner.

Comme toutes les mères, Antoinette Potvin pensait à marier sa fille et elle en faisait une grande affaire. Mais soudainement, l'envers de ce projet la frappait au visage comme une gifle: cela voulait dire qu'elle cesserait d'être la personne la plus importante dans la vie de sa fille et que bientôt son trésor partirait fonder sa propre famille.

Jean-Baptiste s'empressa d'empiler les livres qu'ils n'avaient pas eu le temps de feuilleter et libéra la table. Joséphine lui fit promettre de continuer le lendemain et les jours suivants, au moins jusqu'au jour de l'An. Mais dès le lendemain, Antoinette commença à faire obstruction; tous les matins qui suivirent, elle trouva une occupation à sa fille, de sorte qu'il ne restait plus beaucoup de temps pour la philosophie. Entre Noël et le jour de l'An, Jean-Baptiste et Joséphine n'eurent que deux petites heures pour continuer leurs leçons. Antoinette approuvait pourtant l'attraction qui se développait de façon évidente entre eux, mais, contrairement au bon sens, elle aurait voulu inverser le mouvement de la roue et garder sa fille pour elle le plus longtemps possible. Elle obtenait l'effet contraire: Joséphine en voulait à sa mère de remplir ses journées avec diverses occupations qui lui semblaient toutes, comparées aux discussions avec Jean-Baptiste, de pures niaiseries. Antoinette se rendait compte de l'illogisme de son comportement, mais elle n'y pouvait rien.

VI

Trois jours avant le Premier de l'an, la Brindille demanda à sa maîtresse dans quel ordre de grandeur elle devait envisager le repas qu'elle aurait à préparer.

— Faut-y que j'pense gros ou que j'pense petit? Aurez-vous autant de monde icitte qu'y en a d'habitude sur la rue Notre-Dame pour cette occasion?

Antoinette l'informa que, cette année, elle limiterait sa liste d'invités aux membres de sa famille immédiate, c'est-à-dire ses trois sœurs, leurs époux et leurs enfants. Les grands-parents des deux côtés étant décédés, il revenait à Antoinette, l'aînée, de recevoir chez elle ses sœurs et leurs maris. L'avant-veille, Azélie, la cadette, devait arriver de Québec, avec son mari et ses trois enfants, et rester quelque temps. Les deux autres habitaient dans la région.

— Cela fera donc, dit Antoinette à la Brindille attentive comme à la messe, dix adultes à asseoir autour de la table de la salle à manger. Les huit enfants mangeront dans la cuisine. Mais seulement, Marie, tu ne pourras pas compter sur d'autre assistance que celle de Timoléon, car il faut limiter autant que possible le nombre des personnes qui pourraient colporter la nouvelle de la présence d'un patriote chez nous.

À Montréal, comme le train de la maison était plus grand qu'à Contrecœur, la Brindille avait en permanence sous ses ordres une fille de cuisine dont la tâche était de laver la vaisselle et les planchers, frotter les chaudrons, entretenir le poêle, éplucher les légumes, brasser les sauces... Pour les réceptions, la femme de chambre et la couturière, toutes deux domestiques en résidence, s'ajoutaient à la fille de cuisine et se transformaient en marmitons; elles devaient alors se soumettre pour un jour ou deux à l'autorité de la Brindille. Même le cocher, qui n'avait rien à voir avec la cuisine, avait appris à ne pas se plaindre du ton sans réplique sur lequel la Brindille lui commandait d'atteler pour l'emmener aux provisions ou l'envoyait de toute urgence chercher ceci et cela qui manquait. Circulant sans cesse au milieu de la cuisine, la Brindille voyait tout, supervisait tout et déployait un panache étonnant pour une aussi petite femme. Elle ne faisait jamais une seule chose à la fois: pendant qu'elle commençait une sauce blanche, mélangeant le beurre et la farine, elle donnait ses ordres: «Va arroser les poulets de leur jus»... «Va me quérir une cuillère de bois»... «Beurre-moé une lèchefrite»... «Baisse le tirant du poêle»... Quand sa sauce était bien engagée, elle chargeait l'un des marmitons de la brasser: «Brasse-moé ça; si y a des grumeaux, j'vas te les faire manger pour ton dessert.» Quand elle faisait de la crème chantilly, on aurait dit qu'elle prenait plaisir à exiger de son assistante une vitesse toujours plus grande: «Fouette! Bon yenne! Fouette! Serais-tu une paresseuse, fille?» L'œil vif, la bouche pincée, le visage contracté par son effort de concentration, la Brindille exerçait une autorité sèche et précise qui donnait d'excellents résultats.

C'était à Contrecœur que Madame Potvin avait d'abord deviné le talent culinaire de la Brindille; pendant un été, elle l'avait entraînée à préparer les mets les plus complexes. Voyant son extraordinaire désir d'apprendre, elle l'avait ensuite promue cuisinière dans leur maison de la rue Notre-Dame. En même temps qu'elle avait découvert le génie de la Brindille, Antoinette Potvin avait compris que cette petite bonne femme métissée d'Algonquine ne prenait pas facilement les ordres; elle ne pouvait qu'en donner! Antoinette Potvin avait alors essayé de lui laisser le champ aussi libre que possible, se contentant de lui annoncer l'heure et le jour d'une réception, de lui donner quelques indications concernant le menu, et de la laisser ensuite totalement responsable de commander à ses trois marmitons et d'improviser des variations au programme. Elle avait averti ses domestiques de Montréal: la Brindille devait être obéie comme un général d'armée! C'était la condition pour maintenir une des meilleures tables de Montréal.

* * *

Le matin du jour de l'An, pendant que les Potvin, avec Azélie, son mari et leurs trois enfants, étaient à la messe et que Jean-Baptiste s'était retiré dans sa chambre, la Brindille essayait de se débrouiller à la cuisine avec la seule aide de Timoléon. L'épreuve mettait les nerfs de la Brindille à vif. Si elle prenait plaisir à le rabrouer quand il s'agissait de jouer leur petit théâtre, cela ne l'amusait plus du tout de le faire pour vrai. Il était si peu à sa place dans le rôle de marmiton qu'elle avait envie de lui dire de s'asseoir sur le grand banc de cuisine, les pieds allongés vers le poêle, et de se contenter d'entretenir le feu. Mais même cette tâche était infiniment plus délicate qu'elle n'en avait l'air; il ne suffisait pas de bourrer le poêle, et Timoléon n'avait pas une maîtrise très subtile de la température.

— Timoléon, y fait chaud icitte à faire fondre des chandelles de suif. Si t'es pas trop occupé à picosser dans les chaudrons, tu pourrais peut-être ben surveiller le tirant du poêle? Hein? Parce que, là, si ça continue sur ce train-là, on va rôtir nous autres avec, pis le dîner, ben... y va être bon à servir aux gorets!

— J'le vois ben qui fait chaud comme en enfer, cré nom de nom du diable! Toé, t'as les joues rouges comme une braise, pis moé, je pisse la sueur. Mais le poêle est enragé, batêche!

— Ben dis-moé donc, pour quoi c'est faire que t'as bâti une flamme de même? C'est toé l'enragé, pas le poêle!

— Mets-toé pas en gribouille contre moé, Marie, je pensais ben faire, vu que c'est du fricotage en grand que tu faisais là!

— T'as pas pensé assez fort.

Mais la Brindille ne voulait pas trop rabaisser Timoléon.

— J'suis pas en gribouille contre toé, Timoléon. Mais il faut cesser de bêtiser. Tu comprends: mon but, c'est de les régaler à faire péter leurs boutons de culottes. Sinon, moé, j'vaux pas une croûte! Un festin, si c'est pas aussi bon qu'extravagant, ça vaut pas la peine de se mêler de faire de la cuisine!

* * *

Quand Joséphine revint de la messe, elle monta à sa chambre pour revêtir sa robe neuve. Elle n'avait pas voulu la mettre pour aller à l'église, jugeant que cette robe ne convenait pas, à Contrecœur. Mais elle n'allait certainement pas se priver du plaisir de l'étrenner devant Jean-Baptiste! «Enfin une vraie robe de femme!» se dit-elle en sortant de la penderie la robe de velours rouge cerise. Le décolleté, que Joséphine avait fait échancrer un peu plus au moment de l'essayage, était bordé d'une large dentelle importée de Paris. Avec les boucles d'oreilles en gouttes de perle que son père lui avait offertes pour ses dix-huit ans, et ce décolleté, Joséphine goûtait le plaisir suave de sentir qu'elle était une femme. Elle s'admira longuement dans le miroir, consciente que son plaisir serait nul s'il ne devait pas y avoir les yeux de Jean-Baptiste pour la couvrir d'un regard d'homme.

Lorsqu'elle entra au salon, Jean-Baptiste vit d'abord la flambée rouge de la robe qui débordait du cadre de la porte comme un bouquet de son vase. Joséphine était si majestueusement belle, avec ses seins ronds dans leur écrin de velours cerise, qu'il ouvrit les bras et les leva comme s'il l'acclamait devant une foule.

L'instant d'après, son ravissement se transforma en un choc douloureux; son amour pour Joséphine s'accentuait si abruptement que la simple idée de sa situation de réfugié lui faisait mal. Il coupa court à sa démonstration admirative et se contenta d'un compliment sobre sur le seyant de la robe. Pour se donner une contenance et détacher les yeux du bouquet flamboyant, il offrit son aide à Antoinette Potvin pour accrocher une guirlande de gui au-dessus de la porte du salon. Selon la tradition, les couples qui passaient sous le gui devaient échanger un baiser sur la joue.

Vers onze heures, les deux autres sœurs d'Antoinette arrivèrent, avec leurs époux et leurs enfants. On entendit les grelots des carrioles où les familles s'étaient entassées, les enfants cordés sous les peaux d'ours, les pieds sur des briques chauffées, les yeux ronds et luisants comme les boutons de leurs bottines de cuir. Timoléon sortit s'occuper des chevaux et se permit d'agiter encore la bande de feutre sur laquelle étaient cousus une vingtaine de minuscules grelots; pour lui, les Fêtes, c'était avant tout des grelots, car la plupart de ses Noëls, il les avait passés à s'occuper des bêtes et à se contenter, en fait de musique, de ces clochettes. Cette année, en plus de la gaieté des grelots, il aurait des morceaux de roi; depuis l'aube que la Brindille lui donnait des bouchées, il avait une idée de ce qui se préparait pour le midi!

Il y eut un moment d'agitation joyeuse quand le vestibule se remplit de tout ce monde endimanché, les bras chargés de petites étrennes qu'il fallait poser quelque part pour enlever les fourrures, les capes, les gants, les mitaines, les chapeaux, les manchons, les foulards et les bottes.

Les quatre beaux-frères et Jean-Baptiste furent les premiers assis au salon et se mirent aussitôt à parler de l'évolution des événements: le gouverneur de la colonie, Lord Gosford, avait obligé tous les notables de la province, qu'il soupçonnait d'être du côté de Papineau, à prêter un serment d'allégeance à la jeune reine d'Angleterre et à faire prêter ce serment à une longue liste de citoyens. On avait arrêté les patriotes qui s'étaient opposés à cette procédure prétendument justifiée par la loi martiale.

Les beaux-frères d'Ignace Potvin étaient heureux de voir Jean-Baptiste et de pouvoir discuter avec un témoin direct des événements de Saint-Eustache et de Saint-Denis. Les sœurs d'Antoinette rejoignirent leurs maris au salon aussitôt qu'elles eurent rajusté leur coiffure et repoudré leur nez rougi par le froid.

Azélie, la plus vive, commença à poser à Jean-Baptiste les questions qui lui brûlaient la langue depuis deux jours: elle voulait tout savoir du massacre de Saint-Eustache. Partout les nouvelles circulaient avec plus de détails par l'entremise des femmes que par tout autre moyen, et elles prenaient leur rôle d'informatrices très au sérieux.

— Est-ce vrai ce que l'on dit: une centaine d'hommes fusillés ou grillés vifs, enfermés dans l'église par les Anglais?... Une autre centaine de prisonniers? Les plus belles maisons du village, une soixantaine à ce qu'il paraît, brûlées jusqu'aux fondations? demanda Azélie d'un air découragé. Et dites-moi: combien y a-t-il eu de morts chez les royaux?

— Un seul, répondit Jean-Baptiste. Quant au reste, c'est vrai. L'église a servi de bûcher à ces hommes; ceux qui ont voulu s'en échapper ont été tirés à bout portant.

Ignace Potvin dit d'une voix accablée:

— L'affrontement de Saint-Eustache, à n'en pas douter, fut un massacre... rien d'autre qu'un massacre... il faut bien appeler les choses par leur nom.

Azélie posa une question qui laissa Jean-Baptiste sans réponse:

— Aurions-nous osé, si la situation avait été inversée, nous rendre coupables d'une pareille horreur?

Ignace vint à la rescousse.

— Qui pourrait le dire? Notre caractère doux est-il un défaut de soumis, une faiblesse de vaincus? Ou la plus belle qualité d'un peuple aussi épris de liberté que de paix? Je ne sais pas, je ne sais pas…

Jean-Baptiste reprit.

— Et tout cela parce que les Anglais n'acceptent pas et n'accepteront peut-être jamais une vérité pourtant évidente: nous sommes une majorité qui vote!

Une grande tristesse se répandit dans le salon. Depuis le matin, l'absence de toute boisson et de toute nourriture, qui ne devaient apparaître qu'après la sainte communion, leur semblait une mortification imposée par le deuil collectif. Et à la cuisine, la Brindille, jusque-là tout à fait débordée, n'avait pas encore eu le temps de préparer le plateau pour le service du porto. Le massacre de Saint-Eustache et l'incendie de Saint-Benoît laissaient des centaines de familles dans le deuil ou la misère glacée de l'hiver; la neige qui tombait dehors semblait chargée de leurs lamentations. Le jeûne convenait au sentiment de la détresse commune.

La société des enfants, cousines et cousins heureux de se retrouver, était tenue au silence en présence des adultes. Quittant les chaises droites qu'on avait disposées pour eux autour des sofas et des fauteuils du salon, ils s'éloignèrent un à un, à pas feutrés, allergiques à tant de tristesse. Les plus jeunes allèrent tourner autour de la table de la salle à manger, dressée d'argenterie et de cristal, et aboutirent là où leur odorat les menait: à la cuisine, même s'il n'était pas question d'obtenir quoi que ce soit avant qu'on leur donne leur assiette.

La Brindille les accueillit avec bonne humeur. Elle venait enfin de finir de farcir, larder, paner, braiser, rôtir, bouillir, griller, dégorger, filtrer, épaissir, glacer, crémer, fouetter, sucrer... Son plateau pour l'apéritif était enfin prêt et elle se sentait maintenant «au-dessus de ses affaires», mais pas au point de s'asseoir avec les jeunes et de leur raconter des histoires de feux-follets et de «jeteux de sorts», comme les domestiques avaient coutume de le faire, à temps perdu, avec les enfants des maîtres.

— Flairez tant que vous voulez, mangez avec vos yeux... Mais si j'en pogne un à toucher, j'y frotte la langue avec du vinaigre, pis les oreilles avec ma gratte à fromage.

Les enfants suivaient en file derrière Philomène, la plus âgée des cousines, une grosse fille de treize ans, boulotte et malicieuse. Ils examinèrent, la bouche ouverte, les gâteaux, les beignes, les compotes, les biscuits, les fruits confits et les bonbons que la Brindille avait alignés sur la grande table de cuisine, dans l'ordre où ils devaient défiler devant les convives. Tant de splendeur ordonnée et interdite inspirait aux enfants un silence dévot; leur jeûne du matin, prétendument pour pouvoir communier, avait été ressenti comme un procédé purificatoire, une préparation rituelle et nécessaire avant de passer au véritable sacrement de la communion: le partage de la nourriture étalée sur cette table.

La Brindille interrompit leur méditation remplie de convoitise:

— Astheur, déguerpissez! J'ai en masse de quoi à faire sans surveiller les souris grignoteuses!

Eustache, l'aîné des cousins, un jeune gaillard de quinze ans à la moustache à peine ébauchée, se tenait à l'écart des enfants, comme pour bien marquer qu'il n'était plus de cette classe-là; il se rapprocha de Philomène au moment où elle quittait la cuisine. Les enfants se dispersèrent, et Philomène se dirigea vers le vestibule pour s'installer avec eux dans le large escalier qui menait aux chambres. Profitant de l'occasion, le garçon se précipita et la poussa un peu pour se trouver sous le gui en même temps qu'elle. Encore rouge de son audace, convaincu que les adultes ne leur prêtaient aucune attention, il la saisit par le coude et réclama, d'une voix basse et tout éraillée, le traditionnel baiser sur la joue.

Philomène lui répondit d'un petit baiser aussi sec que le mouvement d'une poule qui picosse un grain.

— C'est tout? dit Eustache, déçu.

Mais Philomène s'enfuyait déjà vers l'escalier pour rejoindre les enfants qui s'y installaient comme si c'était leur territoire réservé. Pour rien au monde Philomène n'aurait voulu que Jean-Baptiste, qui avait jeté un coup d'œil sur eux au moment crucial, ne la voie rougir.

* * *

Joséphine avait beau entendre toutes les horreurs dont on parlait au salon, la vie lui semblait tout de même généreuse: elle avait rompu avec son éducation chez les ursulines, ouvert son esprit aux philosophes des Lumières et, ajourd'hui, elle étrennait une magnifique robe rouge qui allumait des feux dans les yeux de ce rebelle aux lèvres charnues. Une mèche de cheveux retombait sans cesse sur le front de Jean-Baptiste et le charme de cette petite couette lui fit oublier l'hiver, les Anglais et la défaite.

Antoinette cherchait un prétexte pour lever son verre de porto. Elle regarda par la fenêtre, vit que la neige tombait dru, pensa aux maisons incendiées:

— Levons notre verre à l'hiver, la seule certitude canadienne.

Joséphine, secrètement, leva son verre à l'Amour, sa seule certitude à elle. Et Jean-Baptiste leva son verre à l'Avenir, pour lequel il avait le désir de vivre.

Ils n'avaient pas fini d'avaler leur gorgée de vin qu'une odeur de brûlé atteignit le salon. Inquiète, Antoinette Potvin posa son verre sur le guéridon.

— Jamais, depuis dix ans qu'elle est à notre service, la Brindille n'a brûlé quoi que ce soit, pas même une tranche de pain grillé. Je vais voir.

Ses sœurs et ses beaux-frères la suivirent, car l'odeur était si forte qu'ils craignaient un incendie.

Quand elle entra dans la cuisine, Antoinette Potvin vit Timoléon, la face rouge et congestionnée par la chaleur, replaçant la rôtissoire dans le four. Il avait voulu tourner le petit cochon de lait pour le rôtir également des deux côtés et l'avait laissé échapper. Le cochon était retombé dans sa sauce, au fond de la rôtissoire, avec un gros plouc, éclaboussant le four chauffé au maximum. Voulant essuyer la fonte brûlante, Timoléon s'était emparé d'un torchon et avait frotté énergiquement. Mais une odeur de torchon calciné s'était ajoutée à celle de la sauce brûlée.

— Le crétaque, de verrat, de Satan de p'tit cochon! C'est à crère qu'y est pas mort, batèche!

Voyant arriver sa maîtresse, suivie des invités qui s'attroupaient dans la cuisine, il se redressa un peu pour dire:

— Y m'échappe à chaque fois que j'le vire de bord, le p'tit verrat! Le diable est dedans!...

La Brindille jeta un coup d'œil dépité en direction de Madame Potvin et voulut excuser la maladresse de Timoléon:

— Faites-vous pas de soucis, M'ame Potvin, y a rien de brûlé, c'est juste un peu de sauce répandue. On va changer l'air de la cuisine... J'laisserai pas mes tourquières prendre une odeur de brûlé, ça c'est çartain comme la naissance du p'tit Jésus à ménuitte le soir de Noël!

Antoinette Potvin constata que ces deux-là, malgré leur bonne volonté, étaient débordés. Les beaux-frères ouvrirent les portes, Ignace baissa le tirant du poêle, et ses belles-sœurs, de bonnes gourmandes, examinèrent la table des desserts avec un plaisir anticipé.

Joséphine et Jean-Baptiste étaient restés dans leurs fauteuils, séparés par le feu du foyer. Ils s'étaient regardés dans les yeux et une grande flambée de désir les avait empourprés jusqu'à la racine des cheveux. Leurs yeux étaient agrandis, comme fixés sur une lumière si puissante qu'ils en étaient hypnotisés. À l'appel de sa mère, Joséphine se leva pour se diriger vers la cuisine. Pour cela, elle devait passer sous la guirlande de gui. Jean-Baptiste se leva aussitôt et manigança pour passer sous la guirlande en même temps qu'elle. Pour avoir le baiser qu'il convoitait, il était prêt à emprunter les tactiques les plus enfantines.

— Mademoiselle, je réclame le baiser traditionnel.

Joséphine s'immobilisa comme si elle avait attendu ce geste et s'y était préparée, ferma les yeux et, offerte, tendit mollement les lèvres. Jean-Baptiste, prenant son temps, l'enserra à la taille, sentit le parfum de son cou, toucha sa chevelure, effleura le galbe de ses seins, et plongea tout doucement dans le plaisir de ce baiser avec toute la sensualité retenue depuis le jour où il avait décidé d'attendre la femme qui le bouleverserait. Cette femme qu'il épouserait, il le savait maintenant, c'était Joséphine. Le baiser fut une explosion de tous ses désirs contenus depuis qu'il était un homme; il se mit à trembler comme sous le coup d'une grande frayeur; les secousses qui agitaient ses membres comme ceux d'un vieillard chevrotant étaient pourtant les secousses d'une énergie jeune: c'était de désir qu'il vibrait, il tressaillait d'en vouloir davantage. Il frémissait comme un assoiffé qui se jette sur la tasse d'eau qu'on lui tend.

Joséphine, elle, glissait sur la pente douce... douce... qui fait plier les genoux des femmes imbibées de désir. La pente avait beau être veloutée, et la pâmoison agréable comme un souffle de printemps, l'élan de son désir, d'abord lent et timide, prit vite de l'ampleur, de la profondeur, et les jambes finirent par lui manquer.

Le froissement de la robe de sa mère, qui revenait vers le salon, freina la chute de Joséphine. Au prix d'un effort douloureux, comme si des fils invisibles et vivants s'étaient tissés entre elle et Jean-Baptiste et qu'elle devait couper dans le vif de ces liens, elle retrouva la maîtrise d'elle-même.

Sa vraie vie, sa vie de femme, pensa-t-elle, venait enfin de commencer. L'amour venait de lui faire mal, montrant par là sa puissance, et elle était prête pour la grande initiation.

Mais une jeune fille amoureuse peut bien léviter du bonheur d'être en amour, cela ne la dispense pas de donner un coup de main à sa mère. Joséphine, flottant au-dessus d'elle-même comme un brume rose et parfumée, suivit Antoinette à la cuisine, laissant Jean-Baptiste seul au salon. Il s'était tourné vers la fenêtre pour cacher à celle qui serait sa belle-mère l'émotion qui bouleversait son corps.

Quand Joséphine entra dans la cuisine derrière sa mère, au lieu d'entendre les «crétaque», les «batèche» et les «verrat» de Timoléon, qui n'en revenait toujours pas de son aventure avec ce diable de petit cochon, Joséphine écoutait un concert qui jouait pour elle seule: des grelots, des cloches, des clochettes, des trompettes, des roucoulements d'oiseaux, des violons, des grandes orgues... Tous ces instruments jouaient en parfaite harmonie l'allegro joyeux que les jeunes filles comme elle étaient supposé entendre quand elles se découvraient amoureuses. Les sens de Joséphine étaient restés au salon; au lieu de l'odeur de brûlé qui flottait encore dans la cuisine malgré la porte entrouverte, Joséphine s'enivrait du parfum de l'haleine de Jean-Baptiste, du parfum des cheveux de Jean-Baptiste, du parfum de la peau de Jean-Baptiste, du goût des lèvres de Jean-Baptiste, de l'âme de Jean-Baptiste au grand complet, une âme qui exultait de la tête aux pieds, un Jean-Baptiste parfait, divin, suprêmement aimable. Joséphine s'abandonnait complètement au délicieux délire romantique des premiers instants de son amour.

Sa mère lui décrivait la tâche à accomplir d'une voix qui lui semblait venir d'un autre monde. Joséphine comprenait cependant qu'elle devait, en protégeant sa robe, prendre les desserts qui se trouvaient sur la table de la cuisine et les transporter sur la desserte de la salle à manger; une fois la table libérée dans la cuisine, elle devait y mettre les huit couverts des enfants. Pendant son trajet de la cuisine à la salle à manger, emportant un plateau recouvert d'une montagne de petits gâteaux ronds et dorés, givrés de neiges éternelles en meringue, elle eut le temps de partir en voyage de noces en France, de visiter les Alpes et la Côte d'Azur, d'embarquer, vêtue d'une robe blanche et coiffée d'un chapeau de paille d'Italie, dans une gondole à Venise et de soupirer sous le fameux pont, au coucher du soleil. Elle posa les gâteaux, redevenus de simples gâteaux, sur le buffet de la salle à manger et revint prendre les tartes. Elle se vit alors apportant de la tarte aux pommes à un Jean-Baptiste emprisonné à cause de son combat pour la liberté. Elle le suivait même courageusement jusqu'en prison, ou jusque dans la pauvreté, si telle était leur malchance... Mais de préférence, se reprit-elle en posant les tartes à côté des gâteaux, ils vivraient dans l'aisance et habiteraient la grande maison de la rue Notre-Dame, dont Jean-Baptiste avait hérité. Sur la table de cuisine, le compotier de cristal rempli de confiture de fraises des champs lui fit penser à l'odeur qu'aurait leur maison: une odeur de confiture, de bois d'érable qu'on brûle dans le foyer, et dans leur chambre, celle du parfum français... dont elle imprégnerait sa lingerie. Les fiançailles célébrées, ils décideraient des aménagements à apporter à la propriété de Jean-Baptiste; il fallait la transformer en paquebot confortable et luxueux pour la traversée d'une vie conjugale chargée d'enfants. Elle déposa le compotier de cristal et alla jeter un coup d'œil par la fenêtre de la salle à manger. Il neigeait dru, il y avait du vent, le rebord de la fenêtre était tout arrondi par un glaçage de neige. Dans sa maison, et même dans leur chambre nuptiale, un feu brûlerait en permanence dans un grand foyer de pierre pâle. Leur chambre serait si bien chauffée que, même en hiver, elle pourrait dormir à demi nue dans les bras de son mari. Le matin, elle prendrait son petit déjeuner en peignoir de soie, à l'abri du froid.

Joséphine sentait la présence de Jean-Baptiste dans la pièce d'à côté; à chaque voyage qu'elle faisait jusqu'à la salle à manger, elle lui jetait un coup d'œil par la porte entrouverte. Il restait assis dans son fauteuil et semblait s'appliquer à ne pas regarder dans sa direction. Ressentait-il la même chose qu'elle? Si elle cédait à son envie de retourner au salon, à côté de lui, elle ne pourrait pas s'empêcher de se jeter de nouveau dans ses bras pour goûter encore un baiser, et un autre, et puis un autre... Joséphine savait comment on s'aime entre hommes et femmes et comment naissent les enfants. Rien, dans l'intimité des époux, ne lui faisait peur. Au contraire, elle avait hâte qu'arrive sa nuit de noces comme elle avait eu hâte, à sept ans, de faire sa première communion. «Je suis faite pour être la femme d'un libre penseur, je suis faite pour Jean-Baptiste.»

Demeuré seul au salon, Jean-Baptiste volait aussi haut que Joséphine. L'amour lui faisait l'effet d'une énigme magnifique. La lumière du jour qui flottait dans le salon émettait ce rayonnement qui l'avait ébloui au sortir de l'arbre; il lui semblait voir non seulement les objets, mais la lumière elle-même, comme si une flamme les illuminait de l'intérieur. Le bonheur, en concluait-il, était une glorieuse victoire sur toutes les misères humaines.

Quand les invités revinrent, l'odeur de brûlé avait complètement disparu, remplacée par un délicieux fumet de toutes les saveurs combinées.

Les yeux allumés par la faim, les adultes se placèrent autour de la grande table rutilante d'argenterie et de cristal. La Brindille, avant de commencer le service, mit un tablier impeccablement blanc et commença son glorieux défilé de mets. Elle apporta devant les convives des tourtières au lièvre et à la perdrix, un petit cochon de lait farci, une fesse de bœuf bien saignante, du boudin noir, de la dinde avec de la farce aux oignons et à l'ail, des pâtés au poulet, de la gourgane, des cretons, des patates en purée, des petits oignons blancs et des cornichons marinés, du pain en tresse, du beurre frais, de la crème sûre, des fromages blancs. Tout cela était accompagné du meilleur vin de Bordeaux. Ignace expliqua qu'il l'avait eu en contrebande et ne payait pas un sou de taxe aux Anglais sur ce vin-là, ce qui lui donnait encore meilleur goût.

Les visages se détendirent, les conversations retrouvèrent la légèreté qui convenait à un tel festin. Il n'était évidemment pas possible de manger en une seule fois toute la nourriture qui avait défilé dans la salle à manger; mais on présentait couramment à ce repas un échantillon de tous les délices préparés pour les deux ou trois jours à venir.

Pour dessert, la Brindille offrait une pyramide de beignes, de la compote de citrouille, de la compote de pommes garnie de crème épaisse, de la confiture aux petites fraises des champs. Au café, qu'elle servit au salon, elle reçut enfin les compliments qui étaient sa véritable récompense. Chacun lui répéta qu'elle était la meilleure cuisinière à la ronde, et cela avec des tournures originales: on connaissait assez la Brindille pour savoir qu'avec elle, un compliment s'usait vite; pour la toucher, il fallait inventer toujours de nouvelles flatteries, à la fois crédibles et exagérées.

Le soir, une fois tout le monde parti et les Potvin montés se coucher, la Brindille rangea la cuisine avec Timoléon. Elle était épuisée, mais contente d'elle et de tous les compliments qu'elle avait récoltés. Assise sur la chaise basse placée à côté du poêle, elle laissait Timoléon empiler les assiettes sales parce qu'elle ne pouvait à peu près plus se tenir sur ses jambes. Malgré une fatigue presque aussi grande que celle de la Brindille, Timoléon continuait de lui énumérer tout ce qu'il avait mangé, comme si ce n'était pas elle qui l'avait fait. C'était, sans aucun doute, le meilleur repas qu'il avait avalé de toute sa vie. Il expliquait cela à la Brindille en se frottant la bedaine comme s'il avait là un sac d'or, rempli d'un précieux contenu dont il pourrait jouir toute sa vie. La Brindille conclut:

— En v'là un autre que les Anglais auront pas, hein Timol?

Ce n'était pas de ce jour-là ni de cette année-là qu'elle avait pris l'habitude de conclure un bon repas par cette formule. On l'utilisait depuis la Conquête et la Brindille ne savait même plus de qui elle l'avait adoptée. Elle disait cela comme elle aurait dit les grâces, et seulement après les repas les plus réussis, comme si chaque festin avait été une revanche, une compensation domestique pour tant d'humiliations subies au dehors, à moins que ce ne fût une forme de résistance, qui consistait à être heureux malgré tout, chez soi, en attendant d'avoir les moyens d'agir.

Elle ajouta, certaine qu'elle pouvait prendre l'initiative de cette décision, puisqu'elle avait pleins pouvoirs sur la cuisine:

— Pour à soir, Timol, tu pourrais ben coucher sur le banc du quêteux au lieu de retourner chez ta Grosse Alma. Rien qu'à y conter tout ce que t'as avalé à midi, à grossirait tellement qu'à pourrait ben éclater comme une saucisse trop bourrée.

Tous les deux se mirent à rire à cette pensée. L'idée que la Grosse Alma avait mangé toute seule pour ne pas avoir à partager laissait Timoléon indifférent. Ou plutôt, au lieu d'en souffrir personnellement, il se découvrait un certain mépris, une certaine hauteur devant tant de mesquinerie. La Grosse Épine se piquait elle-même au jeu de l'avarice: elle était seule. Il ouvrit le banc du quêteux et s'enroula dans son manteau de grosse laine. La Brindille souffla les lampes et monta à sa chambre par l'escalier étroit du grenier.

Sa chambre était une petite pièce mansardée dans laquelle était découpée une fenêtre tout juste assez grande pour y passer la tête. Elle était froide en hiver et étouffante en été, séparée des chambres de la famille par un immense grenier. On y voyait un lit de fer, une cuvette et un broc de fer émaillé blanc veiné de bleu, une chaise basse, à côté du lit, qui servait en même temps de table de nuit, trois crochets pour ses vêtements, une valise de carton sous le lit pour ranger le reste de ses effets personnels, un chromo du Christ en croix, avec les pieds, les mains et le front dégoulinants de grosses gouttes de sang bien rouge.

Elle enleva seulement ses bottines avant de se jeter tout habillée sur son lit et s'endormit avant d'avoir eu le temps de terminer un Avé.

VII

Le lendemain matin, Joséphine voulut aider sa mère à replacer l'argenterie et le cristal dans le buffet de la salle à manger. Antoinette fut étonnée de l'empressement que sa fille mettait à tout ranger. Elle comprit qu'il ne s'agissait pas d'une motivation soudaine pour la vie domestique, mais de sa hâte à reprendre possession de la salle à manger, pour continuer les leçons de philosophie. La mère acceptait encore difficilement la précipitation de sa fille à devenir amoureuse. «Feu de paille ou feu de forêt, tout cela va bien vite», pensa-t-elle avec une impression de solitude nouvelle. Sa grande fille était là, à côté d'elle; leurs mains se touchaient chaque fois que Joséphine lui tendait un verre de cristal pour qu'elle le range avec les autres, en rang comme des petits soldats, dans le gros buffet ventru. Mais l'homme, l'amour, la vie... commençaient à la lui enlever.

Aussitôt le rangement terminé, Joséphine fit savoir à Jean-Baptiste que tout était prêt pour continuer ce qu'ils appelaient des «leçons de philosophie», pour ne pas avoir à dire des «conversations», ou, chose plus compromettante encore, des «fréquentations». Joséphine n'avait pas oublié un seul mot de leurs discussions et elle reprit là où ils avaient été interrompus. Elle devait, par prudence, apporter le plus grand sérieux à son propos. Il fallait, s'était-elle répété toute la matinée, qu'elle conserve la maîtrise de son émotion amoureuse, sinon leur jeu du maître et de l'élève perdrait toute vraisemblance, et il faudrait y mettre fin. Elle s'efforça de donner une certaine sécheresse à son propos, comme si la philosophie était sa seule et unique préoccupation et que la proximité physique de Jean-Baptiste la laissait indifférente.

— À Paris, la Révolution est maintenant vieille de cinquante ans et les Français en sont revenus puisqu'ils ont réinstallé un monarque. Leur révolution nous servira-t-elle de modèle pour faire la nôtre, ou de leçon pour nous épargner de la faire?

— De modèle? dit Jean-Baptiste en réfléchissant. Je ne sais pas vraiment. Oui, en un sens, l'histoire sert toujours de modèle, mais comme un parent sert de modèle en même temps que de repoussoir à son enfant. Quant à servir de leçon, je vous renvoie la question: laquelle? Il y a tellement de leçons à tirer d'une révolution! Et avec des morales si différentes!

— Mais qu'enviez-vous le plus à la Révolution?

— La liberté de penser, de parler, d'écrire sans être censuré par l'Église ou la monarchie. C'est encore notre clergé qui décide ce que nous avons le droit de lire, d'écrire et de dire en public. Si jamais nous entreprenions une révolution, nous n'aurions pas que les Anglais à combattre. Le penchant de notre peuple de paysans pour les idées toutes pensées d'avance par ses guides spirituels est peut-être ce qui nous gardera le plus longtemps dans l'état d'enfance. Cette révolution-là sera plus difficile et plus longue à faire que celle qui nous libérera de la tutelle britannique.

Joséphine écoutait parler Jean-Baptiste avec délectation. Tout ce qu'il disait à propos des Canadiens français, elle le prenait aussi pour elle-même, en adaptant à sa guise certaines données pour les appliquer à sa situation. Elle aimait profondément sa mère et son père, et il n'y avait pas en eux de trace de l'oppression dominatrice que le vainqueur exerce normalement sur le vaincu. Mais elle ressentait tout de même le désir de se libérer d'eux. Elle avait aussi hâte de se libérer de l'amour de ses parents et de commencer sa vie à elle qu'elle avait hâte de voir son peuple accéder à sa pleine autonomie. Et dans cette voie de libération, Jean-Baptiste faisait figure de sauveur; il lui donnait les mots pour se dire à elle-même sa soif de liberté. Elle l'admirait de toute son âme. Comme il était intelligent, brillant, sage même... bien qu'il n'eût que cinq ans de plus qu'elle!

— Je vous admire d'oser lancer votre esprit sur toutes les avenues possibles, même les plus obscures et les plus dangereuses. J'admire les penseurs qui osent entretenir des idées dont l'excentricité même fait la valeur.

Jean-Baptiste répondit en regardant Joséphine droit dans les yeux et en appuyant son propos. Il sentait tout à coup la différence d'âge, entre eux, et cette différence d'éducation entre hommes et femmes, qui lui donnaient un pas d'avance sur elle. Mais il ne voulait pas entre eux de complaisance, et il choisit de lui dire le fond de sa pensée.

— Votre admiration, certainement, me fait plaisir, mais... pourquoi ne feriez-vous pas marcher votre esprit sur toutes les avenues possibles? Les révolutions, Joséphine, commencent toutes dans les idées.

Joséphine se rembrunit. Le mot «révolution» lui faisait entendre un bruit sec de guillotine bien huilée; elle voyait des têtes ensanglantées rouler dans un panier, elle s'imaginait marchant dans le sang jusqu'aux chevilles et, pire que tout cela, elle voyait Jean-Baptiste monter sur un échafaud et elle qui le suivait. Le monde des idées, soudainement, devenait dangereux. Elle voulait la liberté, l'audace, l'aventure du cœur et de l'esprit. Mais elle était aussi une jeune fille qui voulait se marier, avoir des enfants, vivre en paix, rendre visite à sa mère le dimanche avec sa famille. Fallait-il vraiment choisir? Elle demanda d'une petite voix mal assurée:

— La philosophie peut-elle nous dire si, inévitablement, les révolutions doivent être accompagnées d'anarchie? Est-ce que les révolutions sont toujours meurtrières?

Et elle ajouta, presque au bord des larmes, et sans se soucier de voiler de théorie ses sentiments:

— Je ne veux pas que vous soyez pendu, déporté, ou emprisonné à cause d'idées révolutionnaires.

Jean-Baptiste prit le ton le plus rassurant dont il était capable:

— Vous savez, Joséphine, la révolution n'est pas quelque chose que l'on peut déclencher en la souhaitant, ni même en essayant de la prêcher. Il semble bien qu'elle soit un fait historique contre lequel on ne peut pas grand-chose, comme un orage qui éclate quand la colère est devenue trop lourde. Elle fait partie de l'histoire des peuples, de leur grandeur et de leurs misères.

Joséphine n'était pas rassurée.

— Mais la révolution coûte autant de vies que la guerre, dit-elle. Cela me répugne de voir que tant d'hommes la mettent de l'avant en sachant ce qu'elle coûtera. Je voudrais être un esprit libre; je voudrais avoir toutes les audaces de l'esprit; je voudrais laisser aller mon imagination aussi loin qu'elle me mène, mais je ne ne suis pas du tout certaine de vouloir de la révolution.

Si Joséphine avait osé dire ce qu'elle pensait sans souci des convenances, elle aurait ajouté: «Je voudrais me libérer de mes parents, mais je ne veux pas les blesser; je voudrais laisser aller mon désir aussi loin qu'il me mène. Mais je ne suis pas certaine de vouloir les conséquences sociales d'un tel acte...»

Jean-Baptiste ne savait plus comment rattraper son cours de philosophie sans dire de mensonges condescendants.

— La révolution n'est souhaitée qu'à partir du moment où un certain point de désorganisation, de souffrance et d'humiliation semble avoir été atteint par un peuple. Ni vous ni moi n'avons atteint ce point. Mais pouvez-vous comprendre que certains hommes d'ici ont pu désirer une révolution lorsque la vie elle-même leur a semblé perdre de sa valeur?

Non, elle ne voyait pas comment sa vie à elle pouvait perdre de sa valeur. Ni comment sa vie à lui pouvait être sans valeur. Peut-être, se dit-elle, ne comprenait-elle encore rien à la politique, ou, pire encore, à la vie. Elle risqua une dernière question:

— Ce que vous, les Fils de la Liberté, avez voulu faire, était-ce une révolution avec guillotines et fusils? Ou était-ce ce qu'on pourrait appeler une transformation politique?

Jean-Baptiste sentit le besoin de se défendre. Il aurait été injuste qu'elle se fasse une idée erronée du mouvement auquel il avait donné son appui.

— Le mot «révolution» est peut-être la source de toute votre inquiétude. Toute cette histoire, qui se termine bien tragiquement, a commencé, il ne faut pas l'oublier, par les élections les plus démocratiques qui soient: le parti de Papineau, si discrédité aujourd'hui, a *gagné* ses élections, et même, il les a *toujours* gagnées. Il faut le répéter. Papineau a encore gagné par une écrasante majorité. À aucun moment il ne fut question de voler le pouvoir. Ce pouvoir, c'est la majorité qui nous l'avait donné, et non la violence ou quelque autre procédé que vous associez aux terreurs de la Révolution française. C'est démocratiquement que le peuple a élu Papineau et soutenu son programme d'autonomie des colonies. S'il est vrai que les idées de Papineau ont subi l'influence révolutionnaire française, on ne peut pas en dire autant de ses stratégies, qui se voulaient pacifiques. Mais la victoire de Papineau a menacé les bureaucrates britanniques. Les membres du Doric Club ont ouvert les hostilités en attaquant notre manifestation, en refusant aux Fils de la Liberté le droit de se réunir. Dès le moment où ils ont commencé à nous poursuivre, nous nous sommes retrouvés en pleine insurrection révolutionnaire.

— C’est donc eux qui ont commencé les hostilités?

Jean-Baptiste aurait pu répondre affirmativement sans mentir: c’étaient les loyaux qui, les premiers, avaient pris les armes. Mais le philosophe en lui savait bien que les choses ne sont jamais aussi simples. Les idées fortes et les programmes audacieux étaient toujours de la graine de révolution, il venait lui-même de le dire à Joséphine. Il répondit avec un sourire, désirant détendre le climat:

— La chicane, Joséphine, c’est souvent comme l’amour: il est difficile de savoir de quel côté elle commence vraiment.

Sa repartie eut l’effet escompté: Joséphine sourit, son front se déplissa, et elle ajouta:

— L’amour serait-il, lui aussi, une idée audacieuse?

Pour toute réponse, Jean-Baptiste approcha son visage de celui de Joséphine. Antoinette Potvin, qui circulait sans cesse autour de la salle à manger, se trouvant toutes sortes de prétextes pour aller et venir du salon à la cuisine en passant devant l’entrée de la salle à manger, chaperonnait discrètement le couple depuis le début de la leçon. Mais elle était alors occupée à parler avec la Brindille, à la cuisine. Jean-Baptiste entendait le bruit étouffé de sa voix, et Joséphine aussi.

Il s’approcha jusqu’à toucher au beau fruit mûr et rouge de la bouche de Joséphine et goûta encore une fois à ses lèvres entrouvertes et timidement gourmandes. Une flambée de désir impétueux les fit trembler, entrouvrir les lèvres, se chercher et se goûter en affamés qui n’osent pas tout à fait se jeter sur la nourriture, comme des bêtes, mais se meurent et ne peuvent résister. Comme si la décharge les menaçait trop, ils brisèrent brusquement cette montée furieuse. Un grand froid succéda à la brûlure. Tant de désir, en pénétrant brutalement au plus profond de leur être, faisait tout à coup terriblement mal, comme une lame extrêmement fine dont on ne sent pas tout de suite l’entaille qu’elle a faite dans la chair.

Cela ne pouvait plus durer. Jean-Baptiste se sentait encore une fois enfermé dans une écorce qui éclaterait bientôt sous l'impulsion irrésistible du désir. Il fallait qu'il parte et ne revienne qu'au moment où il serait prêt à demander Joséphine en mariage.

VIII

Jean-Baptiste resta sous la protection des Potvin pendant les tristes Fêtes du début de l'année 1838, lesquelles furent assombries par des centaines de morts, d'exilés, de prisonniers, de familles dont les maisons avaient été incendiées par les Anglais en guise de représailles. Le village de Saint-Benoît était complètement réduit en cendres, y compris l'église. Seules les maisons les plus misérables restaient debout, les loyaux ne s'étant même pas donné la peine de les incendier.

À Montréal, les journaux qui n'avaient pas été interdits continuaient de publier des études qui expliquaient les sources de la rébellion. On pouvait lire, par exemple, que le cadeau des meilleures terres à des favoris du Régime, pratique qui était censée avoir été remplacée depuis 1831 par un régime de vente aux enchères, n'avait toujours pas cessé. Sous toutes sortes de prétextes — le plus souvent, on invoquait des promesses à tenir — le Régime avait, pendant l'année 1837, offert gratuitement, à des Anglais déjà installés ou fraîchement immigrés, plus de terres qu'il n'en avait vendu. À cette date, trois millions d'acres, soit la moitié du territoire arpenté du Bas-Canada, avait fait l'objet de dons aux Anglais. Les cultivateurs ne pouvaient pas les acheter pour y établir leurs fils, même en payant le prix fort. Les plus doués de ces fils partaient pour la ville où, avec l'aide de l'Église, ils poursuivaient leurs études et devenaient curés, avocats, notaires ou médecins. Chaque année, deux ou trois cents diplômés sortaient des collèges catholiques. Mais ces jeunes hommes qui n'avaient pu obtenir une terre ne pouvaient pas davantage trouver un travail conforme à leur instruction. La majorité des postes publics, les emplois les plus lucratifs, le commerce, l'importation, le développement des banques, tout cela était organisé de façon à exclure autant que possible les Canadiens français. Le jeunes gens frustrés dans leurs ambitions retournaient chez eux, dans leur village, et vivotaient en se partageant une maigre clientèle qui était souvent trop pauvre pour payer des services professionnels à leur juste valeur.

Ignace Potvin était un des rares hommes d'affaires qui, en s'associant avec un Anglais et en le payant grassement, pouvait développer son commerce d'importation de vins français. Tout bateau qui accostait dans la colonie, même s'il venait de France ou des États-Unis, devait obligatoirement battre pavillon britannique. Cette forme indirecte de mainmise sur tout le développement économique de la colonie coupait les Canadiens de leurs alliances naturelles avec la France. En s'associant, et en maintenant, malgré le détour, un commerce avec la France, Ignace s'en tirait remarquablement bien dans des circonstances aussi difficiles. Sans l'argent de la vente du terrain que son père avait possédé dans le faubourg Sainte-Marie, il n'aurait jamais pu lancer et maintenir son entreprise.

Quant à Jean-Baptiste, ce n'était pas sa qualité de notaire — puisqu'il y avait à Montréal bien plus de notaires qu'on ne pouvait en employer — qui lui garantissait l'aisance financière dans laquelle il avait toujours vécu. Sans l'héritage laissé par son père, un des seigneurs de Saint-Hyacinthe, lui-même propriétaire de plusieurs terrains sur la rue Notre-

Dame, il n'aurait jamais pu s'établir dans une aussi grande maison et mener un tel train de vie. Il serait retourné à Saint-Hyacinthe, petit notaire de village gagnant tout juste sa vie.

Jean-Baptiste n'apprenait rien de neuf en lisant les analyses des journaux; il connaissait à fond tous ces problèmes et bien d'autres tout aussi aigus qui avaient usé la patience pourtant grande des Canadiens français. Cela ne donnait rien de ruminer encore les mêmes données; il préférait prendre de la distance pour regarder tout cela en philosophe, pour que sa sérénité d'observateur de l'histoire le console de la défaite de ce moment-là.

Si, sur le plan collectif, l'humeur était au plus sombre, il ne pouvait nier qu'à certains moments une note de joie aiguë résonnait en lui. Il lui suffisait d'entendre le rire en trille d'oiseau de Joséphine pour que la saveur de la vie s'accentue d'une manière indécente; sur ces accès de bonheur soudain, il n'avait aucune emprise, comme si un printemps intérieur était responsable du réchauffement de son âme et venait contredire la tristesse des événements. Après ces bouffées de bonheur venait une certaine angoisse: était-il coupable d'être heureux alors que d'autres étaient morts à Saint-Eustache? Tous ensemble, ils avaient voulu la même chose; et personne n'avait rien obtenu. Mais ce rien, une centaine d'hommes l'avaient payé de leur sang.

De son côté, c'était absolument sans gêne que Joséphine s'attablait chaque matin pour recevoir les leçons de Jean-Baptiste, comme si elle était conviée à un banquet. Ces conversations furent leurs véritables Fêtes de l'esprit. Le penchant de Joséphine pour les idées libérales se confondait avec l'attrait grandissant de celui qui les présentait. Jean-Baptiste était incontestablement heureux de voir son affection payée de retour, mais ces fréquentations déguisées en leçons de philosophie ne pouvaient continuer indéfiniment sans que les parents de Joséphine finissent par s'inquiéter. Il ne pouvait plus reculer l'échéance: il était temps qu'il parte, coûte que coûte, avant de tout compromettre par un faux-pas. Il ne fallait pas non plus jouer avec le feu qui, la nuit, lui brûlait le corps et le cœur.

Jean Baptiste profita d'un moment où, assis au salon il attendait l'heure du souper en compagnie d'Ignace Potvin. Celui-ci était calé dans l'un des quatre fauteuils disposés en demi-lune devant le foyer et, les pieds allongés vers la flamme, semblait disposé à la conversation. Jean-Baptiste annonça alors abruptement sa décision de passer la frontière des États-Unis le plus tôt possible, le lendemain si cela pouvait s'organiser.

Ignace Potvin fit comme s'il n'avait rien entendu. Il se leva de son fauteuil pour attiser le feu du foyer. Le pétillement du bois remplit la pièce avant qu'il ne se décide à parler.

— Mon ami, dit Ignace avec une expression de déception, m'annoncez-vous que vous allez rejoindre les six ou sept cents rebelles qui ont passé la frontière en décembre et qui s'organisent pour reprendre l'attaque? Avez-vous le projet de poursuivre avec eux la rébellion?

Puis, sans attendre la réponse de Jean-Baptiste:

— Si c'est votre plan, je vous dirai que mon opinion a grandement évolué depuis le moment où nous soutenions ensemble le parti de Papineau. Nous menions une lutte légitime, parfaitement en accord avec les idéaux de démocratie que l'Angleterre défend pour elle-même. Mais notre action a été écrasée comme une rébellion de hors-la-loi, comme une révolte de brigands. Combien des nôtres faudra-t-il encore sacrifier si nous voulons reprendre ce combat inégal? Je suis de tout cœur avec les rebelles, mais en plus d'un cœur nous avons aussi une raison, et c'est elle qui me convainc qu'il n'est pas raisonnable de continuer.

Ignace Potvin se releva et fouilla de nouveau le feu avec le tisonnier. Il donnait toute son attention au pétillement des bûches, indiquant à Jean-Baptiste qu'il n'avait pas fini d'exposer sa pensée et que ce dernier ne devait pas l'interrompre.

Il se rassit et continua d'un ton grave:

— J'ai de l'amitié pour vous, Jean-Baptiste, sinon je ne vous aurais pas accueilli. Vous avez devant vous un bel avenir: les Anglais ne peuvent pas maintenir indéfiniment la loi martiale qu'ils ont proclamée depuis novembre. Ils ne peuvent tout de même pas emprisonner le peuple sur lequel leur fortune est bâtie! Les Anglais sont peut-être abusifs, mais ils ne sont certainement pas bêtes au point de mettre en jeu leurs propres intérêts. Aussitôt que cette horrible crise sera passée, vous reprendrez votre vie. Pourquoi voudriez-vous être du nombre déjà élevé des victimes? S'il y a une chose dont notre cause n'a pas besoin, c'est de victimes supplémentaires. Peut-être croirez-vous que j'abdique trop vite. Mais c'est simplement que ce que j'avais souhaité est mort: une évolution de notre situation politique par les rouages de la démocratie. C'était cela que je soutenais avec Papineau, et c'est cela qui a été contré par le massacre. Notre objectif, depuis le début, s'était élaboré autour d'une forme: celle de la démocratie. C'est ce rêve-là qui est mort. Même si l'objectif des rebelles reste le même, moi, je ne suis pas capable de changer de *forme* aussi vite. Je me découvre, paradoxalement, plus respectueux des règles admirables du parlementarisme britannique, quand il n'est pas vicié, que les Anglais d'ici ne le sont. Me comprenez-vous?

Cette fois, Ignace Potvin tourna la tête vers Jean-Baptiste; il avait fini d'exprimer sa pensée.

— Oui, répondit Jean-Baptiste. Je ressens moi aussi cette identification à la tradition britannique, tout empreinte de raison et de raffinement dans les règles de la conduite politique. Mais c'est justement parce que j'y ai cru, et que je pensais jouer le jeu selon les règles, que ce que je vois ici me choque autant que si j'étais moi-même un Britannique honteux de découvrir comment la démocratie ne veut plus dire grand-chose quand elle n'est pas défendue par les fusils. Et c'est pour cela que je suis tenté d'appuyer la rébellion, qui rejette une forme qui s'est révélée inefficace.

Ignace aimait, en même temps qu'il la désapprouvait, la ténacité de Jean-Baptiste et son refus de s'avouer vaincu. Il le laissa continuer.

— Par ailleurs, ajouta Jean-Baptiste, il est bien évident que leur fortune et leur puissance, c'est nous qui en sommes les artisans. Si les bureaucrates anglais envoient nos habitants, nos bûcherons, nos coureurs des bois, nos marchands et nos négociants en prison, les coffres de leurs banques vont demeurer vides et les Anglais devront négocier. Seulement voilà! Je me pose cette douloureuse question: en sommes-nous déjà à négocier les conditions de cette deuxième grande défaite? Pouvons-nous envisager qu'une autre offensive, mieux préparée, et cette fois avec l'alliance des Américains, pourrait être victorieuse?

Le feu, bien tisonné, fut pris d'une énergie nouvelle et une bûche qui éclata fit s'écrouler les autres en un tas de braises rouges. Ignace relança aussitôt Jean-Baptiste :

— Je vous réponds par une autre question: je ne demande pas *devons-nous*... mais *pouvons-nous* poursuivre ce combat alors que nous n'avons pas de véritable armée, pas d'armes, pas de fonds et beaucoup de traîtres dans nos rangs, à commencer par une grande partie de notre clergé?

Sachant très bien qu'Ignace Potvin répondait «non» à ses propres questions, Jean-Baptiste baissa la tête et sentit le besoin de parler de lui-même et de ses doutes:

— Je ne peux pas me résoudre à tout risquer encore une fois, car je pense, comme vous, que c'est de la folie; mais je ne peux pas davantage me résoudre à vivre en lâche, caché dans votre maison. Je pars demain.

Ignace Potvin regarda Jean-Baptiste droit dans les yeux:

— Laissez-moi vous parler comme un père à son fils, puisque mon âge et le vôtre rendent cela plausible: il n'y a aucune honte, m'entendez-vous, Jean-Baptiste? aucune honte à refuser le martyre. Vous *devez* considérer non seulement le parti de l'honneur mais aussi celui de la raison. Bien sûr, il est admirable d'écouter la voix qui nous enjoint de défendre les plus hautes valeurs: la liberté, le renversement de l'oppresseur britannique, la défense de l'idée de démocratie... Mais il est aussi sage d'écouter la voix, plus douce, moins orgueilleuse, qui souffle à l'oreille qu'avant tout il s'agit de survivre, tout simplement de survivre.

Jean-Baptiste reçut les paroles d'Ignace Potvin comme si elles venaient vraiment du père qu'il n'avait plus; elles lui firent le plus grand bien. Ignace Potvin, dans sa sagesse d'aîné, venait de l'absoudre de son désir d'être heureux. La bonté et la franchise avec lesquelles il venait de parler amenèrent Jean-Baptiste à parler aussi librement.

— À l'intérieur de l'arbre où je me suis caché, j'ai eu le temps de revoir toute ma vie. Peut-être devrais-je dire plus simplement «de voir la vie». J'ai vu tout ce qu'un arbre mort pouvait encore abriter de vie grouillante et tout ce que moi, un homme bien vivant, je refusais de cette même vie. Je veux maintenant accueillir, comme ces champignons qui se nourrissent de presque rien, la grande variété des émotions humaines. J'ai faim de tout. Je veux aimer, travailler, fonder une famille, mais je voudrais encore me battre pour la liberté de mon peuple. Il me semble, à certaines minutes, que je suis de nouveau prêt à tout risquer et, à d'autres, que je ne veux plus que voir venir le temps et le regarder transformer tout ce qui vit. Je veux maintenant connaître ce qu'il y a dans le cœur des Canadiens français, alors qu'avant je voulais surtout transformer ce peuple que je désire voir s'élever. Je veux la liberté, la victoire, mais je veux aussi connaître les roches, les arbres, les bêtes, les lacs!... Je suis prêt à vivre dans les pires conditions, mais je veux en même temps renouveler toute l'apparence de ma maison, la rafraîchir complètement, y ajouter un immense jardin rempli de fougères et de fleurs... j'ai tant de désirs que cela me réveille la nuit!

Ignace Potvin regarda Jean-Baptiste avec un sourire entendu:

— Si j'en juge par les étoiles que vous avez allumées dans les yeux de ma fille, je suis d'accord, très honnêtement, qu'il serait plus prudent que vous vous éloigniez pour un temps. Joséphine, quand il s'agit de vous, prend un air pâmé comme une novice qui parle de son Jésus. Connaissant la sève dont elle est faite, et celle dont tout homme est fait, j'approuve votre prudence.

Jean-Baptiste se sentit comme un enfant qu'on perce à jour — leur amour était-il donc si évident? — et en même temps il lui sembla lire dans le sourire ambigu d'Ignace Potvin une confirmation de ses espérances. Ce n'était donc pas si fou de vouloir épouser Joséphine: son hôte, ayant deviné ses sentiments, ne le décourageait pas immédiatement! Le visage de Jean-Baptiste sembla s'illuminer.

— Ne sacrifiez donc pas un avenir qui s'annonce bien pour une cause malheureusement déjà perdue. Partez, allez aux nouvelles, quittez pour un temps cette province!... mais ne prenez aucun engagement définitif, soyez aussi rusé qu'un Sauvage.

Jean Baptiste aurait souhaité dévoiler l'intensité de ses sentiments pour Joséphine; il aurait voulu pouvoir dire qu'aussitôt sa situation rétablie, il n'aurait rien de plus pressé que d'implorer l'honneur d'entrer dans la famille, à titre de gendre. Mais il valait mieux se contenter d'un accord implicite, qui dépendait pour l'instant de tant de «si». Il se contenta d'expliquer son projet.

— Je me propose de passer la frontière, le plus tôt possible, et de m'installer à Burlington. Une fois là-bas, je déciderai, avec infiniment de prudence, d'une ligne de conduite. Je ne me sens ni l'âme d'un lâche, ni celle d'un martyr. Je tenterai de tirer la ligne entre ces deux écueils, mais il me faut pouvoir juger de mes yeux si cette cause est véritablement perdue.

Ignace Potvin était rassuré par le bon sens de Jean-Baptiste. Quittant le ton un peu dramatique de leur conversation, il voulut aider son ami à s'organiser. Il lui proposa l'aide d'un vieux coureur des bois qui pourrait le guider.

— La mère de cet homme était une Algonquine, dit Ignace, et c'est pour cela qu'on l'appelle Jean le Sauvage, même s'il a été baptisé. Il connaît les montagnes des Cantons de l'Est autant qu'un habitant connaît sa terre. Si vous l'engagez, il vous guidera à travers bois jusqu'en terre américaine, sans qu'il soit nécessaire de vous cacher. Timoléon accepterait peut-être aussi de vous accompagner, si vous lui offrez une rétribution assez forte pour surmonter la peur qu'il a de tout; cela pourrait vous être très utile, car Jean le Sauvage, une fois qu'il vous aura conduit, voudra revenir ici aussitôt, tandis que Timoléon, lui, pourrait demeurer avec vous. Si vous décidiez de passer quelque temps aux États-Unis et de louer un petit logement, Timoléon pourrait vous aider à vous installer, vous servir de valet, de cocher, d'homme de commissions...

Jean-Baptiste trouvait l'idée excellente. Mais il ne voulait pas priver son ami.

— N'avez-vous pas besoin, ici, de votre homme engagé?

— Ne vous inquiétez pas de cela, on s'arrangera.

Il ne restait plus à Jean-Baptiste qu'à demander la permission d'écrire à Joséphine. Mais cela le mettait mal à l'aise: n'était-ce pas demander à Ignace Potvin de dépasser la limite invisible d'un accord tacite et conditionnel? Mais ces lettres seraient le seul pont qui le relierait à Joséphine pendant une période dont il ne pouvait pas prédire la longueur. Il en avait besoin et se risqua.

— Je suis peut-être trop libertaire, répondit Potvin, je suis peut-être obnubilé par l'adoration que j'ai pour ma fille, mais j'ose penser que toutes nos idées libérales devraient s'appliquer aussi aux filles et aux femmes.

Devant l'étonnement que sa réponse amenait sur le visage de Jean-Baptiste, il ajouta en riant:

— Vous verrez, quand vous serez vous-même un époux et le père d'une fille de dix-neuf ans, que cette opinion-là peut mener très, très loin...

Reprenant son sérieux, il continua:

— Tout cela pour dire que vous pouvez écrire à ma fille, si vous le voulez, et qu'elle vous répondra, si elle le veut. Je l'ai élevée avec la conviction de sa propre dignité; je ne vais pas commencer, maintenant qu'elle devient une femme, à la traiter comme si elle ne pouvait pas juger des pas qu'elle doit faire et de ceux qu'elle ne doit pas faire, de ce qu'elle doit écrire et ne pas écrire, de l'homme qu'elle doit aimer ou ne pas aimer. Elle en jugera elle-même.

Ignace Potvin renversa la tête en arrière pour s'appuyer sur le dossier élevé de la chaise, comme quelqu'un qui plonge dans le paysage de son passé:

— Ma mère, vous le savez, s'appelait Jennifer Johnson. C'était une catholique d'origine irlandaise, dont la famille n'avait pas réussi à s'intégrer au milieu protestant et britannique de Montréal. Les Johnson étaient désargentés. Mon père avait la fortune que vous savez, amassée dans le commerce du bois, de la fourrure et du vin de France. Malgré son désir de tout contrôler, c'était un homme foncièrement bon, mais il répugnait à ma mère. Voyez-vous, elle n'avait que quinze ans lorsque son père la poussa à ce mariage; elle était jolie, sensuelle et rêveuse alors que mon père était chauve, bedonnant et de vingt ans son aîné. Sa laideur aurait été sans grandes conséquences s'il avait su se faire aimer d'elle.

Ignace Potvin ne s'était jamais confié ainsi à quiconque. Les terribles événements récents, l'éventualité du mariage de sa fille avec Jean-Baptiste, le risque que celui-ci courait et l'affection qu'il commençait à éprouver pour lui, tout cela lui ouvrait le cœur, et il sentait le besoin de parler de lui-même. Il reprit, avec le sourire triste d'une personne qui a compris depuis longtemps la tragique absurdité de certains destins:

— Mon père avait eu la naïveté de croire qu'un homme qui se récompense de son succès financier en achetant le bonheur avec une jeune femme pouvait être assuré que celle-ci lui témoignerait de la reconnaissance. Il ne manque pas d'exemples de ce genre de maquignonnage, jusque dans les familles royales, mais dans ce genre d'associations, l'inclination que prendra le sentiment ne fait pas partie du contrat.

Jean-Baptiste intervint. Il voulait montrer à son interlocuteur qu'il comprenait. Mais il ne put trouver que des propos abstraits. Cela lui ressemblait: quand quelqu'un lui communiquait une émotion, il répondait par un exposé de théories plus ou moins pertinentes.

— L'Église se scandalise qu'on envisage de taxer son immense fortune ou d'abolir la dîme obligatoire, mais elle fait semblant d'ignorer que le oui au pied de l'autel cache plus d'une manipulation. L'Église encourage l'abus des pères en enseignant aux filles la soumission.

Ignace Potvin approuva de la tête et reprit le fil de sa confidence.

— Ma mère refusa d'être une esclave reconnaissante; elle n'a jamais pardonné ni à son père ni à son mari, avec qui, du soir de ses noces jusqu'à sa mort, elle resta glaciale comme une domestique qui ne peut se permettre d'exprimer en paroles son dédain du maître. Elle reporta toute son affection sur ma sœur et sur moi. Mon père, qui avait cru pouvoir gagner le cœur de sa jeune femme, fut privé de toute affection conjugale. Mais cet homme-là était têtu et incapable d'admettre une erreur; il fit la même erreur en poussant ma sœur dans un mariage de raison. Si vous avez rencontré ma sœur au cours des dernières années, vous avez certainement remarqué ses lèvres pincées et son visage fermé comme une porte de prison. Moi, je l'ai connue gaie et agréable. Son mariage a fait d'elle une personne terne, et sa grise mine lui a fait perdre l'avance sociale que son mariage avec Bourgeval devait lui apporter. Connaissez-vous un seul salon, à Montréal, qui ait envie de s'ouvrir à Ludivine Johnson-Bourgeval? On dirait qu'elle taille son éternelle robe de soie noire sur le modèle d'une soutane. Vous comprenez maintenant pourquoi je suis peut-être coupable d'un excès de complaisance envers ma fille? Elle ne sera pas une autre Jennifer Johnson, elle ne sera pas une autre Ludivine. Elle se mariera selon sa classe, évidemment, mais d'abord selon son cœur.

Maintenant qu'il s'était confié, Ignace Potvin était pressé d'organiser le départ de Jean-Baptiste. Ils établirent un plan.

IX

Le lendemain matin, après le déjeuner, Jean-Baptiste fit venir Timoléon au salon pour lui offrir de l'accompagner dans sa fuite. S'il restait plus longtemps que prévu aux États-Unis, Jean-Baptiste aurait besoin d'un homme qui lui servirait de valet. Peut-être, expliqua-t-il à Timoléon, serait-il nécessaire de louer un petit logement. Timoléon ne risquait rien, aucun mandat n'ayant été émis contre lui. Il pourrait circuler librement et s'occuper des choses indispensables. Ignace Potvin était d'accord, Timoléon n'avait donc pas à craindre d'indisposer son maître ou de perdre sa place.

Timoléon écoutait le plan de désertion de Jean-Baptiste et ses yeux s'arrondissaient de surprise devant la proposition qui lui était faite, à lui, de participer à cette escapade. Il demanda tout de même à réfléchir jusqu'à midi; il voulait consulter la Brindille. Le départ devait avoir lieu le lendemain.

Jean-Baptiste préférait n'user d'aucune pression, sachant qu'un homme qui a peur est un mauvais compagnon de fugue. Or, Timoléon avait peur, même s'il ne courait aucun danger. Jean-Baptiste attendit sa réponse et, entretemps, il lui demanda d'aller tout de même chercher Jean le Sauvage, qui serait leur guide pour passer la frontière.

Le vieux coureur des bois demeurait dans une cabane en rondins, près d'un petit lac qui ne portait pas de nom tellement l'endroit était sauvage. En contournant le lac par les rives, Timoléon réfléchissait aussi fort qu'il en était capable. C'était plus difficile de se réchauffer les méninges quand le froid lui gelait les oreilles. Il aimait mieux jongler pour le plaisir, et dans la chaleur de la cuisine de la Brindille. Toute cette affaire l'inquiétait grandement, l'illégalité, surtout, même si elle ne concernait que Monsieur Paradis. D'un autre côté, le montant d'argent que celui-ci lui offrait était quasiment irrésistible. Il pourrait réaliser son rêve: s'établir comme cordonnier, avoir une petite maison, se marier, assurer sa descendance, et, après sa journée de travail, étendre ses longues jambes, aux pieds chaussés de beaux souliers de cuir épais, sur la bavette de son poêle, pendant que sa femme fricoterait pour lui. Devenir cordonnier était un rêve tout à fait réaliste: déjà, il était très habile à réparer les harnais, les selles, les sangles de cuir. Surtout, il aimait travailler le cuir, le couper, le plier, le coudre; il en aimait l'odeur, le poli, la souplesse, la teinte riche quand on le graisse et qu'on le nourrit pour le faire durer ou lui redonner vie. Pour se perfectionner, il pourrait se faire engager comme apprenti chez un cordonnier proche de la retraite et, à la fin de son apprentissage, lui racheter ses outils. Avec ce que lui offrait Monsieur Paradis, il aurait encore assez d'argent pour payer les premiers mois de loyer d'une petite échoppe bien située, peut-être même à Montréal, en pleine rue Saint-Urbain ou rue Saint-Paul. Son esprit commençait à s'exciter, comme si ses pensées couraient en tous sens au milieu des images de son rêve. Ce qui l'exaltait par-dessus tout, c'était la perspective, jamais envisagée jusqu'à ce jour, de pouvoir proposer le mariage à la Brindille. «Y a pas de meilleure femme qu'elle pour un grand chien maigre comme moé!»

Mais il avait peur.

Ce n'était pas nouveau, se disait-il, puisqu'il avait toujours eu peur de tout. Certaines paroles de la Brindille lui revenaient: elle l'encourageait toujours à affronter la Grosse Alma. Mais, au-delà de tout, il craignait l'Anglais.

Il craignait l'Anglais même pour de toutes petites choses sans conséquences. Jamais de sa vie, par exemple, il n'avait osé adresser la parole à Monsieur Dashwood. Et toujours, il avait baissé les yeux quand Madame Dashwood le regardait, comme si elle le voyait au bout d'une route interminable et d'une si haute altitude qu'elle se contentait de lui adresser un minuscule signe de reconnaissance, proportionné à sa dimension insignifiante de poussière humaine.

Aurait-il assez d'audace pour devenir un cordonnier affable, capable d'entretenir la conversation avec la clientèle? Oui, à condition que la Brindille continue de lui faire travailler les méninges, régulièrement, tous les jours. Il cesserait d'avoir peur de tout. C'était nécessaire, parce que s'il ouvrait une échoppe rue Saint-Urbain, il aurait à s'habituer à la présence quotidienne des Anglais et devrait cesser de baisser les yeux devant eux comme s'il était perpétuellement coupable de quelque faute secrète.

S'il était peureux, lui avait expliqué le curé, c'était à cause de son passé d'enfant maltraité. Le curé lui avait dit cela pour l'avertir: un enfant battu devient un homme qui a des réactions de chien vicieux, il ne pense qu'à mordre. Le curé l'avait prévenu de ne pas se rebeller ni contre les maîtres anglais, ni contre le destin difficile que Dieu avait choisi pour lui. S'il se rebellait, c'était le signe qu'il tournait mal, lui avait expliqué le curé. Mais ne pourrait-il pas devenir pleinement un homme et empêcher qu'on l'humilie, sans pour autant ressembler à un chien vicieux?

Oui, c'était certainement possible. Le curé ne comprenait pas qu'on puisse mordre sans être vicieux. «Qu'est-ce qu'y pense qu'y fait le chien pour manger? Y mord, y mord à pleines dents! Pis c'est pas vicieux, c'est comme ça qu'y se nourrit, s'était dit Timoléon; les vieux qui peuvent pus mordre, y mangent rien que d'la bouillie, comme les bébés pis les malades. Moé, j'suis jeune!» Si le curé prêchait toujours la même leçon — tendre l'autre joue, être patient et bon, pardonner, accepter — c'était parce qu'il n'avait pas beaucoup de désirs. Surtout, pensait Timoléon, le curé avait une sécurité inébranlable. Lui, Timoléon, ne pouvait pas vivre comme un curé dans son presbytère, servi par sa bonne; il devait prendre des risques s'il ne voulait pas être un pauvre type. Et pour prendre des risques, il fallait être prêt à mordre un peu, tout de même... quand bien même ce ne serait que pour attraper la chance et la retenir. Ce n'était pas du vice de vouloir devenir pleinement un homme et mettre fin à l'humiliation.

Et quelle occasion serait meilleure pour explorer le monde et le fond de son cœur que celle que proposait Monsieur Paradis? La Brindille verrait ce dont il était capable lorsqu'il reviendrait avec assez d'argent pour s'établir. Et puis, il fallait bien qu'il se le mette en tête: ce n'était pas contre lui que le mandat d'arrestation avait été émis, mais contre Monsieur Paradis. Lui ne faisait rien d'illégal. Il était impossible, tout à fait impossible, qu'on le jette en prison. Et puis, aux dires de plusieurs, des centaines et des centaines de Canadiens se trouvaient déjà de l'autre bord. Ce serait intéressant de voir cela de plus près, et de voir du pays, aller plus loin que Montréal!

Mais avant de décider, il devait en parler à la Brindille, car c'était elle qui l'encourageait à prendre des risques. Il ne pouvait tout lui dire. Son rêve de mariage et de petite maison avec elle au milieu de la cuisine devait attendre. Pour faire sa grande demande, il fallait qu'il ait chassé le chien battu en lui.

Quand il atteignit la cabane de Jean le Sauvage, le soleil du matin donnait à la neige la luminosité du diamant. Le vieil Indien, à peine habillé d'une chemise en laine du pays, les manches retroussées comme si c'était encore l'automne, coupait son bois à côté de sa cabane. Timoléon se planta près de lui en attendant qu'il ait fini de corder les quatre ou cinq bûches d'érable qu'il venait de fendre. Lorsqu'il eut placé la dernière bûche sur la longue corde de bois, Jean donna une attention exclusive et silencieuse à Timoléon.

— J'ai à te parler. C'est en rapport avec un invité de mon maître.

Jean fit un geste en direction de la cabane pour inviter Timoléon à entrer. Sa maison était faite d'une simple pièce, sans aucune fenêtre; seule la porte ouverte laissait entrer la lumière. Jean le Sauvage offrit à Timoléon l'unique siège qu'il avait, une chaise basse en bois de saule, au fond tressé comme celui d'une raquette; lui-même s'assit sur une caisse de bois. Il attendit la suite.

Timoléon connaissait assez la réputation de Jean le Sauvage pour savoir que, s'il arrivait à cet homme-là de parler, il n'était certainement jamais le premier à le faire. Il semblait avoir un dédain extraordinaire pour les mots et les palabres de toutes sortes. Timoléon lui résuma l'expédition et mentionna le montant que Jean-Baptiste Paradis était disposé à payer pour être guidé à travers bois. Il ajouta qu'il pensait lui aussi demeurer quelque temps aux États-Unis avec Monsieur Paradis. Le vieux écouta, les deux mains étendues à plat sur ses cuisses, respirant calmement l'air froid qui venait de la porte grande ouverte. Quand Timoléon n'eut plus rien à ajouter, Jean le Sauvage se contenta de faire trois grands signes de tête signifiant que «oui, il acceptait de conclure ce marché». Sans autres commentaires, le Sauvage prit quelques vêtements suspendus à un crochet près de la porte et les fourra dans un sac de cuir; il ajouta à ce bagage trois paires de mocassins en peau d'orignal doublés de fourrure, et décrocha du mur trois paires de raquettes de sa confection. Ayant attaché le tout à son sac à dos, il sortit de la cabane et se mit en route sans même vérifier si Timoléon le suivait.

En chemin, Timoléon se demanda si son maître réussirait à faire sortir une parole de la bouche de cet homme étrange.

Jean n'était ni sourd ni muet et parlait aussi bien le français que n'importe qui au village, mais il ne parlait jamais quand un geste pouvait faire l'affaire. Timoléon avait souvent été témoin des gageure dont le Sauvage était l'enjeu; ceux qui avaient parié qu'ils réussiraient à le faire parler avaient toujours perdu. Les rares fois où il venait au village, Jean le Sauvage entrait chez le marchand général avec une cruche de sirop d'érable ou des peaux de fourrure, qui lui servaient de monnaie d'échange, et les posait sur le comptoir, devant le marchand, pour qu'il puisse en soupeser la valeur. Après un moment, il désignait du doigt la marchandise qu'il voulait. Parfois, quand il fallait mesurer des quantités, il se saisissait lui-même de sel, de lard, d'allumettes ou d'un cruchon d'huile et posait tout cela à côté du butin qu'il avait apporté. Il avait ensuite un geste, toujours le même, qui consistait à imiter, avec ses deux mains, le mouvement des plateaux d'une balance qui s'immobilisent lentement à égalité. Cela voulait dire qu'à son avis, la transaction était terminée.

Le silence de l'Indien était plus communicatif que le bavardage du marchand; celui-ci, un gros homme au caractère expansif, devenait tout recueilli lorsqu'il négociait avec Jean le Sauvage. Au lieu de parler avec lui comme avec ses autres clients, il se conformait respectueusement et avec un certain plaisir aux règles de ce commerce silencieux. Le Sauvage négociait généreusement, toujours un peu à l'avantage du marchand, pour être certain de ne pas avoir à discuter. Une fois que le marchand avait répondu par un signe de tête qui imitait celui de Jean, comme si le silence de l'un appelait forcément le silence de l'autre, le vieil Indien faisait ensuite un petit salut en dressant la main, et il sortait avec sa marchandise.

Si on savait que le Sauvage n'était pas devenu muet depuis les années où on ne l'avait plus entendu parler, c'est qu'il parlait longuement et souvent à son cheval, le seul être vivant avec lequel il semblait heureux de converser, en plein bois ou en pleine rue principale. On disait aussi qu'au moment de la chasse à l'orignal, il imitait à la perfection le bramement de la femelle et qu'on l'avait parfois entendu parler aux ours, aux renards et aux castors, qu'il appelait pour les attraper.

Quand Timoléon arriva avec le vieil Indien, Jean-Baptiste se trouvait encore au salon avec Ignace et ne les fit pas entrer: le Sauvage s'était arrêté sur le petit perron de la cuisine; il attendait que le maître et son invité, s'ils voulaient faire affaire avec lui, viennent lui parler dehors. La chaleur des maisons de riches le faisait suer et il avait froid lorsqu'il retournait chez lui. Il n'était plus d'âge à subir des contrastes de température aussi malsains. Timoléon avait envie de demeurer près d'eux pour savoir si l'Indien parlerait aux messieurs mais, renonçant à satisfaire sa curiosité, il s'échappa pour aller retrouver Marie à la cuisine.

Seule, installée à un coin de la table, la Brindille mangeait son repas avant de servir les maîtres. Timoléon s'assit à côté d'elle et déballa sa grande nouvelle sans préambule:

— J'm'en vas accompagner M'sieur Paradis, y veut passer la frontière américaine. C'est pour cette nuite, au p'tit matin. Y va me donner assez d'argent que j'vas pouvoir devenir cordonnier en revenant. Quosse t'en penses Marie?

La Brindille continua de mastiquer le morceau de viande qu'elle avait dans la bouche et prit le temps d'avaler avant de répondre:

— J'pense que c'est mieux d'être cordonnier qu'homme engagé; mais j'pense aussi que c'est mieux d'être homme engagé que prisonnier.

— C'est toute? Parce que là, j'pense que t'es dans l'errance. M'sieur Paradis me l'a ben dit: la prison, c'est lui qui risque d'y aller. Pas moé.

— Non, c'est pas toute; je pense aussi qu'y a des risques à toute... Quand ben même une personne sortirait jamais de chez elle pour pas risquer, cette personne-là pourrait aussi ben mourir drette là, en avalant un morceau de viande de travers. C'est à toé de décider des tournants pis des détours que tu vas prendre avant d'aboutir à ta vieillesse. Moé, j'ai pas d'indications à te donner parce que j'sais pas ousque tu veux aller, vraiment.

Timoléon savait, lui, le but qu'il voulait atteindre: que Marie l'aime davantage à le voir prendre des risques et devenir courageux, et qu'elle accepte de l'épouser quand il reviendrait avec l'argent pour ouvrir son échoppe. Mais il demeura aussi muet que s'il avait attrapé le silence du Sauvage. Il ne trouvait pas les gestes qui auraient pu remplacer la parole, comme le Sauvage pouvait le faire. Il se leva donc, tira quelques coups sur ses nouvelles bretelles, mais il avait beau tirer sur la corde de chanvre, aucune parole ne montait à sa gorge. Il finit par conclure, d'une voix chargée d'angoisse interrogative:

— Ben, j'vas y aller, dans ce cas-là, hein... j'vas y aller?...

Marie demeura impassible. Il lâcha ses bretelles, remit son manteau et sa tuque.

— C'est ça. J'y vas!

Ignace Potvin, surpris de l'audace nouvelle de son homme, le félicita de sa décision; il lui conseilla d'aller chez sa logeuse, pour l'avertir qu'il ne reviendrait pas. Timoléon devait lui dire que, désormais, il demeurerait chez les Potvin, pour qu'elle ne sache pas qu'il quittait la paroisse. Ignace Potvin ajouta, pour la plus grande satisfaction de Timoléon, qu'au retour, il pourrait loger dans sa maison plutôt que chez la veuve, qu'en fait ce serait plus pratique, et qu'on verrait à lui installer une chambre.

Se voyant déjà installé chez les Potvin, en attendant de s'engager comme apprenti cordonnier, Timoléon courut chez la Grosse Alma. Il entra, selon son habitude, par la porte de la remise à bois. Cette porte était si mal ajustée à son cadre qu'elle paraissait avoir refoulé sous l'effet du temps, comme si elle avait été en laine. Timoléon l'aurait bien rafistolée; il suffisait d'ajouter une planchette de bois autour de la porte, ou autour du cadre, pour empêcher l'air d'entrer. Mais comme la Grosse Alma n'avait jamais jugé bon de le dédommager pour tous les petits bricolages qu'il avait faits autour de la maison, il s'était abstenu de la réparer, même si cette porte branlante l'agaçait chaque fois qu'il entrait.

Timoléon trouva sa logeuse occupée à brasser d'un geste paresseux la maigre soupe au chou qu'elle s'apprêtait à lui servir avec un demi-pain et du beurre. Timoléon détesta encore une fois cette odeur de chou qui imprégnait toute la cuisine de la Grosse Alma, ces relents de misère, de repas maigre, de ventre creux. Une odeur de carême et de contrition, de dèche et de débine. Une odeur chargée des vapeurs aigres de la cuisine de son enfance, où il recevait des gifles plus souvent que du dessert.

Aujourd'hui, cette odeur qui le démoralisait les autres jours lui faisait plaisir, car elle était la confirmation définitive de son choix. Il ne prit même pas la peine d'enlever son manteau et déclara à la Grosse Alma qu'il allait dorénavant demeurer chez les Potvin et qu'elle pouvait bien offrir sa chambre à un autre. Il ajouta, étonné de sa propre audace :

— Un grand six pieds comme moé, M'ame Alma, y faut nourrir ça avec aut'chose que d'la galette au sarrasin, sans beurre ni sirop, pis d'la soupe au chou claire comme de l'eau de bénitier. Trouvez-vous donc un pensionnaire qui gagne son ciel à faire carême douze mois par année! Moé, j'm'en vas me régaler d'la cuisine d'la Brindille. Avec votre corpulence, M'ame Alma, on pourrait crère que vous avez la générosité des grosses femmes. Pantoute! Vous, vot' lard, vous le gardez toute pour vous-même! La Marie, elle, c'est un brin sur rien, est mince pis p'tite comme si le bon Dieu aurait manqué de matériel quand y est arrivé à son tour d'la confectionner; mais tout le monde profite autour d'elle. Est p'tite, ouais, une p'tite Brindille de rien, mais elle a le cœur grand comme une terre, pis ses portions sont grosses. Vous, vous êtes grosse, bourrée d'épines, vous avez le cœur rabougri, pis vos portions sont trop p'tites.

Timoléon s'était emballé; les mains potelées de la veuve s'étaient arrêtées de brasser la soupe et le menton lui pendait de stupéfaction. Timoléon pensa que la bouche de la Grosse Alma ressemblait ainsi à la porte tout de travers de la remise à bois et cela lui donna encore plus de souffle pour débiter à toute vitesse, comme s'il récitait un rosaire en ayant hâte de se coucher:

— C'est pour toutes ces raisons-là que j'viens faire mon paquet, une fois pour toutes, en souhaitant de jamais remettre les pieds dans cette cuisine de misère qui sent la bon yenne de maudite soupe au chou, même jusque dans l'temps des Fêtes, à crère que vous mangez pour vrai en cachette dans l'secret de vot' litte pour vous engraisser sans avoir à partager avec personne, comme la maudite avaricieuse que j'ai toujours pensé que vous êtes en dessous de vot' graisse.

La grosse Alma fut tellement éberluée du souffle de Timoléon qu'elle resta plantée là, le menton toujours pendant, la main appuyée sur la cuillère de bois immobilisée dans le petit chaudron de soupe. Elle perdait non seulement l'argent de la pension, mais un gaillard dont elle pouvait abuser pour les menues corvées, sans avoir à le payer. De plus, elle se faisait dire ses quatre vérités sur un ton sans réplique.

Timoléon, à la voir avaler de l'air comme une grenouille sur sa roche, se demanda pourquoi il l'avait endurée si longtemps. Rien ne l'y obligeait; il aurait pu changer de logeuse dès la première semaine au lieu de la subir pendant des années.

Léger comme un prisonnier libéré un matin de printemps, il monta à sa chambre sans enlever ses bottes, vida le contenu du chiffonnier sur la couverture de son lit — une couverture qu'elle l'avait obligé à payer —, en attacha les quatre coins pour en faire un paquet et, sans plus d'adieux que le jour où il avait quitté la maison paternelle, il se dirigea vers la maison des Potvin, plein d'appétit pour le bon dîner que Marie lui servirait, dans la cuisine qui sentait le poulet rôti et la pâtisserie.

X

Avec le Sauvage, Jean-Baptiste et Timoléon passèrent la frontière américaine sans la moindre difficulté. Pendant tout le trajet, le vieil Indien ne parla qu'aux chevaux qui les portaient. Près de la frontière, ils durent s'arrêter à une auberge. Jean le Sauvage chanta une longue et douce mélodie aux chevaux fatigués. Il dormit avec eux dans l'écurie parce que les chambres étaient trop chaudes pour lui. Lorsqu'ils arrivèrent à Burlington, Jean-Baptiste lui demanda d'attendre au lendemain pour repartir parce qu'il voulait lui remettre une lettre pour Ignace Potvin. Le Sauvage accepta, mais tout son corps exprimait sa hâte de quitter cette ville surpeuplée de réfugiés.

Jean-Baptiste écrivit d'abord une lettre à Joséphine.

Burlington, le 6 janvier 1838

Ma chère Joséphine,

Nous logeons à Burlington dans une auberge tenue par un dénommé Bishop. Il est favorable à notre cause et il a aidé beaucoup de Canadiens. Nous sommes des centaines de réfugiés installés dans les villages en bordure de la frontière américaine; certains ont vu leur maison, leur grange et leur récolte incendiées et ont dû se sauver, laissant femme et enfants dans la plus terrible misère. D'autres ont eu des parents massacrés à Saint-Charles, brûlés à Saint-Eustache, ou ont été témoins du saccage de Saint-Benoît. Ce spectacle a fait d'eux des rebelles. D'autres n'ont rien vécu de tout cela mais se révoltent de voir les meilleures terres systématiquement données aux bureaucrates et amis du Régime anglais, alors qu'eux-mêmes voudraient pouvoir les acheter pour y établir leurs fils. Tout ces gens en ont long à raconter sur le chapitre des humiliations et des injustices que ce Régime leur a fait subir, et ils ne manquent pas de profiter de l'occasion de se vider le cœur.

Il y a tant de Canadiens à Burlington que les auberges suffisent à peine à loger tous ces réfugiés; les chambres luxueuses qu'en d'autres temps l'argent nous permet de réserver ont été transformées en dortoir. Timoléon a tout de même réussi à nous trouver une chambre. Elle me rappelle, par sa nudité, le dortoir du collège. Nous n'avons pour tout ameublement que quatre lits de fer, et quatre chaises de bois qui servent de table de nuit, de portemanteau, de fauteuil... Au milieu de la pièce, il y a un petit poêle à charbon qui enfume passablement la chambre. Tous ceux qui, comme moi, sont habitués à plus de confort et d'espace ne penseraient pas à s'en formaliser, car il règne ici une atmosphère de campement militaire. Pour être franc, ce n'est pas moi, mais Jean le Sauvage, qui a été le plus dérangé, hier soir, par autant de promiscuité. Au milieu de la nuit, je l'ai vu se relever sans faire plus de bruit qu'un serpent et, comme il l'avait fait la veille, il est allé dormir dans l'écurie.

Le quatrième lit de notre chambre est occupé par un réfugié d'une quarantaine d'années, de la région de Saint-

Benoît. Hier soir, pendant que nous nous installions — ce qui fut vite fait, étant donné le côté rudimentaire de notre campement — il ne cessait de répéter, comme un homme obsédé par une idée, que l'humiliation aurait un jour une fin. Il répétait que, fussions-nous prêts, actuellement, à marcher à genoux devant les Anglais, cela ne serait pas encore suffisant pour contenter leur besoin de vengeance. Je lui ai demandé de quelle façon il avait été traité pour concevoir une telle rancœur et je l'ai invité à nous faire le récit de son histoire. Je vous la résume car elle vous fera comprendre ce qui se passe ici.

Il était de la région de Saint-Benoît et ne faisait pas partie des rebelles. Deux jours après que toute résistance eut cessé à Saint-Benoît et que tous les habitants eurent déposé leurs armes, des loyaux ont continué à incendier les granges et les maisons des habitants de la région, les soupçonnant tous d'être des patriotes. Le lendemain du saccage, notre homme se tenait à la porte de sa maison de ferme avec sa femme et ses enfants lorsqu'il se vit interpellé par un volontaire loyal, qui s'ap-procha jusqu'à brandir son sabre sous le nez de sa femme pour la terroriser. Le volontaire ordonna ensuite à notre habitant d'aller chercher un tison dans le feu de son poêle à bois, afin que soit incendiée toute sa propriété: maison, grange, bâtiments... *L'habitant sollicita humblement la faveur de retirer un peu de grain de sa grange pour ne pas crever de faim avec sa famille. Pendant qu'il sauvait son grain, une vingtaine de voisins vinrent sur les lieux voir ce qui se passait et sympathiser. Aucun d'eux, tous craignant d'être victimes du même traitement, n'osa cependant élever la moindre protestation, et la maison fut brûlée jusqu'au sol, sur l'ordre d'un seul Anglais qui n'était même pas un militaire, et cela devant vingt habitants n'osant plus protester, de peur de voir recommencer les horreurs.*

Voilà donc comment un habitant qui n'avait jamais participé à aucune réunion politique et qui était respectueux des lois, de la foi, et même des Anglais, s'est transformé en rebelle et est venu joindre les rangs de ceux qui sont prêts à continuer l'offensive.

C'est tout ce que le temps me permet de vous raconter, ma chère Joséphine. Le souvenir de votre robe rouge de Noël est la seule touche de couleur de ma vie actuelle. Je vous écrirai régulièrement, si vous avez la bonté de répondre au pauvre réfugié que je suis.

Je demeure votre respectueux ami.

Jean-Baptiste Paradis

Jean-Baptiste aurait voulu ajouter bien d'autres détails à ce souvenir, et dire à quel point sa mémoire gardait inscrite dans sa chair les deux baisers qu'ils avaient échangés. Mais il devait écrire ses lettres à Joséphine de façon qu'elles passent la censure d'une mère que la curiosité pouvait pousser jusqu'à l'indiscrétion. Il se dépêcha ensuite d'écrire à Ignace Potvin, car il devinait l'impatience de Jean le Sauvage à reprendre le bois.

Burlington, le 6 janvier 1838

Cher ami,

Je suis étonné et déçu de constater que la plupart des habitants réfugiés ici ne comprennent même pas les rouages les plus élémentaires de la politique. Ils ne peuvent s'expliquer le déclenchement de la rébellion à Montréal. Leurs interrogations révèlent une grande naïveté politique. La plupart se demandent encore, puisque Papineau et son parti ont été élus selon les règles parlementaires que les Anglais eux-mêmes ont inventées, pourquoi ils ont ensuite refusé d'entendre le point de vue de l'assemblée. Surtout, ils n'acceptent pas que toutes ces chicanes politiques fassent que leurs maisons soient brûlées et que leurs enfants soient jetés dehors en plein hiver. C'est là, à vrai dire, que la révolte commence. Je suis tenté de répondre que notre régime parlementaire est une farce et une mascarade et que la preuve vient d'en être donnée. Mais ils ne sont pas intéressés à comprendre les subtilités du régime colonial sous lequel nous vivons et les enjeux de la politique impériale. Ce sont des hommes intelligents et d'excellents cultivateurs qui pourtant sont complètement confondus par la politique; ils ne comprennent que ce qu'il y a dans leur cœur.

À force d'être nourris exclusivement de livres pieux et d'avoir l'esprit farci de subtilités théologiques, nos habitants sont demeurés aussi innocents que des enfants, sur le plan politique. Une faille aussi profonde dans notre compréhension des mécanismes de la domination nous fait autant de tort que notre exclusion du commerce et des affaires. Les idées font et défont la force des peuples. Le nôtre s'asperge de bons sentiments et se fait peur avec l'enfer. Tant que nos habitants demeureront aussi innocents et bonasses, on pourra les berner comme ces jeunes filles qu'un père abusif et un clergé complice forcent à accepter, au pied de l'autel, une association dans laquelle elles sont les premières perdantes.

Quand serons-nous assez forts ?

J'inclus dans cette enveloppe les articles parus dans le journal d'Albany et dans celui de Burlington; ils vous informeront, mieux que je ne saurais le faire, de la difficulté de rassembler les nombreux alliés que nous trouvons facilement chez les Américains. C'est une situation très décevante, car avec le support qu'ils seraient prêts à nous donner, si ce n'était de leur président, l'espoir serait permis. Sans cette alliance cruciale, je pense que c'est folie de vouloir recommencer à se battre contre l'armée impériale. Jugez par vous-même des difficultés que rencontre cette alliance avec nos amis américains.

Je vous tiendrai au courant par des lettres régulières. Je vous remercie encore de votre amitié et du support inestimable que vous m'avez apporté dans une période cruciale de ma vie. Je vous prie d'accepter l'expression de ma reconnaissance la plus profonde et la plus durable.

Jean-Baptiste Paradis

XI

Après le départ de Jean-Baptiste, Ignace Potvin convainquit sa femme et sa fille de se réinstaller à Montréal, car il désirait reprendre la pleine direction de ses affaires. C'est donc à son bureau qu'il reçut la première lettre de Jean-Baptiste.

De son fauteuil, Ignace pouvait voir par les larges fenêtres l'agitation de la rue Notre-Dame. Le glissement des carrioles et des charrettes à skis, les nombreux passants qui marchaient rapidement à cause du froid, leur haleine chaude s'envolant en vapeur au contact de l'air glacé, tout cela lui procurait un plaisir d'autant plus grand qu'il en avait été privé depuis presque un mois. C'était là, dans son bureau de Montréal, même en pleine crise, qu'il se sentait vraiment chez lui. Il lut lentement la lettre de Jean-Baptiste et déplia ensuite les pages des journaux d'Albany et de Burlington que son ami lui envoyait. On y résumait les étapes d'un échec lourd de conséquences.

Il put lire que le 27 décembre à New York, on avait tenu une grande assemblée qui sympathisait avec les insurgés des Canadas; à la suite de cette réunion et de l'intérêt qu'elle avait suscité pour la cause des patriotes, de nombreux Américains avaient offert de s'enrôler pour défendre l'autonomie des Canadiens français. Les Américains étaient conscients et fiers de servir de modèle, puisqu'ils avaient eux-mêmes obtenu l'indépendance que leurs voisins convoitaient. Mais c'était surtout la promesse des grandes terres qu'on leur offrirait en échange de leurs services qui justifiait leur désir d'aller se battre. Un grand nombre d'hommes s'étaient déjà déclarés prêts, dans ces conditions, à s'enrôler dans l'armée des «Patriots» et s'étaient inscrits après la réunion.

Une autre assemblée devait se tenir à Albany le 2 janvier. On voulait profiter du support général de la population à la cause patriotique. Les journaux de tout parti s'étaient prononcés en faveur de l'insurrection et avaient accepté de publier l'annonce de cette assemblée:

> Assemblée publique des Amis de la Liberté de l'Amérique septentrionale! Les citoyens d'Albany et des environs qui sympathisent avec les opprimés, qui sont en faveur de l'extension des principes républicains parmi les nations de la terre, qui désirent l'indépendance du continent entier de l'Amérique septentrionale du vasselage étranger et qui veulent perpétuer les avantages d'un gouvernement libre parmi le genre humain, sont priés d'assister à une assemblée publique au City Hall, le mardi 2 janvier, à 2 heures de l'après-midi.

Mais le président des États-Unis, Martin Van Buren, ne voyait pas les choses du même œil. Aussitôt que cette annonce fut publiée dans le journal d'Albany, il répondit par des circulaires imprimées à l'intention des États de New York, du Vermont et du Michigan. Les autorités étaient sommées de «faire arrêter immédiatement les individus qui prenaient part à des entreprises de nature hostile contre une puissance étrangère quelconque, amie des États-Unis». Cette puissance étrangère, que les Américains devaient considérer comme une amie, c'était l'Angleterre. Après le combat et le divorce, l'heure était à la réconciliation et surtout au commerce! Van Buren cherchait à amadouer les Anglais et, pour cela, il avait choisi de réprimer la faveur populaire pour les rebelles canadiens. Comme pour écarter tout doute, il proclama ensuite que «tout citoyen des États-Unis qui compromettrait la neutralité du gouvernement américain, en aidant les patriotes canadiens réfugiés aux États-Unis à s'armer, s'exposerait à être arrêté et puni».

En lisant ces nouvelles, Ignace Potvin comprit que cela représentait un coup terrible. Si le président américain se devait de plaire à l'Angleterre, les patriotes ne pourraient jamais trouver ce dont ils avaient un urgent besoin: armes, munitions, argent, soldats, appuis stratégiques, enrôlement de militaires de carrière.

Ignace se sentit soudainement découragé, vieux et fatigué. La politique l'empoisonnait: tout n'était plus que luttes, méfiance, trahison. Même avec son associé, Christopher Gibbon, dont il n'avait pourtant, en ce moment, aucune raison de se méfier, il ne se sentait plus aussi à l'aise. Celui-ci le regardait d'un peu plus loin, peut-être même d'un peu plus haut. Il parlait des «tuques» et des «Canayens» rebelles avec un mépris ténu mais perceptible. Ignace ressentait l'envie contradictoire de coiffer lui-même la tuque, un jour, et, le lendemain, de porter un nouveau haut-de-forme de la meilleure qualité pour rappeler à Gibbon que les «Canayens» formaient un tout nuancé et qu'il ne fallait pas confondre toutes les têtes sous un seul et même chapeau.

À cette heure, dans son petit salon aux murs tendus de soie vert tendre, sa femme devait prendre le thé en écrivant à l'une de ses nombreuses parentes ou amies. Il savait que sur le plateau qu'apportait la Brindille à sa maîtresse vers quatre heures de l'après-midi, il y avait toujours deux tasses: une pour Antoinette et une autre «au cas où il y aurait une visite impromptue à l'heure du thé». Le visiteur impromptu qu'Antoinette attendait toujours, c'était lui. Quittant son fauteuil et ouvrant la double porte capitonnée de son bureau, il eut envie de traverser la maison déserte et d'aller retrouver sa femme pour boire du thé, manger des galettes et regarder avec elle le spectacle paisible et silencieux de l'hiver qui transformait les arbres du jardin en une immense broderie de givre blanc.

Antoinette, en effet, prenait le thé en écrivant des lettres. Elle sourit à son mari quand elle le vit s'installer dans le confortable fauteuil beige, et elle lui versa une tasse de thé sans dire un mot. Elle se trouvait privilégiée lorsque Ignace, délaissant l'agitation de son bureau, venait se réfugier chez elle. D'immenses fenêtres éclairaient la pièce sur tout le mur sud. En hiver, la quantité de bois qu'il fallait brûler dans le poêle de faïence blanc rendait extravagant l'entretien de cette pièce, mais ils avaient les moyens de cette fenêtre ouverte sur les beautés de l'hiver. Antoinette avait conçu ce salon comme un refuge secret et, contrairement à la mode, elle l'avait aménagé à l'arrière de la vaste maison, protégé des bruits de la rue, loin du bureau de son mari, loin de tout.

Antoinette crut intéresser son mari en se saisissant d'une des lettres qui s'empilaient sur son secrétaire en marqueterie; l'agitant un instant en l'air, elle commença à la résumer:

— J'ai reçu cette lettre de ma cousine Dessaules, de Saint-Hyacinthe. Elle tient une nouvelle intéressante de sa-tante-dont-un-des-fils-a-épousé-une-Papineau: le fils de Louis-Joseph, Amédée, est passé lui aussi aux États-Unis et s'est installé à Saratoga, dans l'État de New York.

Ignace n'avait pas encore réussi à situer les personnages dans leur filiation généalogique que déjà sa femme poursuivait:

— Louis-Joseph, de son côté, ne demeure pas inactif. Il aurait rencontré le secrétaire américain à la marine pour lui demander son support, et il frapperait à toutes les portes, se servant des relations qu'il possède aux États-Unis afin d'obtenir des fonds. Il espère trouver au moins cent mille piastres et, selon lui, cet argent ne couvre que le minimum, c'est-à-dire, si j'en crois cette lettre: vingt pièces d'artillerie, des munitions et de quoi payer les vivres des hommes.

Ignace comprit que si le froid de la politique envahissait jusqu'à ce petit salon douillet, il n'y aurait nulle place au monde, ni dans sa maison ni dans sa conscience, où il pourrait échapper à l'inquiétude nationale. Résigné, il repoussa la galette pour laquelle il n'avait plus d'appétit:

— Papineau aurait déjà ce montant, et bien davantage, s'il avait pu continuer à ouvrir des bureaux pour vendre les terres vacantes à ceux qui ont les fonds nécessaires. Mais tout cela est maintenant compromis par l'interdiction du président Van Buren, et les riches sympathisants yankees, autant que les banques, ferment maintenant leur porte, craignant l'illégalité de leur support. Tout cela me laisse une bien funeste impression.

Il avait dit tout cela d'une voix indifférente, comme s'il avait été un messager chargé de colporter les nouvelles. D'un ton plus vif, il ajouta:

— Ce que je n'arrive pas à comprendre, c'est pourquoi un homme de l'intelligence de Papineau ne conclut pas immédiatement que le moment est mal choisi pour relancer la bataille. La ténacité devient bêtise quand elle ne tient pas compte du fait qu'un obstacle puisse être incontournable. Je me demande si Papineau n'a pas perdu l'esprit.

Antoinette pensa que l'analyse de son mari méritait d'être incluse dans sa réponse à sa cousine: elle allait lui demander quel diable inspirait Papineau. Mais elle devait également trouver la réponse à une question de sa correspondante: avec son réseau d'information, c'était donnant, donnant.

— As-tu des nouvelles de George-Étienne Cartier? Ma cousine prétend qu'il a passé la frontière, caché dans un baril. Beaucoup de personnes aimeraient connaître son opinion sur les événements.

Ignace répondit:

— Je n'en sais rien, je n'en sais rien... Donne-moi encore une gorgée de thé, avant que je parte pour la banque.

«L'argent: voilà, pensa-t-il, une chose mathématique et simple, finalement. Pas d'émotion, pas d'autre danger que celui d'une transaction qui vous en ferait perdre.» C'était la meilleure des distractions.

Le surlendemain, il n'eut aucunement hâte d'ouvrir la deuxième lettre de Jean-Baptiste, qu'il repéra tout de suite dans son courrier; il aurait préféré s'absorber dans la nouvelle affaire qui l'intéressait. Mais à la pensée que Jean-Baptiste deviendrait probablement son gendre, il se ravisa.

Burlington, le 8 février 1838

Cher ami,

Notre ami le docteur Robert Nelson, vu la nécessité pour Papineau de demeurer caché, a pris la direction du parti patriote, et rien ne semble le dissuader de préparer pour bientôt une seconde attaque. Il est secondé par le docteur Côté. Je ne suis ici que depuis quelques jours et déjà j'ai perdu confiance en Nelson et en Côté. Ils sont pleins de bonne volonté et de cœur, mais ces deux médecins ne peuvent pas davantage se transformer en généraux et en chefs d'état qu'ils ne peuvent transformer les habitants en soldats, en lieutenants et en capitaines. Lorsqu'un homme se retrouve tout à coup avec beaucoup de pouvoir et qu'il n'a pas une compétence égale à sa bonne volonté, c'est désastreux! Je ne comprends pas, par exemple, que Nelson ne tire pas la conclusion qui s'impose depuis les interdits du président Van Buren. Quel que soit l'appui populaire des Américains à notre combat contre le despotisme militaire du Vieux Monde, si leur président les empêche de nous aider, notre entreprise est vouée à l'échec. Cela me semble une évidence logique pour quiconque analyse la situation en ne laissant pas ses désirs aveugler sa raison.

Vous comprenez pourquoi je demeure prudemment à l'écart et pourquoi je refuse actuellement de m'engager. J'ai dit ce que je pensais à Côté, à Nelson et à Amédée Papineau, qui est venu nous voir. Mais on ne veut pas de prophètes de malheur et je me sens déplacé.

Je ne peux servir à rien ici.

Je pars donc demain pour m'installer à New York. Cette ville est suffisamment grande et peuplée de tellement d'immigrants que j'y passerai inaperçu.

Contrairement à moi, Timoléon se plaît beaucoup dans le climat d'agitation qui règne ici. Il a appris à fabriquer des bottes de cuir, et à vider son verre d'un seul coup de coude, en disant «ça fait du bien par où ça passe». Mais je tenterai de le convaincre de s'en retourner à Contrecœur. C'est là sa vraie place.

Je revois en esprit mon cabinet de la rue Notre-Dame et je suis impatient de reprendre ma vie là où elle s'est arrêtée. En attendant, je tenterai de profiter de ma visite forcée à New York.

Votre dévoué,
Jean-Baptiste Paradis

Ignace Potvin ne répondit pas tout de suite à cette lettre, mais il fut content de voir que son futur gendre avait le même sens des réalités que lui. Cela le remit de bonne humeur. Il montra la lettre à sa fille, qui écrivit aussitôt à Jean-Baptiste.

Montréal, le 16 février 1838

Mon cher ami,

Comme vous avez bien fait de vous enfuir! Ce vieux brûlot de Colborne étire les bras autant qu'il le peut pour débusquer tous les patriotes et les mettre au cachot. Les prisons de Montréal débordent à ce point de patriotes qu'on est rendu à les entasser jusqu'à quatre dans un seul cachot de huit pieds et demi sur cinq et demi! Ils n'ont qu'une livre et demie de pain par jour, et encore, cette pitance insuffisante est rognée par leurs gardiens, des loyaux qui ne manquent pas de se venger. On leur refuse lits et couvertures, dans la saison la plus rigoureuse de l'année; on leur refuse les moyens d'entretenir la propreté de leur cellule et vous savez ce que cela peut représenter; ils manquent souvent d'eau. La permission d'aller prendre l'air dans la cour, accordée aux autres prisonniers, leur a été enlevée. La plupart, sauf quelques privilégiés qui ont des amis dans le Régime, sont privés du droit de voir leurs parents et même de leur écrire. On voudrait tous les faire mourir qu'on ne ferait pas autrement. La loi martiale permet à Colborne de garder les patriotes en prison aussi longtemps qu'il le veut, sans avoir à les amener devant les tribunaux pour justifier leur arrestation. Ce vieux revanchard ne manque pas d'abuser des pouvoirs qui lui reviennent en attendant notre nouveau Gouverneur.

Ne vous avisez surtout pas de rentrer, vous subiriez le même sort! Ne vous inquiétez pas de nous, car même si l'on a su que nous vous avions abrité, nous disposons des deux meilleures protections qui se puissent trouver. La première: le nom anglais de ma grand-mère; mon père pourrait redevenir, si besoin était, Ignace Potvin-Johnson. (Si ma pauvre grand-mère Johnson vivait, elle serait heureuse de constater que pour une fois, son fils se réclame de sa descendance irlandaise et de son nom à consonance britannique.) La deuxième: Christopher Gibbon, l'associé de mon père, dont la fortune doit tout à l'habileté marchande de mon père et à sa connaissance des vins français. Il interviendrait auprès de Colborne pour protéger son association lucrative avec mon père.

Depuis votre départ, ma motivation pour la philosophie, l'histoire et la politique a connu une remarquable ascension. Je vous remercie d'avoir réveillé mon esprit; il me faut toutes les lumières dont je puis disposer pour comprendre l'étrange période que nous traversons. Votre présence me manque terriblement, vous êtes mon meilleur ami et le seul homme, avec mon père, qui ne m'ait pas considérée comme si j'avais obligatoirement, étant femme, et jeune, un cerveau de punaise. Merci.

Joséphine Potvin-Johnson (!)
pour mieux vous servir, mon ami

P.S.: Mon père, à qui je viens de montrer ma lettre, me prie de vous communiquer sa satisfaction à la nouvelle que vous allez vous installer à New York.

XII

Avant de quitter Burlington, Jean-Baptiste chercha Timoléon dans toutes les auberges pour finalement le trouver dans la boutique d'un artisan. Il travaillait avec son nouvel ami Louis Le Sage. Tous deux s'étaient associés avec un cordonnier américain pour réparer les bottes, les sacoches, les souliers et les besaces des réfugiés. Jean-Baptiste invita Timoléon à venir manger un morceau avec lui à l'auberge, parce qu'il avait à lui parler.

Une fois que Timoléon eut la panse bien pleine, Jean-Baptiste usa de tous les arguments possibles pour le convaincre de s'en retourner à Contrecœur. Il lui fit miroiter l'échoppe de la rue Saint-Urbain et promit d'en payer les premiers mois de loyer. Il se sentait responsable de Timoléon et de son enthousiasme bon enfant pour une cause que lui-même croyait perdue d'avance. Faute de pouvoir influencer ses compatriotes réfugiés comme lui à Burlington, Jean-Baptiste aurait voulu au moins influencer Timoléon; il reportait sur lui son besoin de sauver les siens du désastre.

Mais Timoléon se trouvait en pleine exaltation de liberté: il venait de s'embrigader dans le camp patriotique et se sentait valorisé comme jamais. On lui avait donné une paire de souliers en cuir neufs, un fusil, un manteau épais et bien taillé; il mangeait une nourriture grasse et abondante; il trouvait une joyeuse compagnie, de la bière et de la musique comme si on était en réveillon perpétuel. Il s'était lié avec son tout premier ami, qui lui montrait le métier de cordonnier; ils travaillaient ensemble, dans la boutique de l'Américain, en parlant et en blaguant.

Timoléon résista aux pressions de Jean-Baptiste. Il ne voulait pas bouger de Burlington:

— Je vous remercie ben de vous soucier de moé, M'sieur Paradis, mais comprenez que si j'refuse de rentrer, c'est que j'ai du temps à rattraper, question de démontrer que j'suis pas une guenille d'homme! La tremblade devant les Anglais, c'est fini. Fini! Vous avez fait vot'part, comprenez que moé j'veux faire la mienne. Vous m'dites que vous avez des doutances, des grosses doutances sur not'entreprise. Mais moé, j'ai ben confiance.

Jean-Baptiste fut bien obligé de renoncer et partit seul pour New York. Il s'installa dans une auberge du centre de la ville, à deux pas d'un restaurant réputé pour sa cuisine française: le Delmonico. Dès le premier soir, il y prit un délicieux repas, arrosé d'une bouteille de vin français. Tard dans la veillée, après avoir marché dans les rues dont la parfaite géométrie l'impressionnait, il revint à son auberge, content d'avoir enfin une vraie chambre, avec un grand lit au couvre-pied de brocart, un cabinet de toilette, une commode. Un large pupitre adossé à la fenêtre était garni de tout ce qu'il fallait pour écrire. Immédiatement, il s'y attabla. La plume courait sur le papier avec une légèreté d'insecte. Son départ du campement avait allégé Jean-Baptiste.

New York, le 25 février 1838

Ma chère amie,

Je reviens d'un souper au Delmonico. Alors qu'il y a quelques années, la «French Cookery» était considérée comme un symptôme de la décadence européenne, voilà que la cuisine française revient à la mode. On doit cette influence, paraît-il, à la personnalité aristocratique du président Van Buren, qui n'apprécie pas le régime au bœuf quasiment cru qui fait l'enthousiasme de tant de Yankees. Je trouve étrange que ce président, qui remet notre cuisine à l'honneur, soit en même temps celui qui nous coupe nos chances de réussite.

J'ai observé, pendant mon repas, l'empressement que les dames mettent à demander des légumes cuits «in the French manner». Cela, voyez-vous, signifie pour elles que chaque légume doit être servi dans un plat différent! Mais enfin, c'était tout de même délicieux, et New York est une ville incroyablement vivante. Avec tous les immigrants qui viennent grossir la population par pleins bateaux, je ne sens plus autant ma situation de réfugié.

Il était temps que je quitte Burlington, car je suis incapable de prendre le parti de l'optimisme et de l'action lorsque la raison dicte la prudence et le recul. Nelson et ses pareils entraînent avec eux des hommes simples comme votre homme engagé, Timoléon, que je n'ai pas pu soustraire à cette frénésie stupide de rébellion mal préparée.

Je ne crois plus au succès possible d'une armée de cultivateurs, sans aucune espèce de formation militaire et dirigée par deux médecins! Louis-Joseph Papineau a dû, lui aussi, faire une analyse qui arrive à une conclusion semblable, car il a défendu à son fils Amédée de se joindre à la nouvelle expédition que Nelson prétend mener d'ici peu. C'est Amédée Papineau lui-même qui m'a raconté comment son père lui avait catégoriquement refusé la permission de se joindre aux troupes de Nelson et l'obligeait à s'en aller à Saratoga pour étudier le droit. Est-ce suffisant de dire que le père, en Papineau, a parlé plus fort que le patriote? Certes, il y a de ça, et je comprends qu'un homme comme Papineau, qui a déjà tant payé de sa personne, hésite à sacrifier aussi un fils. Mais j'y vois également une confirmation que Papineau lui-même a perdu confiance dans l'organisation d'une armée de patriotes. Nos habitants connaissent bien mieux leur catéchisme que l'art de la guerre. Notre clergé a fait de nous un peuple prompt à se jeter à genoux à la moindre menace, mais ce n'est pas à genoux qu'on apprend à se battre. Une telle mentalité ne peut pas être mise de côté par un entraînement militaire de quelques mois. Il manque encore à la masse de notre peuple les «idées claires» dont parlent les philosophes, et cela pourrait bien prendre encore quelques générations pour que nous surmontions cette faiblesse. Une certaine discipline, qui nous empêcherait de nous désorganiser ou de nous tourner les uns contre les autres au moindre revers, est essentielle à toute entreprise de libération.

Avant de partir de Burlington, j'ai tenté de convaincre Timoléon de s'en retourner à Contrecœur avant qu'il ne se retrouve sur la liste noire de Colborne. Mais je n'ai pas réussi. Autant de naïveté me désole plus que je ne peux vous le faire sentir par mes mots. La bonne volonté sans l'intelligence de la situation me fait terriblement peur, et c'est ce mélange d'une qualité et d'un défaut qui jusqu'ici nous a fait le plus de tort.

Ma raison me dit de m'éloigner, mais mon cœur voudrait empêcher mes compatriotes de prendre des risques déraisonnables. J'oscille entre la compassion et un certain mépris.

J'ai honte de ce sentiment, et ce n'est qu'à vous que je peux le confesser, dans l'espoir de m'en soulager.

Je vous écrirai encore bientôt. Assis à cette table, dans l'intimité de ma chambre calme et bien tenue, dans une ville pleine de l'esprit d'entreprise des Yankees, je vous dis d'essayer, ma chère Joséphine, de ne pas vous démoraliser à cause du climat politique de Montréal. Être malgré tout heureux, quand tout nous dit que nous sommes victimes, représente peut-être une autre façon d'être révolutionnaires. Vous avez, Joséphine, tout ce qu'il faut pour être une révolutionnaire de ce type-là.

Votre ami,
Jean-Baptiste

* * *

Timoléon faisait partie des troupes qui tentèrent d'envahir le Bas-Canada le 28 février 1838. Quelques centaines de patriotes traversèrent la frontière américaine en passant par les glaces du lac Champlain.

Timoléon était à la queue d'une longue file de traîneaux, la main en visière pour filtrer la lumière aveuglante. Il plissait les yeux tellement le soleil bondissait sur la neige et la glace, toutes piquetées de points d'or.

Timoléon s'était arrêté. Comme chaque fois qu'il était impressionné, la bouche ouverte, malgré le froid, il ressemblait à un enfant contemplatif. Il n'avait jamais rien vu d'aussi beau que cette mer recouverte d'une poudre de diamant qui reflétait tout l'arc-en-ciel.

— Reste pas planté là, Timol! Tu vas finir par faire un trou dans la glace. Avance! C'est le grand jour! dit Louis Le Sage en le tirant par la manche. À regret, Timoléon se remit en marche pour rattraper le long convoi de traîneaux et d'hommes glissant vers la liberté.

Sous les ordres du docteur Nelson et du docteur Côté, les patriotes entrèrent dans le Bas-Canada. Ils campèrent à un mille de la frontière, et proclamèrent Robert Nelson président de la nouvelle République du Bas-Canada. Celui-ci fit une déclaration d'indépendance, affirmant solennellement qu'à partir de ce jour-là, le peuple du Bas-Canada serait affranchi de toute allégeance à la Grande-Bretagne et que tout lien politique cesserait immédiatement. Il y avait dans cette déclaration dix-sept autres articles qui résumaient l'esprit de la nouvelle République. L'article 4 déclarait abolie toute union entre l'Église et l'État; l'article 5 abolissait la tenure féodale ou seigneuriale; l'article 11 assurait pleine et entière liberté à la presse; l'article 16 assurait le droit de voter à toute personne mâle de plus de vingt et un ans; et l'article 18, le dernier, garantissait que l'on pourrait se servir du français comme de l'anglais dans toute matière publique. Nelson fit ensuite une deuxième proclamation solennelle, visant à rassurer la population des Anglais. Il promettait sécurité et protection complète à tous ceux qui déposeraient les armes et cesseraient d'opprimer le peuple.

Le lendemain de cette déclaration, les patriotes cherchèrent à s'organiser pour s'avancer dans le pays. Malheureusement, ils étaient entrés sans leurs armes et leurs munitions; elles devaient leur parvenir plus tard des États-Unis, mais furent interceptées à la frontière. De plus, les patriotes apprirent qu'une force considérable de loyaux armés s'avançait contre eux; sentant qu'ils n'étaient pas aussi prêts qu'ils auraient dû, ils s'en retournèrent aux États-Unis et se débandèrent. À la frontière, Nelson et Côté furent arrêtés par des militaires américains pour violation de neutralité.

Ainsi se termina piteusement une expédition dont l'approche avait fait trembler Colborne et jusqu'au dernier volontaire britannique. Les gouvernements anglais et américain étaient prévenus que la rébellion n'était pas morte. Ils se préparèrent en conséquence.

La loi martiale, proclamée le 5 décembre 1837, était encore en vigueur. Mais on pouvait difficilement faire durer plus longtemps cette mesure qui devait être temporaire et exceptionnelle. Lord Colborne se voyait maintenant forcé de traduire les prisonniers politiques devant la cour.

À Montréal, les sympathisants à la cause patriotique qui avaient échappé à Colborne n'en revenaient pas que, avant de proclamer la nouvelle République du Bas-Canada, Nelson ne se soit pas d'abord assuré de la force militaire indispensable pour faire respecter cette proclamation. Ignace Potvin cessa d'écrire à Jean-Baptiste pendant quelque temps, et tous deux étaient découragés d'avoir si clairement prévu l'échec sans pouvoir l'empêcher. Qu'avaient-ils à se dire sinon «nous l'avions prédit...»?

XIII

À Contrecœur, personne n'avait eu de nouvelles de Timoléon ni avant ni après l'expédition ratée du 28 février.

À la pleine lune de la mi-mai, au temps des pommiers en fleurs, il surgit au milieu de la nuit. La Brindille dormait dans sa petite chambre mansardée, la fenêtre ouverte aux odeurs de l'été enfin revenu. Timoléon la réveilla en lançant un caillou qui aboutit sur le plancher, à côté du petit lit de fer. Elle sursauta et, sans savoir par quel secret indice, elle reconnut là une tactique de Timoléon. Sortant la tête par la minuscule fenêtre de sa chambre, elle le vit qui lui faisait signe de le rejoindre dans la cour, tapotant le milieu de sa bouche pour lui signifier de se taire et de ne pas faire de bruit. Il ne voulait être vu de personne, pas même des maîtres. Ce n'était pas eux qu'il venait voir, mais Marie.

Elle se couvrit de son châle, non parce qu'il faisait froid, mais par modestie, sa légère robe de nuit en coton blanc étant usée jusqu'à la transparence. Les pieds nus, ses longs cheveux noirs tout emmêlés, elle rejoignit Timoléon sous un pommier. Il semblait avoir grandi, tellement il avait la tête haute et le dos droit. La Brindille devait renverser la tête pour l'examiner de pied en cap. Elle remarqua ses habits neufs et ses solides souliers de cuir, à la semelle dure et épaisse. Timoléon se laissa regarder fièrement, gourmand de chacun de ses coups d'œil. Quand elle eut fini de dire des «ouais... ouais...» d'approbation, il lui prit la main et l'invita à s'asseoir dans l'herbe. Il retira ses souliers. Marie crut qu'il voulait lui en faire tâter la qualité, mais il enleva la semelle intérieure et sortit deux billets de dix pounds et un de cinq, tout chauds et usés d'avoir été piétinés pendant cinq mois. C'était l'argent que lui avait remis Jean-Baptiste Paradis pour le remercier de ses services.

— J'suis venu te porter ça, Marie, pour que tu me le gardes. C'est mon pécule, avec ça je peux m'acheter du cuir, des outils, louer une échoppe. Mais...

Timoléon parlait avec une hâte qui montrait sa fierté. Mais il y avait autre chose qui l'excitait encore davantage:

— C'est pas rien que pour me vanter que j'suis venu te montrer mon pécule. Y a plus, ben plus... Écoute-moé, les oreilles vont t'agrandir comme celles d'un lapin, mais seulement, Marie, y faut que tu soyes aussi secrète que le vieux Sauvage. Pas un mot à personne!

La Brindille traça une croix sur sa bouche et joignit les mains pour signifier qu'elle garderait le secret.

Timoléon s'appuya au tronc du pommier, regarda à gauche, à droite et en arrière, leva les yeux vers la pleine lune comme s'il se méfiait de sa lumière; il inspira profondément avant de faire sa grande confidence. Solennellement, il déclara à Marie qu'il faisait partie d'une société ultra-secrète, les Frères Chasseurs, qui conspirait pour renverser le gouvernement des Anglais.

— Cette fois-là, on est ben organisés; le chef s'appelle l'Aigle. En dessous de l'Aigle, qui est une sorte de général, y a le Castor; on pourrait dire que le Castor, c'est comme un capitaine. Y a sous ses ordres six Raquets. Le Raquet, lui, y commande à neuf Chasseurs, qui sont comme qui dirait les soldats de l'armée. Moé, j'suis un Chasseur, comme de raison, mais, malgré les étages d'autorité, on est toute comme des frères; c'est pour ça, voué-tu, qu'on se nomme toute, du plus haut au plus bas, des Frères Chasseurs. C'est parce qu'on est des frères.

Timoléon prononçait tous les nouveaux mots de son vocabulaire de soldat d'une manière lente et appliquée, pour bien faire apprécier à Marie sa maîtrise des termes de l'organisation militaire des Frères Chasseurs. Il regarda Marie pour jouir de l'admiration qu'il croyait deviner chez elle. Mais elle était plus surprise qu'admirative.

— Si c'est secret, dit Marie, comment c'est que vous faites pour vous reconnaître à travers tout le pays, pis même en dehors?

Timoléon baissa la voix pour lui confier leur mot de passe.

— Si je rencontre une personne qui m'a l'air d'être de not' bord, je dis: «Chasseur?» Là, y faut que la personne réponde par le jour suivant le jour où on se parle. Aujourd'hui, hein, on est dimanche. Supposons que toé t'aurais dit: «Chasseur?» Moé, y faudrait que je réponde, aussi sec: «Lundi.» Ou ben, si j'donne la main à quelqu'un, j'y attrape en même temps un petit bout de sa manche pis j'tire un peu. Si la personne est initiée, elle va faire la même chose avec ma manche.

La Brindille écoutait et ne s'imaginait pas risquant de telles simagrées avec quelqu'un qu'elle ne connaîtrait pas.

— Mais, dit-elle, si la personne comprend rien de toute ça, elle doué te prendre pour un maudit fou?

— Ben, répondit Timoléon sans être troublé, on a un autre signe, pour dans les cas où on veut pas risquer d'avoir l'air fou: on se met le petit doigt de la main droite dans l'oreille droite, ou ben le petit doigt de la main gauche dans l'oreille gauche. Comme quand ça pique dans l'oreille. Y faut que l'aut' fasse pareil.

— On peut dire que vous vous amusez comme des enfants. C'est toujours ben ça de pris!

Timoléon n'aima pas du tout cette remarque. Il voulut redonner à son engagement toute sa tragique importance et dit, les yeux sombres et le visage dur:

— On joue, pas, là, Marie. C'est sérieux. C'est pour de vrai. Notre but c'est de délivrer les Canayens du joug anglais. Pour faire partie des Frères Chasseurs, y faut jurer d'obéir, de s'aider, et de jamais trahir. J'ai juré, Marie, et nous autres, quand on jure, *c'est sous peine d'avoir le cou coupé jusqu'à l'os. Le cou coupé jusqu'à l'os,* Marie, c'est le plus loin qu'un serment peut aller, ça... J'ai juré, parce que j'suis guéri de ma couillonnerie. J'me suis jamais autant senti un homme qu'astheur!

Timoléon s'arrêta un instant, se redressa, comme si sa poitrine était déjà couverte des médailles de la bravoure, comme s'il devenait le héros qu'il savait pouvoir être. Se tenant le dos droit comme un prince qu'on couronne, il reprit, plein de la dignité et de l'importance du moment qui allait suivre:

— C'est pas toute, c'est pas toute ce que j'ai à te dire.

Il s'approcha et lui prit doucement la main avant de continuer, cette fois avec moins d'assurance:

— Avant de retourner pour le grand combat, j'suis venu te demander...te demander si...

Timoléon avait la bouche sèche et le souffle court. Il continua en bégayant presque:

— Si...i..., tu... u... u..., si tu... accepterais de m'épouser, Marie.

Et là-dessus, Timoléon se mit à genoux devant Marie et attendit sa réponse comme s'il attendait la sainte communion. Les pommiers en fleurs, ronds comme d'immenses bouquets blancs, parsemaient le sol d'une neige de pétales minuscules. La lune éclairait le visage ébahi de la Brindille. Croyant qu'il était peut-être, encore une fois, allé trop vite, Timoléon se rassit:

— Avant de me répondre, laisse moé t'en dire plus long. Quand on aura vaincu les Anglais, y est ben possible que j'me retrouve avec ben plus qu'une échoppe de cordonnier. J'ai jamais rêvé de plus parce que c'était pas d'avance pour un type comme moé de vouloir des affaires qui avaient pas de chances d'arriver. Mais là, voué-tu, y se pourrait ben qu'on me donne une terre, une vraie bonne terre. J'pourrais devenir un habitant... La guerre, tu sais, c'est ben payant quand on la gagne. Une grande terre fertile pis grasse, y nous l'ont promis, c'est sûr et çartain! Cette terre-là serait à nous aut', pis à not' descendance... On serait gras dur comme les Anglais avec leurs belles grandes terres grasses qu'y se font offrir sans travailler pour!

Timoléon s'arrêta, ayant dit le principal. Comme il n'avait plus de bretelles de corde à tripoter, il se rabattit sur un bouton de sa belle chemise neuve. Après un silence, il ajouta, la tête haute:

— J'suis pus un grand lâche de six pieds, c'est fini ça, Marie. J'suis un homme complet astheur; j'ai pu la chienne à tout moment pour des niaiseries. La preuve, c'est que j'ai trouvé le courage de te faire la grande demande... Si tu me dis non, j'vas m'en retourner, mais j'te dis une chose: j'aurais toute fait ça pour rien, parce qu'un homme a beau être complet, si y a pas de femme pour s'appareiller, y demeure, d'une manière, rien qu'à moitié complet.

La Brindille n'avait encore rien dit. Elle se sentait totalement prise au dépourvu. Jamais elle n'avait pensé à Timoléon de cette façon-là. Jamais elle n'avait pensé qu'*elle* pouvait attirer l'amour d'un homme. Elle constata, pour la première fois, la disproportion entre son corps et le corps de ce grand gaillard de Timoléon. Malgré la douce chaleur de la nuit, elle ramena son châle autour de sa poitrine.

Mais peut-être que le rêve de Timoléon n'était pas si fou, pensa-t-elle aussitôt. Si des personnes de l'élite, comme Monsieur Paradis et Monsieur Potvin, sans compter toutes les autres personnalités de Montréal, s'étaient laissées embarquer dans cette histoire, c'était peut-être qu'il y avait moyen, pour des hommes comme Timoléon, de faire autre chose que crever de misère jusqu'à la fin de leurs jours.

Mais autant la Brindille était vive de mouvement quand il s'agissait de pétrir, hacher, brasser, larder, rouler, enfariner, rissoler, autant il lui fallait du temps quand il s'agissait de se mouvoir dans le monde du sentiment. Elle ne savait pas comment on fait pour regarder en dedans, et encore moins comment mettre de l'ordre dans ce fouillis.

— J'dis pas non.... Mais.... commence donc par faire ta guerre, pis ensuite par revenir pour de bon... Pendant ce temps-là, moé, j'te promets d'y songer en gardant ton pécule comme si c'était mon trésor.

Marie sourit à Timoléon avant d'ajouter, en flattant sa tignasse blonde qui ne semblait pas avoir subi la discipline militaire:

— T'es rendu un homme pas mal impressionnant. J'dis pas non, j'dis pas non...mais c'est le genre de décision qu'y faut mijoter. J'ai beau penser à gros bouillons, j'peux pas te répondre drette là, à soir, en jaquette, les cheveux couettés, pis nu-pieds.

Timoléon ne touchait plus terre tellement il était heureux du sourire engageant de la Brindille lorsqu'elle avait dit: «J'dis pas non.» Il s'approcha de la Brindille et lui vola un petit baiser sec. Mais il n'était pas encore au bout de ses audaces; il lui restait quelque chose à demander, quelque chose qui dépassait presque les limites de son courage nouvellement acquis. Il avala de travers avant de se lancer.

— Un Chasseur, comme j'viens de t'expliquer, c'est un soldat. Un soldat, quand y part à la guerre, y peut pas être çartain de revenir. Si j'devais mourir, y a une affaire qui me chicoterais plus que les péchés que j'ai commis: c'est que j'ai jamais connu l'amour d'une femme, jamais. J'ai encore ma josepheté, pis j'trouve ça niaiseux pour un homme de mourir de même. J'voudrais pas mourir sans avoir connu la femme. J'y pense souvent... Marie, j'y pense tout le temps! Ça me vient dans la tête plus souvent que l'enfer ou que le paradis, j'y pense aussi souvent qu'au prochain repas... C'est toujours toé qu'est mon amoureuse dans ces imaginations-là. Je l'sais, tu vas me dire que c'est péché tant qu'on est pas mariés. Mais même un bon gars, quand y se retrouve devant la mort, y regrette certains péchés qu'y a pas eu le temps de commettre, ben plus que les péchés qu'y a commis. Et pis, faut pas oublier une affaire: un soldat, quand y meurt sur l'champ de bataille, y monte drette au ciel, péché pas péché. C'est une sorte de bénéfice que l'bon Dieu donne aux hommes qui font la guerre. Ça serait du gaspillage de pas profiter de cette remise-là! De ton bord, toé, demain matin, à supposer qu'on ferait un beau grand péché d'amour, t'aurais seulement qu'à aller te confesser. Rien qu'une p'tite confession avec quoques rosaires, pis t'aurais l'âme aussi blanche qu'un voile de mariée.

Marie ne disait rien. Elle regardait Timoléon, impressionnée par la transformation que ces quelques mois avaient opérée. Elle était terriblement fière de lui, mais si troublée qu'elle ne trouvait rien à lui répondre. Il poursuivit:

— Si tu m'laissais t'aimer, Marie, j'partirais le plus heureux des hommes, et même si j'mourais, au moins, rendu au ciel, j'pourrais dire que j'ai profité de la remise de mes péchés pour quoque chose qu'en valait la peine. J'aurais moins de regrets d'être mort. Ça serait toujours ben ça de pris, avant de mourir pour la cause.

Marie se disait que voilà bien les hommes: ce qui empêchait les femmes de se donner, ce n'était pas la peur du péché. Oh! que non! Elle ne serait pas la première à avoir donné un acompte à son fiancé; les registres des mariages, comparés à ceux des naissances, étaient là pour le prouver. Il semblait y avoir une épidémie perpétuelle de naissances prématurées, qui touchait presque exclusivement des premiers-nés, roses et gras malgré tout! Mais si Timoléon ne revenait pas de sa guerre et qu'elle se retrouvait enceinte, cette misère-là pouvait durer deux vies: la sienne et celle de l'enfant sans père et sans nom. Aucune confession ne pouvait effacer une grossesse honteuse; votre péché vous grossissait dans le ventre et devenait de plus en plus évident. En plus, on se mettait à lui sourire, à vivre pour lui et à l'aimer comme une damnée. C'était la misère de l'enfant, bien plus que le péché d'amour, qui la freinait.

Mais, d'un autre côté, pensait-elle, un homme qui s'en allait au combat, qui se donnait à une grande cause, n'avait-il pas droit à un petit acompte sur la récompense? Elle ne voulait pas être en reste de courage. Elle aussi voulait faire sa part pour la grande cause des siens.

Il fallait bien qu'elle regarde à l'intérieur d'elle-même, puisque la demande de Timoléon supposait un engagement immédiat. La Brindille sondait son cœur avec le même sens pratique qu'elle aurait mis à examiner le garde-manger pour décider d'un menu. Pouvait-elle se donner à Timoléon? Elle n'était qu'une fille engagée, sans dot ni famille. Mais d'un autre côté, si Timoléon la laissait enceinte et ne revenait jamais, il lui resterait au moins le pécule qu'il venait de lui remettre. Avec ça, une fille pouvait mettre un toit sur sa tête et du beurre sur son pain pendant au moins deux ans. Elle pourrait élever son enfant à Montréal et se considérer plus ou moins comme une veuve de soldat. Monsieur Paradis avait donné sa parole d'honneur qu'il l'aiderait si jamais elle était dans le besoin; ça valait cher une promesse comme celle-là... et elle s'ajoutait au pécule. À supposer, bien sûr, que ce soit la parole d'un homme d'honneur. Mais elle n'avait aucune raison de douter de Monsieur Paradis. Elle était certaine de pouvoir reconnaître un homme d'honneur rien qu'à écouter le son de sa voix. Les hommes sans honneur avaient tous une fêlure étrange dans la voix. Monsieur Paradis n'était pas de ceux-là, sa promesse, c'était de l'argent de côté. La Brindille conclut ses délibérations en se disant que la dépense n'était pas totalement au-dessus de ses moyens.

Mais si elle *pouvait* se donner, le *voulait*-elle vraiment? C'était autrement plus difficile à savoir, car elle ne s'était jamais posé ce genre de question. Se demandait-elle si elle avait envie de se lever, à cinq heures du matin, en hiver, dans une chambre glacée, pour aller partir le feu dans le poêle à bois de la cuisine? Se demandait-elle qui avait été son père et pourquoi il avait quitté sa mère? Cette question, si elle se la posait vraiment, en amenait tout de suite une autre: pourquoi certains chefs indiens acceptaient-ils de «vendre» leurs filles à des Blancs en échange d'un bien quelconque? Les épouses n'avaient-elles pas de valeur pour eux? Et ces filles-là, étaient-elles les plus chanceuses d'entre toutes les femmes indiennes d'échapper ainsi à leur condition? Le voulaient-elles, où étaient-elles des victimes de ces marchandages? Une toute petite interrogation de sa conscience pouvait déclencher une avalanche d'autres questions qui déboulaient dans sa tête et créaient du désordre.

À dix-huit ans, Marie s'était demandé pendant tout un printemps pourquoi l'amour ne venait pas de son bord. Au mois de juillet de cette année-là, au moment où, entre les semailles et les récoltes, on peut s'arrêter et regarder la nature faire son travail, les jeunes gens et les jeunes filles de sa génération s'étaient pairés à l'église; la Brindille avait alors conclu, une fois pour toutes, qu'elle était trop menue, trop délicate pour qu'un homme veuille prendre le risque de fonder une famille avec une femme aussi fragile. Elle s'était, depuis ce jour, refusée à imaginer l'amour. Voulait-elle, oui ou non, goûter à l'amour maintenant? Et Timoléon, tremblant, qui attendait sa réponse!

«Ça a-t-y du bon sens de refuser l'homme avant d'y avoir goûté?... Non!» conclut la Brindille pour elle-même.

Elle regarda Timoléon dans les yeux et lentement, s'allongea sur l'herbe sèche et parfumée par l'odeur des pommier. Elle chuchota, comme si c'était trop osé pour être dit à voix haute:

— C'est oui, Timoléon, j'me donne. Vas-y doucement, j'ai jamais connu l'homme.

Timoléon leva les yeux au ciel étoilé et tendit les bras vers la lune, comme s'il voulait remercier le ciel de son bonheur. Ses lèvres se mirent à vibrer d'émotion. Il approcha son visage de celui de Marie et se risqua à l'embrasser sur la bouche. Étonné du plaisir qu'un seul baiser pouvait donner, il recommença tout un chapelet de baisers plus ou moins longs, plus ou moins appuyés, se reculant après chacun pour en apprécier la saveur, comme s'il goûtait à des cerises pour la première fois. Le visage de Marie était transfiguré par la surprise du désir qu'elle commençait à ressentir; c'était une émotion inconnue et puissante qui lui faisait ouvrir les yeux tout grands. Les baisers de Timoléon lui révélaient un foyer d'incendie qu'elle n'avait jamais soupçonné. Délicatement, la grande main calleuse de Timoléon se mit à flatter le visage rosi de la Brindille, puis sa tête et son cou, qu'elle pliait comme une chatte docile.

Il se souvenait d'une scène qui l'avait marqué, jeune: une jument caressait longuement, à grands coups de langue, son poulain nouveau-né. Marie, sous l'effet des caresses, semblait se déplier comme le poulain d'autrefois. Sur son corps délicat de petite pouliche fraîchement née, sa peau brune et soyeuse devenait à la fois plus foncée et plus lumineuse et Marie ouvrait de grands yeux surpris. Soudainement pris d'un grand frisson de désir, Timoléon fouilla la robe de nuit de coton mince et prit dans le creux de sa main un sein rond et chaud, qu'il flatta comme un oiseau fragile. Son bonheur le suffoquait presque.

Marie absorba toutes les caresses de Timoléon jusqu'à ce qu'elle sente ses genoux s'ouvrir irrésistiblement; elle releva sa robe de nuit, prête à recevoir l'homme. À ce signal Timoléon se défit de son pantalon comme si le feu y était pris, mais ensuite, c'est avec une dévotion infinie qu'il s'enfonça doucement en elle en gémissant de plaisir.

Marie ressentit une pointe de douleur vive, aussitôt noyée dans un plaisir qui lui tenaillait les hanches, comme si son corps se ruait à la rencontre du corps de Timoléon. Elle commença à bouger, mais Timoléon, n'en pouvant plus de plaisir, se répandit aussitôt en elle. Il demeura au chaud, avec l'impression que son corps tout entier était enveloppé dans le satin rose et chaud du ventre de Marie. Vibrante et nerveuse comme une pouliche qu'on retient de sauter, rendue fébrile par l'interruption de la montée de son plaisir, Marie griffa légèrement le dos de ce grand corps d'homme qui la couvrait toute; ses ongles exprimaient malgré elle son désir de le voir se remettre en action et la fouiller encore.

Timoléon demeura immobile plusieurs minutes, mais il n'était pas pour autant rassasié. Quand, après un temps de repos et de silence pendant lequel il n'avait pas bougé, il recommença à embrasser Marie, leurs langues se touchèrent. Un désir plus sauvage saisit cette fois Timoléon, qui ressentit à nouveau le besoin de bouger, de s'enfiler encore et encore dans ce manchon de chair soyeuse. Au rythme d'un petit trot, il chevaucha Marie, qui était à la fois monture et écuyère.

La Brindille laissa son corps se rassasier de ce mouvement; elle ne pouvait pas davantage s'empêcher de bouger qu'elle n'aurait pu s'empêcher de respirer; son corps voulait ce trot comme il voulait l'air qui entrait avec force dans ses poumons. Elle ne réprima pas son allure et bientôt ils passèrent ensemble à un galop sauvage. Quand Timoléon atteignit un second sommet de plaisir, il se rua et Marie se cambra à sa rencontre. Tous deux abordèrent alors dans un univers d'amour et de bonheur qu'ils n'auraient jamais cru possible sur cette terre.

Lorsqu'il se dégagea du corps de Marie et se renversa sur le dos à côté d'elle, Timoléon fut surpris de la beauté parfaite des branches chargées de grappes de pétales délicats qui se détachaient sur le ciel de pleine lune et créaient pour eux un toit de fleurs. Il se tourna vers Marie, dont la respiration profonde semblait exhaler un souffle de canicule:

— Y a le ciel. Pis y a aussi le septième ciel; c'est là, aussi haut que ça, que j'viens de monter. Astheur que je r'viens ici-bas, toute est beau, ben plus beau, comme si je v'nais de changer de paire d'yeux.

La Brindille lui répondit d'une voix pleine et comme adoucie par la révélation du plaisir:

— J'aurais jamais imaginé que c'était si bon: c'est meilleur que toute; j'peux rien imaginer qui dépasse ça. T'étais beau comme le bon Dieu, Timoléon, avec des rayons lumineux autour d'la tête, comme une auréole.

Avant que le soleil se lève, Timoléon fit encore l'amour à la Brindille. La fougue, cette fois, fut remplacée par la tendresse déchirante des amoureux sur le point de se quitter, alors qu'ils se sentent cousus l'un à l'autre par des fils multiples et invisibles qui leur passent dans tout le corps et jusque dans l'âme.

Quand le soleil se leva, Timoléon, beau et droit comme il ne l'avait jamais été, s'en retourna rejoindre les Frères auxquels il avait juré fidélité. L'amour l'avait lavé de toutes les fautes dont il s'était cru coupable depuis le jour de sa naissance, y compris celle d'être né. C'était un être lumineux de bonheur qui marchait à la défense de la Liberté. Il était enfin un homme, et un homme complet.

XIV

Vers la fin du mois de mai, Antoinette jugea que sa fille avait besoin de distractions que la vie tranquille de Contre-cœur ne pouvait lui fournir. Elle écrivit à sa soeur Azélie, qui habitait en plein cœur de Québec, à l'angle des rues Saint-Jean et du Palais, et lui demanda de recevoir Joséphine, de la sortir un peu pour lui faire passer le temps. L'activité de la ville, pensait Antoinette, aiderait Joséphine à attendre le retour de celui qu'elle aimait de plus en plus, comme si l'éloi-gnement et l'exotisme de la situation ajoutaient au romantisme de leur amour.

Azélie reçut Joséphine avec un déploiement de bonne humeur. Les cousins et cousines l'entourèrent comme si elle allait être leur reine. On l'installa dans une chambre qui donnait sur le coin de la rue. De sa fenêtre, au deuxième étage, Joséphine voyait, au-dessus de la porte de la maison d'en face, une affiche de bois clouée au mur et sur laquelle étaient dessinés un baril de vin et deux gerbes de blé; on pouvait lire en haut de l'affiche, en majuscules: «Joseph Vaillancourt» et en bas, comme pour préciser le sens du dessin: *Grocery and Tavern.* Sur ce même mur, à peine quelques pieds plus à droite, on avait aménagé une niche dans le coin de l'édifice pour y placer une statue de bois de Thomas Hobbes, un bras tendu dans le vide comme s'il philosophait à perpétuité pour les habitants de Québec.

Le lundi 28 mai, Joséphine se rendit, avec toute la famille de sa tante, assister au débarquement du nouveau Gouverneur général envoyé par Londres. Ce débarquement fut une si grande affaire qu'elle mit deux jours avant de pouvoir en écrire le récit complet à Jean-Baptiste.

Vendredi, le 1er juin 1838

Mon cher Jean-Baptiste,

Je vous écris de chez ma tante Azélie de Québec. Ma mère a deviné que l'été à Contrecœur a perdu tout attrait pour moi depuis que vous n'y êtes plus. Le parfum des lilas ne m'enivre plus, le rouge des pivoines a pâli et l'été n'est plus la saison glorieuse de mon enfance. En un mot, votre amitié me manquait, votre absence m'éteignait de façon si visible que ma mère a décidé qu'un séjour dans la ville où se trouvent tant de mes parents et amies me ferait le plus grand bien. J'ouvre la fenêtre de ma chambre pour sentir l'agitation de la rue du Palais et cela m'aide à vous imaginer à New York, écrivant de votre chambre d'auberge, en pleine ville, comme moi je vous écris de la mienne, à Québec.

Cette semaine, au port, j'ai vu arriver le plus hautain personnage que l'Angleterre puisse produire: Sa Seigneurie Lord Durham, Chevalier Grande Croix du Très Noble Ordre du Bain, notre nouveau Gouverneur. Il a débarqué à Québec avec une telle pompe qu'on aurait cru qu'il s'agissait du Roi Soleil en personne. Car ce très noble Lord Durham voyage avec une suite composée non pas du groupe habituel d'une dizaine de personnes, secrétaires, ambassadeurs, aides de camp et domestiques, qui suffit aux plus hauts personnages, mais de soixante et une personnes! En plus de son médecin, de ses huit secrétaires particuliers et de tout le reste, notre Gouverneur, pour qui le traitement que l'on doit à un souverain semble insuffisant, était accompagné d'une troupe de musiciens chargés de le distraire! Il semble que Lord Durham ait une peur très sincère de mourir d'ennui auprès des barbares que nous sommes!

Ce fut la seule distraction du mois de mai. Vous me manquez. Je veux bien essayer la révolution qui consiste à être heureuse même sous la domination et dans l'adversité, mais il me faudrait des munitions, et cela, il n'y a que votre présence qui puisse me le fournir. À défaut de votre présence, vos lettres aident mon esprit à survivre jusqu'à votre retour.

Votre dévouée amie,
Joséphine Potvin

* * *

Lord Durham était en effet un si grand personnage qu'il dédaignait la fréquentation des Canadiens français. Sa mission consistait pourtant à faire rapport à la jeune reine Victoria des raisons qu'avait eues ce peuple de se révolter contre les bureaucrates de l'empire; qui étaient ces Canadiens, comment et de quoi vivaient-ils, pourquoi se révoltaient-ils?

Pour faire ce rapport, Durham se fiait à son secrétaire et aux personnes dont celui-ci s'entourait, parmi lesquelles se trouvait le plus virulent ennemi des Canadiens français, un dénommé Adam Thom, journaliste au *Montreal Herald,* qui ne se s'était nullement gêné pour écrire dans son journal qu'il faudrait «nettoyer la face de la terre de la race des Canadiens». Les Canadiens, évidemment, c'étaient les Canadiens français.

Lord Durham aurait bien voulu débarrasser la colonie de tous ses Canadiens, mais pour être en règle avec la loi britannique, il devait commencer par faire le procès de tous ceux que Colborne avait entassés dans ses prisons. Débordé par tant de procès, il trouva plus facile de faire paraître le 28 juin une «Ordonnance et proclamation d'amnistie» par laquelle il décrétait que, à part huit patriotes notoires exilés aux Bermudes et seize «cas exceptés» (dont Louis-Joseph Papineau et George-Étienne Cartier, qui ne pouvaient revenir au pays sous peine de mort), tous les autres, détenus ou fugitifs, pouvaient, moyennant la signature d'un cautionnement de bonne et loyale conduite, «librement retourner dans leurs foyers et y demeurer sans aucune molestation».

Aussitôt après avoir consulté son père, Joséphine écrivit à Jean-Baptiste qu'il pouvait enfin rentrer à Montréal et reprendre sa vie normale. Elle ajoutait qu'on l'attendrait à Contrecœur pour célébrer son retour dès qu'il se serait reposé du voyage. Il répondit qu'il arriverait le deuxième dimanche de juillet, et qu'il ne voyait pas de meilleur endroit au monde pour passer un dimanche dans la canicule de juillet que la véranda de leur maison de Contrecœur. Il y était déjà en imagination et se voyait boire, avec Joséphine et sa famille, une boisson glacée servie dans de grands verres épais et solides comme ceux qu'on emporte en pique-nique.

Maintenant que la proclamation d'amnistie l'autorisait à vivre de nouveau en homme libre, il allait faire ouvertement sa cour et demander à Ignace Potvin de lui accorder la main de Joséphine.

Jean-Baptiste arriva à Contrecœur au moment où les Potvin revenaient de la grand-messe du dimanche. Leurs chevaux trottaient au même pas et les deux équipages s'arrêtèrent ensemble devant la maison. Il faisait chaud. Joséphine rosit de plaisir quand Jean-Baptiste débarqua de son cabriolet pour les saluer.

La Brindille apporta sur la véranda un plateau de rafraîchissements. D'un coup d'œil au sourire ravi de Joséphine, elle devina qu'entre la jeune fille et Monsieur Paradis circulait ce mystérieux courant qu'elle était maintenant capable d'identifier. Elle se demanda quelle sorte de menu Madame Potvin allait suggérer pour le repas des fiançailles, qui auraient lieu, certainement, avant la fin de l'été. Le bonheur qu'elle avait connu avec Timoléon la rendait capable de jouir du bonheur de la demoiselle.

* * *

Les fiançailles eurent lieu à la fin du mois d'août, à Contrecœur. À la fin du repas, Jean-Baptiste demanda à sa Joséphine de chanter, pour les quelques invités réunis, la fameuse complainte du «Canadien errant, banni de ses foyers, qui parcourait en pleurant des pays étrangers». On fredonnait cette chanson partout. Elle venait d'un poète, lui avait-on dit, qui avait vu s'éloigner le bateau des patriotes condamnés à la déportation. Joséphine fut applaudie pour sa chanson, et la Brindille pour la qualité du festin.

Joséphine et Jean-Baptiste passèrent la soirée à se promener dans le verger où le soleil, encore agréable, faisait reluire les pommes. De se toucher la main leur donnait déjà si hâte au soir de leurs noces qu'ils admettaient difficilement qu'il faille attendre l'été suivant, au moment de leur mariage, pour avoir enfin le droit de s'abandonner au désir. Mais Jean-Baptiste devait prendre le temps de rétablir sa situation professionnelle et financière, qui avait souffert de son exil, et rénover entièrement sa grande maison de la rue Notre-Dame, non loin de celle des Potvin. Cette maison était immense, faite pour élever une grande famille. Mais depuis les dix ans qu'il en avait hérité, Jean-Baptiste n'avait à peu près rien fait pour renouveler son décor. Il souhaitait du changement pour commencer une nouvelle vie.

En septembre, tout de suite après la récolte des pommes et le temps des compotes, comme d'habitude, la Brindille suivit les Potvin dans leur déménagement à Montréal. Elle reprit sa place parmi les autres domestiques de la maisonnée. Elle était enceinte de trois mois et demi et n'avait toujours pas de nouvelles de Timoléon.

La vie à Montréal reprit son cours normal. Ignace Potvin faisait ses affaires et Antoinette se préparait au mariage de Joséphine, profitant de cette dernière année de complicité totale avec sa fille, comme si la préparation du trousseau, les discussions au sujet de la liste d'invités, et les efforts pour prévoir chaque détail de la vie pratique ne visaient qu'à donner à une mère une dose concentrée de la présence de sa fille, avant de la laisser aller au nouveau mari. Antoinette devait se retenir d'acheter tout de suite le trousseau de baptême des petits-enfants à venir. L'idée de voir le berceau familial se repeupler de ces merveilles de chair rose et roucoulante était l'autre compensation sur laquelle elle comptait comme sur un dû. En dessous de ce minimum, pensait Antoinette, le sentiment maternel et le lien entre une mère et sa fille, si essentiels au maintien de la société, seraient menacés; les mères, alors, ne se contenteraient plus de pleurer doucement le jour des noces, elles pourraient bien exiger qu'on change tout l'ordre des choses et qu'on cesse de leur enlever leurs filles.

Antoinette ignorait que, sous son toit, dans le quartier des domestiques, un enfant s'en venait. La Brindille estimait que son état ne serait pas visible avant le début d'octobre et elle voulait, jusque-là, garder le secret. Si, comme elle l'espérait, Timoléon revenait à l'automne, ou au plus tard à Noël, ils pourraient se marier et, avec l'argent de Timoléon, établir tout de suite une échoppe de cordonnier. Le bébé arriverait bien vite après les noces, mais c'était chose courante.

Sa grossesse la plaçait tout de même dans une situation embarrassante. Si elle annonçait maintenant aux Potvin qu'elle était enceinte et qu'elle attendait le retour de Timoléon pour les quitter, ils ne seraient pas contents, elle en était certaine. Elle retardait autant que possible le moment de leur avouer son état. Elle craignait par-dessus tout que Timoléon ne revienne beaucoup plus tard que prévu et qu'elle en soit réduite à accoucher avant son retour. Cela l'obligerait à demander aux Potvin de la loger et de la nourrir alors qu'elle serait en relevailles et ne pourrait pas assumer ses tâches de cuisinière. Leur demander cette charité pour ensuite les quitter n'avait pas grand-sens. Mais partir tout de suite pour s'installer ailleurs, alors que Timoléon pouvait surgir d'un jour à l'autre, n'avait pas plus de sens. «Il faut que ça mijote encore un peu.»

Vers le début d'octobre, le bébé commença à bouger à un rythme tel qu'elle ne pouvait plus remettre sa décision à plus tard: il était temps de dépenser son crédit et de réclamer la fameuse faveur que Monsieur Paradis lui avait promise sur l'honneur. Elle savait exactement quoi lui demander.

Dès son premier jour de congé, et malgré la pluie froide du début de l'automne, la Brindille se rendit chez Jean-Baptiste. N'osant sonner en avant, elle frappa à la porte réservée aux fournisseurs, qu'on atteignait par un escalier aboutissant à la cave; là se trouvaient le quartier des domestiques et la cuisine. Une grande jeune femme maigre au teint jaunâtre vint lui ouvrir. Elle sentait le mastic et la peinture. Son bonnet, d'un blanc plus que douteux, était recouvert d'une fine couche de plâtre. C'était Clarinda, la fille de cuisine qui, avec l'aide du cocher Narcisse, avait gardé la maison pendant la longue absence de Jean-Baptiste. Elle mâchouillait quelque chose, comme si elle venait d'interrompre son repas, alors qu'on était au milieu de la matinée. Suivant Clarinda, Marie monta au rez-de-chaussée et traversa la salle à manger, le salon et le vestibule.

Elle ouvrait de grands yeux, car elle trouvait la maison de Jean-Baptiste bien plus impressionnante que celle des Potvin. L'escalier, surtout, était majestueux; il en imposa à la Brindille presque autant que la salle à manger, qui la séduisit à l'extrême. «C'est faite pour recevoir en grand, vraiment!»

pensa la Brindille en évaluant la longueur de la desserte en noyer, recouverte, à cause des travaux, d'une grande toile blanche, mais dont on voyait les six pattes sculptées qui révélaient la taille massive du meuble. «La desserte des Potvin, elle, a seulement quatre pattes. Si toute est comme ce morceau-là, Mam'selle Joséphine va mener une grande vie.» La Brindille remarqua le monte-plats qui, comme chez les Potvin, reliait la salle à manger à la cuisine de la cave. Elle n'aimait pas du tout cet arrangement typique des maisons de Montréal parce que cela la privait du plaisir d'apporter elle-même les plats sur la table; cette invention, apparemment faite pour faciliter le service, lui enlevait sa récolte de sourires satisfaits et de compliments mérités.

La Brindille remarqua qu'en entrant on avait le choix entre deux portes qui donnaient sur le vestibule: l'une, qu'elle venait de franchir, était celle de la maison privée, et l'autre était réservée aux clients de Jean-Baptiste et donnait sur son cabinet de notaire. Clarinda sonna le timbre de la porte du cabinet et Jean-Baptiste vint ouvrir. Elle lui désigna la Brindille en expliquant que cette petite dame-là voulait lui parler, et s'en retourna aussitôt dans sa cave, mâchouillant toujours, laissant la Brindille avec Jean-Baptiste.

Nerveuse et pressée, la Brindille, les lèvres pincées, déballa tout d'un souffle la raison de sa visite.

— Pour piquer au plus court, j'suis venue pour une affaire qui me regarde personnellement en privé et qui a rapport avec votre promesse de faveur en échange de vous avoir caché dans l'arbre.

Voyant qu'elle était un peu énervée, Jean-Baptiste lui réitéra aussitôt sa volonté de respecter cette promesse et la pria le plus gentiment possible de s'asseoir dans son bureau. Elle le suivit dans son cabinet lambrissé de chêne blond et s'installa dans un fauteuil de cuir, comme si elle avait été une cliente. Marie reprit son souffle, essaya de s'appuyer au dossier du fauteuil, mais voyant que cela lui laissait les jambes pendantes comme une enfant sur une chaise d'adulte, elle se contenta de s'asseoir sur le bout du siège. Elle ne craignait plus d'être éconduite, mais elle était tout de même inquiète de ce qu'elle avait à dire. Sur le ton qu'elle prenait pour se confesser, lorsqu'elle était soucieuse de ne pas faire perdre son temps au confesseur, elle avoua être enceinte de Timoléon depuis qu'il était venu la voir au mois de mai.

— Y est venu secrètement, tout à fait secrètement, pour des raisons que Monsieur peut imaginer, vu que vous connaissez la politique.

Elle expliqua comment, à l'occasion de cette visite, Timoléon avait demandé un acompte sur sa nuit de noces, vu qu'il était en quelque sorte un soldat qui partait pour la guerre. Elle avait jugé qu'en toute conscience de bonne chrétienne, il était «quasiment de son devoir de patriote de pas démoraliser un homme qui risquait sa vie pour la bonne cause». Mais «l'acompte», c'était à prévoir, l'avait mise enceinte. Le problème était qu'elle n'osait rien dire aux Potvin ni de son état ni de son départ prochain, parce qu'elle n'était pas certaine du jugement qu'ils porteraient sur elle. En plus, elle n'avait jamais imaginé qu'elle leur ferait faux bond, en tant que cuisinière, voulait-elle dire, et sans vouloir se vanter, elle savait très bien qu'en la perdant, ils perdraient un bon morceau. Donc, les Potvin avaient de quoi se fâcher, et c'était la raison pour laquelle elle n'avait pas du tout envie de leur demander de la garder, enceinte et déshonorée — temporairement déshonorée.

— Toutes ces tracasseries, M'sieur Paradis, ça me coupe net toute possibilité d'appétit. Même que j'ai brûlé hier un gigot! On rit pus, là! Me v'là rendue que j'gaspille du bon manger... tellement j'me tracasse nuitte et jour.

La Brindille reprit son souffle avant de livrer la conclusion de son histoire:

— En conséquence de quoi, M'sieur Paradis, j'viens vous demander d'arranger les choses pour moé.

Jean-Baptiste voulut d'abord savoir pour quelle cause Timoléon s'était engagé, car il n'avait pas eu de ses nouvelles et la rébellion indépendantiste lui semblait écrasée pour de bon. Mais il ne put rien tirer de la Brindille, qui se contenta de répéter que Timoléon se battait pour la bonne cause, et qu'elle ne pouvait pas en dire plus parce qu'il lui avait demandé de garder le plus grand secret. Elle se mit alors le petit doigt de la main droite dans l'oreille droite et, voyant qu'il ne se passait rien, essaya avec le petit doigt de la main gauche dans l'oreille gauche en regardant Jean-Baptiste d'une étrange et intense façon. Cela n'eut aucun effet sur lui. Elle rougit et croisa les mains.

Jean-Baptiste, qui ne semblait rien remarquer, lui demanda comment il pouvait «arranger les choses pour elle».

Avant de venir, la Brindille avait mis de l'ordre dans ses idées. Elle avait préparé sa demande avec un «premièrement» et un «deuxièmement», pour ne pas se tromper. Premièrement, elle demandait ceci: qu'il aille lui-même révéler aux Potvin l'état embarrassant dans lequel elle se trouvait, car cela l'intimidait plus qu'elle ne pouvait le supporter. Deuxièmement, elle demandait le gîte et le couvert chez Jean-Baptiste en attendant que Timoléon revienne. Elle ferait la cuisine tant qu'elle pourrait tenir sur ses deux jambes et jusqu'à ce qu'elle soit installée dans sa nouvelle vie. Elle ajouta, comme si elle voulait être bien certaine qu'il comprenait:

— Ça veut dire, M'sieur Potvin, que vous donneriez l'asile à une fille-mère, et que vous me jetteriez pas dans la rue si je pondais mon oeuf avant que Timoléon revienne. C'est-y trop abuser de mon crédit?

Jean-Baptiste commença par lui dire qu'il était content de savoir que Timoléon allait bien et qu'il ne doutait pas un instant de sa parole: s'il avait promis de l'épouser, il le ferait. Il ne fit aucun commentaire moral sur la grossesse illégitime de Marie et la rassura complètement. Il promit qu'il se rendrait l'après-midi même chez les Potvin, que cette partie-là de l'affaire était certainement la plus délicate, sachant à quel point les Potvin tenaient à leur cuisinière et combien ils seraient déçus de la perdre. Mais puisqu'il avait engagé sa parole, les Potvin comprendraient qu'il s'acquittait ainsi d'une dette d'honneur. Marie pouvait d'ores et déjà se considérer chez elle dans sa maison. Malgré son aspect de chantier, le quartier des domestiques n'était pas touché par les rénovations et Marie pourrait s'installer dans sa nouvelle chambre dès que Narcisse, le cocher, aurait été chercher ses affaires chez les Potvin.

* * *

Les Potvin se montrèrent surpris: jamais ils n'auraient imaginé une idylle entre leur homme engagé et la petite cuisinière. Surtout, ils étaient attristés de perdre cette perle rare et se demandaient pourquoi la Brindille n'avait pas osé leur avouer son état. Mais puisqu'elle devait partir, un peu plus tôt ou un peu plus tard ne faisait pas une si grande différence.

Le soir même, la Brindille était installée dans la maison de Jean-Baptiste. Narcisse la conduisit à la cave et déposa ses effets dans sa nouvelle chambre, très semblable à celle qu'elle quittait. La petite pièce était sombre et froide, à cause des murs de pierre de trois pieds d'épaisseur qui retenaient l'humidité à longueur d'année. La Brindille déballa son paquet et s'endormit, rassurée d'avoir un toit au-dessus de sa tête, car l'hiver s'annonçait, et elle n'avait pas encore eu de nouvelles de Timoléon.

XV

L'Association des Frères Chasseurs regroupait tous ceux qui n'avaient pas accepté l'échec du docteur Nelson et qui étaient convaincus de faire mieux s'ils prenaient le temps de se préparer. L'Association comptait des adeptes dans le Haut-Canada aussi bien que dans le Bas-Canada et jusque dans les États du Michigan, de New York, du Vermont, du New Hampshire et du Maine. Elle avait même des ramifications en France, avec quelques Parisiens. Aux États-Unis et au Canada, les patriotes travaillaient fort à fabriquer balles et cartouches, en prévision de l'attaque décisive.

Timoléon était apprécié, car on pouvait lui demander mille et un services, et il les rendait toujours avec bonne humeur. Le Chevalier de Lorimier, surtout, réussissait à obtenir de Timoléon ce qu'il voulait. Il ne portait pas de titre militaire, mais ses talents d'orateur lui avaient valu un important rôle de conseiller. Timoléon n'avait jamais imaginé que les mots, quand on avait, comme le Chevalier de Lorimier, le tour de les enfiler, pouvaient avoir une telle puissance. Il observait l'homme, qui prenait des notes à longueur de journée comme si tout ce qui se disait constituait du matériel pour tisser plus tard un de ses discours serrés.

Chaque fois que Timoléon avait l'occasion — un privilège à ses yeux — de cirer les bottes de cuir fin de De Lorimier, il en profitait pour examiner leur fabrication. Il n'avait jamais vu un si beau travail du cuir. La qualité des bottes, l'élégance des chefs, la beauté de la rhétorique, tout cela rassurait Timoléon sur la solidité de l'armée. Il faisait confiance.

Louis Le Sage et Timoléon étaient devenus une fameuse paire d'inséparables. Sans se fatiguer, ils réparaient bottes, souliers, selles, attelages et besaces, et même les fonds de raquettes en nerf de bœuf.

Se sentant devenu un véritable cordonnier, Timoléon voulut faire son chef-d'œuvre, et Louis Le Sage l'y encouragea. Il fabriqua pour le Chevalier de Lorimier une superbe paire de bottes doublées de fourrure; ce n'étaient pas des bottes fines, comme celles qui venaient d'Angleterre, mais elles étaient élégantes, confortables, souples, solides et très chaudes. De Lorimier, fort impressionné — et surtout très reconnaissant, car il n'était pas bien endurci au froid —, lui écrivit un mot de remerciement assez élaboré qui témoignait de la qualité des bottes. Cela représentait pour Timoléon l'équivalent d'un diplôme; une telle lettre était de celles qu'on pouvait encadrer dans sa boutique, si jamais le Chevalier de Lorimier, et Timoléon n'en doutait pas, devenait un personnage important du gouvernement à venir. En plus, de Lorimier remit à Timoléon une pièce du cuir de chevreau le plus fin, d'un jaune pâle presque doré, ce cuir dont les Sauvages fabriquaient leurs tuniques et que les bourgeois recherchaient pour leurs gants. Timoléon était libre d'en faire ce qu'il voulait, c'était un cadeau, un salaire. Il roula la pièce comme s'il s'agissait d'un trésor, se disant qu'il en ferait un manteau pour la Brindille. Avec une toute petite retaille de cette superbe pièce, la partie qui correspondait aux pattes de l'animal et qui était généralement perdue, il entreprit de fabriquer une paire de minuscules mocassins doux — cousus plus ou moins à la manière indienne — sans toutefois y enfiler les billes de verre, pour qu'on ne le prenne pas pour un vrai Sauvage. Timoléon n'avait reçu aucune nouvelle de la Brindille, car elle ne savait pas écrire. Il ne se doutait pas de sa grossesse, mais il pensait déjà à sa descendance et voulait offrir à Marie, à son retour, ce symbole de la fertilité de leur union. Une fois qu'il les eut finis, petits, parfaits, ronds et gonflés comme si le pied chaud et potelé d'un bébé les avait déjà formés, il en fut si fier qu'il les accrocha à sa ceinture par une mince ficelle de cuir tressé, comme un porte-bonheur dont il ne se sépara plus, ni de jour ni de nuit. Quand on lui demandait s'il avait laissé au pays une femme «qui attendait», il répondait que oui, sa femme était «enceinte d'une trâlée d'au moins dix p'tits Canayens qui naîtraient tous coiffés de tuques en pure laine du pays».

Chaque soir, au moment de s'endormir, Timoléon entreprenait une longue prière, demandant au bon Dieu de lui réserver d'autres instants de bonheur avec la Brindille. Com-me si le bon Dieu avait besoin qu'on lui précise de quels moments de bonheur il s'agissait, Timoléon les lui rappelait instant par instant, revivant chaque parcelle de joie encore et encore, pour finalement assurer Dieu que du bonheur comme celui-là ferait de lui, c'était garanti, un chrétien exemplaire jusqu'à la fin de ses jours. «Donnant, donnant» semblait-il vouloir dire au bon Dieu; si dans le mariage un homme pouvait être gratifié à ce point-là, eh bien lui, Timoléon, ne serait pas en reste! Il ne dirait plus jamais que la vie dont le bon Dieu nous fait cadeau est une «chienne de vie»; il oublierait une fois pour toutes son passé d'enfant battu, qui lui avait fait croire à l'injustice divine, et il chanterait les louanges de toutes les créatures vivantes, hommes, femmes, enfants, bêtes, arbres, roches, montagnes, ruisseaux, lacs... et celles du Créateur par la même occasion.

Pour fêter l'achèvement de son chef-d'œuvre et les marques d'appréciation de De Lorimier, Timoléon invita son ami

Le Sage à venir trinquer à l'auberge. Il entra dans l'établissement en martelant le sol de sa semelle dure, le dos droit et la tête haute, comme pour donner aux six pieds de sa taille toute l'importance qu'ils commandaient, et ordonna avec assurance qu'on remplisse son verre «bord à bord» et celui de tous ses amis présents. Puis il leva haut son verre en disant d'une voix ample «à la bonne vôtre», avant de taper sur la table avec le fond de son verre vide et de demander d'un geste autoritaire qu'on le remplisse à nouveau. Il était content, content jusqu'au fond de son âme.

* * *

Les Frères Chasseurs s'étaient préparés tout l'été et pendant une partie de l'automne. Le jour tant attendu arriva enfin. Le docteur Nelson et le docteur Côté avaient été libérés aux États-Unis, à la grande joie de tous les rebelles réfugiés, et ils se préparèrent à conduire l'armée patriote pour une seconde invasion. Pour les Frères Chasseurs, il ne faisait aucun doute que tous les habitants du Bas-Canada rejoindraient leur mouvement quand l'armée des patriotes, grossie de tous les alliés américains, déferlerait sur la province. Les Canadiens français, estimaient-il, se verraient alors acculés à choisir un bord ou l'autre, et on ne doutait aucunement qu'ils choisiraient «le bon bord», puisque l'autre était celui des Anglais.

C'était à Châteauguay, le village natal de Louis Le Sage, que devait avoir lieu une première opération, d'une envergure limitée, destinée à fournir les armes dont les patriotes manquaient cruellement. Robert Nelson confia aux Frères Chasseurs originaires de la région de Châteauguay la tâche de rafler des armes chez les Anglais. Ainsi, ils feraient d'une pierre deux coups: désarmer les Anglais pour les empêcher de tirer sur les patriotes et récolter des armes. Pour cela, Nelson leur exposa ses deux stratégies. La première consistait à envoyer à l'avance un détachement spécial à Châteauguay, avec mission de confisquer leurs armes personnelles aux Anglais et aux Écossais et de réquisitionner les munitions qu'ils trouveraient dans leurs magasins. La seconde stratégie était d'aller demander aux Indiens de la nation iroquoise de Caughnawaga de «prêter» les leurs et de soutenir la rébellion patriotique au lieu de soutenir le gouvernement de Londres.

Timoléon fut autorisé à accompagner son ami Louis Le Sage et à faire partie du détachement de Frères Chasseurs qui devait arriver à Châteauguay le vendredi 2 novembre. Ils prévoyaient contrôler la région après avoir accumulé assez d'armes.

Les hommes arrivèrent à Châteauguay en soirée, affamés et fatigués. Ils se rendirent directement à l'auberge de la veuve Duquette, dont le fils Joseph était un des Frères Chasseurs responsables de l'opération. La veuve, contente de revoir son fils, leur fit servir à tous un repas plantureux. Timoléon remarqua que certains appelaient son ami «Le Siège» alors que d'autres l'appelaient «Le Sage».

— Comment c'est ton nom, en fin d'compte, Louis? Es-tu un siège, ou ben un sage? Un siège, on s'assit dessus, un sage, on l'écoute... demanda Timoléon avec un faux sérieux. C'était la première plaisanterie qu'il se permettait dans un groupe d'hommes et il en était fier.

— Appelle-moé comme tu voudras, répondit Louis en riant, du moment que tu m'appelles pour la bataille, parce que cette fois-là, les Anglais vont goûter aux procédés qu'y-z-ont l'habitude d'employer avec nous autres! Y-z-ont qu'à ben se tenir. Les moutons en ont assez de se faire tondre; astheur on est passé dans le camp des loups!

Le lendemain, samedi, vers la fin de l'après-midi, Timoléon et ses compagnons se réunirent avec quelques patriotes de Châteauguay dont ils pouvaient être sûrs. Le groupe convint de se rassembler de nouveau en fin de journée, à l'auberge de la veuve Duquette, et d'amener d'autres patriotes dignes de confiance. Ils partiraient de là ensemble pour aller désarmer les Anglais de la région. Le nombre de patriotes qui se joignaient au noyau des Frères Chasseurs ne cessa de grandir pendant tout l'après-midi. Vers cinq heures, ils étaient une quarantaine. Le notaire Cardinal, un Chasseur de Châteauguay, et le jeune Joseph Duquette avaient été chargés par Nelson du commandement de cette expédition. Ils décidèrent de s'adjoindre Timoléon et de lui confier tout de suite un poste de responsabilité. Il devait monter la garde à l'extérieur de l'auberge pendant qu'à l'intérieur on discutait de la manœuvre à venir. Si par hasard un Anglais venait à passer, Timoléon n'avait qu'à siffler, lui dit Cardinal, et on viendrait l'aider à le capturer.

— C'est en quelque sorte toi, dit Cardinal, qui va décider du déclenchement de nos opérations. Aussitôt que tu auras arrêté un Anglais: ça y est! On ne peut plus reculer.

Timoléon se sentit suprêmement honoré de la promotion et sortit aussitôt pour commencer sa garde. Tous s'accordaient pour dire qu'il fallait arrêter tout Anglais qui circulait dans le village, afin qu'il n'aille pas donner l'alarme aux autres loyaux de la région, mais aussi parce qu'il fallait bien commencer quelque part les arrestations prévues.

Timoléon demeura pendant une bonne demi-heure planté à la porte de l'auberge, sabre au côté. Alors que le vent froid et humide de novembre commençait à lui glacer les membres, il aperçut un homme en redingote et haut-de-forme dans un cabriolet. C'était Lewis Grant, un loyal de Lachine, qui passait par hasard devant l'auberge de la veuve Duquette. Timoléon sut immédiatement qu'il s'agissait d'un Anglais, même s'il ne l'avait jamais vu. Il se jeta comme un taureau au-devant du cabriolet, arrêta le cheval en le saisissant par l'encolure et le retint par la bride pour l'empêcher de se cabrer. D'un ton ferme, il ordonna à l'homme de descendre. Comme Grant ne bougeait pas, Timoléon ajouta, solennel comme un juge:

— C'est la révolution et vous êtes mon prisonnier. Descendez!

Lewis Grant, qui avait très bien saisi le sens des paroles de Timoléon, demanda quand même ce que tout cela signifiait. Il s'exprima en anglais et avec une telle hauteur que Timoléon lui aussi se cabra. C'en était trop! Comment l'Anglais osait-il l'humilier alors même qu'il procédait à son arrestation? L'absence totale de peur chez Grant et son coup d'œil amusé sur le sabre du Chasseur donnaient l'impression qu'il considérait tout ce branle-bas comme une comédie loufoque; cela piqua tellement Timoléon que, du coup, la rage lui remplit le cœur. Il se mit à trembler et fut incapable de dire quoi que soit. Un feu lui parcourait le corps, un feu d'une puissance inouïe. La dernière fois qu'il avait ressenti un tel foyer de vie en lui, c'était pendant sa nuit avec la Brindille. Ce feu-ci était d'une autre sorte, à l'opposé de l'amour, mais il n'en flambait pas moins d'une force magnifique.

Sans quitter l'Anglais des yeux, Timoléon inspira profondément: chaque particule d'air qu'il avalait lui redressait les épaules, lui allumait les yeux, lui bandait les muscles. Son cœur devenait une puissante machine capable de lui fournir une énergie surhumaine. Timoléon prit les choses d'encore plus haut que l'Anglais et lui répéta d'une voix de ténor:

— C'est la guerre! Et vous, vous êtes mon prisonnier! C'est moé, astheur, qui a le bon boute du bâton! C'est moé qui commande et j'dis: descendez de vot' cabriolet pis fermez vot' grande gueule d'Anglais, ou ben j'm'en vas vous faire sentir que j'peux avoir le bras pesant!

Sa fureur, maintenant qu'elle était celle d'un guerrier, devenait digne, légitime, belle. Il n'était plus obligé de ravaler sa rage, de contenir jusqu'à en étouffer le cri de révolte qui lui venait aux lèvres chaque fois qu'on le rabaissait. Pendant une minute, il en jouit pleinement; ces instants lui firent l'effet d'une éternité de délices. Il n'avait jamais imaginé que la guerre pouvait être la source d'un si grand plaisir.

Timoléon s'irrita encore de voir que l'Anglais obéissait trop lentement à son goût. Fumant des naseaux comme un taureau qui charge, il leva le bras et eut un désir fou de frapper. Mais, se rappelant qu'il était un soldat, et non un voyou, et que ce rôle comportait une certaine dignité, il se domina; il tendit sa large main, enserra le bras de Grant dans une poigne de fer et le força à descendre de son cabriolet. L'Anglais pâlit et, cette fois, regarda d'un autre œil le sabre que portait Timoléon. En même temps, Grant vit la quarantaine d'hommes qui s'étaient massés à la porte et aux fenêtres de l'auberge. L'Anglais rapetissa de peur et descendit. Timoléon n'en fut que plus grand et plus fort. Il remarqua que l'Anglais était beaucoup plus petit que lui; il retira autant de plaisir de cette observation que lorsqu'il entendit Grant redemander ce qui se passait, mais cette fois avec un léger bégaiement et une petite voix sans hauteur.

Timoléon ne comprenait pas un mot d'anglais, mais il pouvait différencier un ton chargé de mépris d'un ton respectueux, inspiré par la peur. Tenant toujours son prisonnier fermement par le bras, il se lança dans un discours confus où il était question d'une marée de Canadiens, d'Américains et de Français qui déferlerait sur le pays sous le commandement de Nelson pour faire l'indépendance. Le Bas-Canada serait alors déclaré, cette fois pour de bon, République indépendante de l'Angleterre; alors tout le monde serait libéré, y compris les Anglais qu'on faisait prisonniers pour leur prendre leurs armes et les empêcher de nuire. Mais jamais... jamais... jamais... — Timoléon mordait dans ce mot — les Anglais, et cela incluait les Écossais, les Irlandais et les autres immigrés que le gouvernement invitait pour affaiblir les Canadiens français en leur faisant cadeau des meilleures terres, jamais aucun de ceux-là, insistait Timoléon, «n'oserait plus nous traiter comme du bétail qu'on attelle à la charrue jusqu'à ce qu'il crève». Il s'arrêta pour jouir de l'expression inquiète de Grant.

En regardant le visage suppliant de l'Anglais, Timoléon pensa qu'il n'avait jamais, de toute sa vie, vécu autant que ces derniers mois. S'il mourait sur le champ de bataille, du moins aurait-il eu doublement l'occasion de vivre en homme libre: la première fois, en découvrant l'amour, et la deuxième, en découvrant la guerre. Timoléon se tourna vers l'auberge et vit ses Frères qui observaient la scène, prêts à intervenir. Ils se contentèrent d'applaudir l'exploit de Timoléon et son discours. On l'aurait couronné empereur que sa fierté n'aurait pas été plus intense.

Lewis Grant vit Joseph Duquette, un autre Frère Chasseur, se détacher du groupe massé devant la porte de l'auberge et s'approcher d'eux. Celui-là, Grant le connaissait: ce jeune homme dans la vingtaine étudiait le droit, et il était le fils de la veuve qui possédait l'auberge. Joseph Duquette demanda poliment à Grant — qui avait perdu toute arrogance — de bien vouloir se prêter à une fouille. Timoléon confisqua le pistolet de Grant et le tendit à Duquette. Celui-ci assura Grant qu'il serait traité aussi bien que possible et qu'il n'avait pas à s'inquiéter: personne n'en voulait à sa vie, on voulait seulement lui prendre ses armes, comme on le ferait avec tous les autres loyaux de la région, pour l'empêcher de se joindre à un groupe de volontaires qui attaquerait ensuite les patriotes, comme cela s'était passé la dernière fois. Duquette demanda à Timoléon de conduire son prisonnier — le premier qu'ils capturaient ce jour-là — dans une des chambres de l'auberge, de le laisser là et de bien le traiter.

Vers dix heures du soir, les patriotes étaient une centaine; ils décidèrent de commencer leur mission. Ils se dirigèrent vers la maison de John Mac Donald, le marchand que Grant allait voir lorsqu'il avait été arrêté. Ils frappèrent à la porte de Mac Donald. Celui-ci apparut à une fenêtre à l'étage. Les patriotes lui ordonnèrent de se rhabiller — car il était déjà au lit — et de venir ouvrir son magasin général, situé à proximité de la maison. Ils espéraient y trouver des fusils, de la poudre, des balles. Ils trouvèrent en effet vingt-cinq livres de poudre, soixante livres de plomb, mais pas de balles ni d'autres fusils que celui de Mac Donald.

La bande de patriotes continua de grossir à mesure qu'ils avançaient dans leur entreprise. Ils capturèrent tous les habitants d'origine britannique et écossaise, une vingtaine, à mesure qu'ils passaient devant leurs maisons. Timoléon conduisit pacifiquement ce petit groupe de prisonniers jusqu'au bureau du notaire Cardinal qui, avec le jeune Duquette, avait la responsabilité des opérations de Châteauguay. Une fois chez lui, le notaire envoya trois hommes à l'auberge pour qu'ils en ramènent le premier prisonnier, Lewis Grant, qui y était demeuré sous la surveillance d'un Chasseur. Cardinal voulait rassembler tous les prisonniers en un même lieu, chez lui. John Mac Donald demanda qu'on le mette avec son ami Lewis Grant et on accepta. Les prisonniers passèrent le reste de la nuit chez Cardinal, au chaud et dans le calme, comme s'ils étaient des invités.

Le dimanche, au lever du jour, il y eut un branle-bas dans la maison du notaire Cardinal. Quelques Frères Chasseurs, dont Timoléon et Louis Le Sage, venaient prendre leurs instructions pour exécuter le deuxième ordre de Nelson: aller chez les Indiens et prendre leurs armes. On s'entendit pour qu'une partie de la bande se rende parlementer avec les chefs iroquois et essaie de les convaincre de se rallier aux Canadiens français et à la nouvelle République.

Mais les chefs indiens, plus ou moins avertis de ce qui se préparait, décidèrent de prendre encore une fois le parti des Anglais. Ils décidèrent de jouer un jeu qui consistait à faire croire une chose pour ensuite faire le contraire. Les patriotes, trop facilement confiants, tombèrent aussitôt dans le piège. Ils se retrouvèrent enfermés dans l'église de Châteauguay, prisonniers des Iroquois. Ceux-ci discutèrent du sort de leurs prisonniers. Les Iroquois commerçaient avec les Anglais. Ils trouvaient plus avantageux de conserver ce qu'ils considéraient comme une sorte de neutralité. Ils voulaient, déclarèrent-ils, la paix. Et cela, pour eux, voulait dire livrer les patriotes aux loyaux de Lachine. Constatant la duperie, Timoléon s'approcha des Iroquois armés de fusils qui les empêchaient de sortir de l'église:

— Maudits hypocrites! Vipères! Vendus!

Les Iroquois le regardèrent d'un air surpris. Se pouvait-il qu'un guerrier de l'âge de Timoléon vienne tout juste de réaliser que l'hypocrisie faisait partie, partout et depuis toujours, des tactiques de guerre? Découvrait-il que la confiance et les bons sentiments, entre peuples et nations, cela s'appelle des alliances, et que les alliances se gagnent, se négocient et se maintiennent par la force bien plus que par l'amitié? Cet homme blanc, ce Français, était-il aussi naïf qu'un enfant? Timoléon, en tout cas, criait sa colère comme un enfant trahi.

L'autre partie de la bande des patriotes assemblés à Châteauguay avait échappé au guet-apens, mais Timoléon et Louis, qui se trouvaient à l'avant-plan avec Duquette et le notaire Cardinal, furent pris en même temps que soixante-treize autres.

XVI

Lorsque les loyaux de Lachine virent arriver sur le fleuve les embarcations remplies de prisonniers canadiens-français, ils furent enchantés d'une telle aubaine: on leur livrait soixante-treize ennemis sans qu'ils aient eu à se battre! Ils n'avaient plus qu'à récompenser les Iroquois et à remettre les patriotes à Colborne, qui les emprisonnerait à Montréal.

La distance à parcourir de Lachine à Montréal aurait justifié l'usage de charrettes ou de voitures pour transporter les rebelles, mais on décida qu'ils marcheraient, enchaînés, malgré la pluie glaciale. Les loyaux voulaient que tous aient l'occasion de voir la déchéance des patriotes. On les attacha deux par deux, comme des forçats, et on mit le convoi en marche dans la boue. Des cavaliers casqués et armés encadraient le défilé des malheureux.

Comme si son passé de chien battu l'avertissait, Timoléon comprit tout de suite que la vengeance des Anglais serait longue et cruelle. Son expiation ne faisait que commencer. Il n'éprouva rien de très intense à cette pensée, mais ses épaules se courbèrent, ses yeux s'éteignirent et ses pensées gelèrent.

On détacha un cavalier pour qu'il aille, au galop, répandre la nouvelle de cet étrange défilé, afin que les loyaux habitant entre Lachine et Montréal aient le temps de se masser sur le parcours. Il ne manqua pas de spectateurs: tout le long du trajet, il y eut du monde pour lancer des ordures ménagères aux prisonniers, leur cracher au visage, les insulter, leur décocher des coups. On ridiculisa leur entreprise, on se moqua de leur défaite; on rit de les voir tomber, on rit de ceux qui pleuraient.

Quand les insurgés arrivèrent à Montréal, ils étaient trempés et gelés jusqu'aux os d'avoir marché sous la pluie, les mains attachées derrière le dos et les pieds dans l'eau glacée. La boue épaisse projetée par les chevaux les avaient éclaboussés jusqu'aux yeux. À Montréal, on ne leur permit ni de se réchauffer ni de se sécher et on les mena, trempés, gelés, affamés et couverts d'immondices, sur le chemin de la prison en les faisant encore défiler tout le long de la rue Notre-Dame. Il y avait là tellement d'Anglais pour les injurier que des soldats de Sa Majesté durent leur ouvrir un passage dans la foule.

Couvert de plus de crachats et d'immondices que les autres prisonniers parce que sa haute taille le faisait ressortir du groupe, Timoléon avait renoncé à comprendre ce qui venait de se passer et ne s'était même pas aperçu qu'il défilait dans la rue Notre-Dame. Son cerveau était redevenu récalcitrant comme une bête qui refuse d'avancer, et ses émotions ne le portaient pas plus loin que la conscience du froid, de la fatigue et de la faim. Pendant tout le trajet, il n'avait pas non plus tenté de communiquer avec Louis Le Sage, attaché à un autre prisonnier dans le rang derrière lui. Tout s'était passé tellement vite; il ne pouvait pas croire que cela avait été une vraie guerre: pas un seul coup de feu, pas un seul blessé, pas même de véritable affrontement. Tout ne pouvait pas être déjà fini. Il avait à peine eu le temps d'élever la voix, de se colletailler avec un seul Anglais, à qui il n'avait fait qu'adresser la parole en lui serrant le bras un peu fort, que déjà il était vaincu.

La seule pensée qui lui venait était une question : pour être vraiment des soldats, auraient-ils dû traiter leurs prisonniers de la veille au soir avec autant de mépris et de rudesse que les Anglais les traitaient maintenant? Et auraient-ils dû attaquer aussi les Iroquois, quitte à parlementer ensuite, au lieu de leur faire bêtement confiance? Mais, si tout était fini, à quoi bon essayer de comprendre?... Un cerveau, une langue, des raisonnements, une fierté, tout cela ne lui servirait plus à rien en prison.

Depuis qu'on lui avait attaché les mains comme à un forçat, Timoléon était redevenu l'enfant battu qu'il avait toujours été; il avait retrouvé le dos voûté, les épaules rentrées, les yeux absents, la bouche entrouverte de celui qui laisse la souffrance entrer comme un liquide amer qu'il faut bien boire puisque c'est comme ça. Pendant tout le parcours, il avait accepté les coups et les injures avec la passivité d'un homme habitué à l'humiliation. Il ne se demandait même pas ce qui arriverait de lui par la suite.

Il aurait voulu manger du gruau avec du pain de la Brindille, dans une maison bien chauffée et bien propre, et ensuite s'endormir, la tête appuyée sur le ventre chaud de sa promise. Elle n'était pourtant pas loin la Brindille, puisqu'il se dirigait vers la prison de Montréal et qu'en ce temps de l'année, les Potvin devaient être à leur maison de ville. Mais seuls les loyaux occupaient la rue et il y en avait tellement que Timoléon ne pouvait pas voir où il était rendu. Les autres, les patriotes, ceux qui soutenaient la même cause que lui et ses amis, n'étaient nulle part visibles.

* * *

Ignace Potvin, cependant, était à la fenêtre de son cabinet de travail et reconnut Timoléon dans le défilé des prisonniers. Il fut bouleversé et comme personnellement humilié. Si cet homme-là, qu'il savait bon jusqu'à la bonasserie, était traité comme un dangereux meurtrier, la situation était extrêmement grave. Aussitôt le défilé passé, il sortit de chez lui, pressé d'aller aux informations. Il apprit, par ses amis du journal *La Minerve,* comment les Indiens avaient capturé une partie des patriotes assemblés à Châteauguay et comment ceux qui avaient échappé au guet-apens se trouvaient maintenant sans chef, avec leurs vingt prisonniers anglais sur les bras. Ces patriotes étaient découragés par l'échec de leurs compagnons auprès des chefs iroquois et par le traitement que leur avaient réservé les Anglais.

Ignace se rendit ensuite chez Jean-Baptiste, qui le reçut dans un état de grande nervosité et de tristesse, se désolant lui aussi de ce nouvel échec. Il avait vu le défilé des prisonniers, mais n'avait pas aperçu Timoléon. Quand Ignace le mit au courant, Jean-Baptiste se sentit comme un père dont l'enfant s'est blessé. «J'aurais dû user de plus d'autorité... j'aurais dû essayer de l'influencer davantage...» Sachant que la Brindille était demeurée à la cave pendant tout le défilé et qu'elle ignorait probablement le sort de Timoléon, Jean-Baptiste choisit de ne pas l'informer tout de suite, préférant attendre la suite des événements.

Pendant que les prisonniers s'acheminaient vers Montréal, Nelson passait la frontière avec son armée de Chasseurs et stationnait au village de Napierville. Certains de ceux qui étaient encore à Châteauguay partirent les rejoindre, mais d'autres, renonçant à participer à l'insurrection, rentrèrent chez eux. Deux ou trois patriotes continuèrent à monter la garde autour de la maison du notaire Cardinal, enfermé dans un cachot humide et glacé de Montréal alors que sa maison servait de confortable prison aux Anglais capturés le vendredi soir.

Le lendemain, le dimanche 4 novembre 1838, huit cents cultivateurs transformés en soldats armés de fusils, de pics, de pieux, de sabres, et de fourches s'assemblèrent sur la place de Napierville pour entendre Nelson proclamer, une seconde fois, comme il l'avait déjà fait le 28 février précédent, l'indépendance du Bas-Canada et sa constitution en république.

Pendant ce temps, lui aussi pour la deuxième fois, Sir Colborne proclamait la loi martiale et appelait sous ses ordres son armée de soldats professionnels, à la solde de Sa Majesté la reine d'Angleterre, la jeune Victoria, à peine âgée de dix-neuf ans. Le lundi matin, les patriotes réunis à Napierville tentèrent de s'organiser: il fallait non seulement armer et loger tous les hommes rassemblés depuis la veille, mais également les nourrir. On distribua des «bons de réquisition» à ceux qui venaient d'être nommés capitaines. Munis de ces papiers, ils devaient prendre, partout où il y avait des réserves, de quoi nourrir le nombre grandissant des hommes qui continuaient de se joindre aux patriotes. Les gens dont les biens étaient confisqués au nom du gouvernement provisoire recevaient un reçu et la promesse d'être remboursés lorsque le gouvernement de la république du Bas-Canada serait établi. Malgré cela, on manquait de tout: de soldats, d'abord, mais aussi d'armes, de nourriture et d'abris pour loger l'armée des rebelles, qui comptait alors trois mille hommes.

Le lundi soir, après avoir été informé de l'ampleur de cette seconde armée de patriotes, Jean-Baptiste n'en pouvait plus de rester chez lui et décida de se rendre à Napierville, malgré les efforts d'Ignace Potvin pour l'en dissuader. Il voulait partir immédiatement et juger par lui-même si cette fois était la bonne; si oui, il ferait sa part.

Il arriva à Napierville en soirée. Un désordre et une agitation extrêmes y régnaient. Il repartit au lever du soleil, plus profondément découragé que jamais. Il avait un urgent besoin de raconter ce qu'il venait de voir, pour se persuader qu'il avait raison de ne pas se joindre aux rebelles.

Sans même se permettre le repos dont il aurait eu grand besoin, n'ayant pas dormi depuis vingt-quatre heures, il se présenta chez les Potvin à l'heure du café matinal pour faire son rapport à un groupe d'amis et de parents qui, réunis au salon, discutaient des événements. Joséphine en était.

Jean-Baptiste, la barbe longue et drue, le visage affaissé, se demanda comment il ferait pour ne pas laisser transparaître son amertume et sa déception devant l'amateurisme de cette tribu de Frères Chasseurs, qui faisaient preuve, encore une fois, de plus de ferveur que de compétence. Il s'efforça de garder le ton le plus objectif possible pour parler de ce qu'il avait vu et entendu à Napierville.

— La stratégie de Nelson et Côté demeure vague. Personne ne sait au juste ce qui est prévu pour la bonne raison que ni Nelson ni Côté ne semblent le savoir avec précision. La structure hiérarchique est dangereusement floue, et bon nombre de cultivateurs, nouvellement faits capitaines, semblent avoir plus de goût pour parader avec leur sabre dans les rues de Napierville que pour l'action véritable. Les soldats ne sont pas enclins à obéir à ces capitaines-là qui, hier encore, étaient des habitants comme eux. Et ces capitaines, qui se donnent un ton autoritaire et voudraient être obéis de leurs soldats, n'obéissent pas davantage à leur général qui, lui, ne sait ni donner des ordres ni se battre. Peut-être parce qu'il est médecin et non militaire...

N'en croyant pas ses oreilles, Ignace Potvin demanda s'il n'y avait pas au moins un militaire de carrière qui aurait pu prendre le commandement d'une armée aussi indisciplinée.

— Il y a un militaire de carrière, un certain Charles Hindenlang, un Français de Paris. Mais cet homme ne cesse de s'alarmer et de se plaindre, à tous ceux qui pourraient avoir de l'influence sur Nelson, qu'on ne lui donne pas l'autorité pour diriger les troupes.

Jean-Baptiste était si déçu de ce qu'il avait vu qu'il conclut, en baissant la tête, comme s'il avouait une tare:

— Je crois que nous allons vers un autre désastre...

Sa voix se brisa... Il se raidit pour terminer son compte rendu:

— J'ai parlé avec des fermiers qui venaient d'heure en heure grossir l'armée patriote; certains le faisaient de leur plein gré, convaincus que cette fois serait la bonne, mais d'autres le faisaient parce qu'on ne leur avait pas laissé le choix, et ceux-là cherchaient à s'enfuir à la première occasion. Quand on pense que cette armée-là devra affronter l'armée professionnelle de Colborne!... Mes amis, je vous le demande, y a-t-il en nous quelque faille qui nous rende naïfs au point d'ignorer la force de l'ennemi?

Seul le silence répondit à la question de Jean-Baptiste.

XVII

Le docteur Nelson détacha une centaine d'hommes de Napierville et les envoya, sous le commandement du docteur Côté, accueillir aux frontières américaines les renforts qui devaient passer près de Rouse's Point. Deux jours plus tôt, Nelson était passé par là et avait caché quelques armes près d'un ruisseau. Les hommes devaient les ramener avec le reste.

Mais une déception les attendait: les mises en garde répétées du président américain avaient refroidi les sympathisants les plus fervents. Tout ce que le détachement de patriotes trouva à son arrivée près de la frontière, ce furent les armes que Nelson avait cachées. Aucun Américain! Encaissant mal ce coup dur, les patriotes décidèrent de rentrer à Napierville après une nuit de repos.

Le lendemain, ils accumulèrent les erreurs de tactique: sans éclaireur compétent, sans planification ni commandement, la troupe commandée par Côté se dirigea droit sur un ennemi plus fort qu'elle: les loyaux s'étaient massés en force à Lacolle.

Après une petite demi-heure de combat, ils perdirent la partie: huit patriotes furent tués et le reste du groupe prit la poudre d'escampette. Certains retraversèrent la frontière vers les États-Unis pour fuir tant les loyaux que les patriotes, alors que d'autres s'en retournaient à Napierville à travers bois, laissant là le canon, les fusils et les munitions que Nelson avait amassés au prix de tant d'efforts.

Le jeudi 8 novembre, Nelson décida de quitter Napierville avec une armée d'environ deux mille hommes. Il espérait se rendre à Lacolle pour déloger les volontaires loyaux et leur reprendre les armes abandonnées la veille par Côté et ses hommes. Mais les défaites avaient découragé un bon nombre de patriotes. Et, surtout, la perspective de croiser le fer avec l'armée de Colborne, qui marchait maintenant à leur poursuite, fit qu'un grand nombre profitèrent de la première occasion pour s'enfuir. La troupe partie de Napierville arriva à Lacolle le lendemain, diminuée de moitié. La plupart des fuyards étaient des habitants qu'on avait forcés à s'enrôler dans les troupes rebelles. Certains avaient compris qu'ils n'étaient pas des soldats, et s'étaient faufilés à travers bois pour retourner se cacher chez eux. Peu belliqueux de nature, ces habitants étaient par ailleurs très respectueux du clergé. Or l'évêque de Montréal prônait le respect de l'autorité britannique et de l'autorité ecclésiastique, comme si le fait de se rebeller contre l'une entraînait inévitablement une rébellion contre l'autre.

Comme s'il n'y avait pas assez de confusion, certains des hommes proches de Nelson commencèrent à douter de toute l'affaire. Ils ne savaient plus qui, des patriotes ou des Anglais, leur apporterait le plus de misères. Ils tentèrent donc, pendant la soirée, de capturer Nelson pour le livrer à l'ennemi et en finir avec tous ces déboires! «Bande de fous!» s'écria un Chasseur qui venait de comprendre le projet des traîtres. Nelson put reprendre son poste, mais ce fut dans le chaos et dans un climat perverti par la méfiance et la désertion que l'armée patriote campa ce soir-là à Lacolle, se préparant plutôt mal pour l'affrontement du lendemain, qui devait avoir lieu à Odeltown, contre des volontaires loyaux.

Pendant qu'à Lacolle on préparait le campement de nuit, les troupes de Sa Majesté, parties de Montréal le matin, avançaient en bon ordre, sous le commandement de Sir John Colborne. Ils étaient six à sept mille soldats de métier regroupés en quatre régiments: des Dragons, des Hussards, quatre cents Indiens et un corps d'artilleurs remorquant une batterie de huit canons.

Après une nuit agitée, à se soupçonner les uns les autres et à se disputer, les patriotes arrivèrent à Odeltown vers onze heures du matin. Ils furent reçus par un coup du fameux canon abandonné là trois jours avant. Le combat s'engagea immédiatement: les Frères Chasseurs utilisèrent au mieux leurs quelques tireurs exceptionnels, mais très vite, ils avaient épuisé leurs munitions et se virent cernés à l'arrière par une centaine de volontaires loyaux. Il leur fallut bien se rendre à l'évidence: ils étaient battus! Quelqu'un sonna la retraite, on ne sut jamais qui, car Nelson n'avait même pas attendu ce signal pour s'enfuir de nouveau vers les États-Unis, écœuré à jamais de la lutte politique.

À mesure que l'armée de Colborne avançait dans les villages, une évidence s'imposait: il n'y aurait pas de combat. Les autres patriotes, à Châteauguay, à Beauharnois et à Napierville, étaient déjà désorganisés et divisés, et certains Frères Chasseurs, pour sauver leur peau, trahissaient les leurs.

À Châteauguay, les patriotes qui avaient la garde des sept premiers prisonniers — dont Grant et Mac Donald — ne savaient plus trop qu'en faire. Ils décidèrent de les laisser aller, sans plus, en s'excusant abondamment.

Le 10 novembre, lorsque les troupes royales arrivèrent à Napierville, il était neuf heures du matin et la place était déserte. Le reste des rebelles, cette fois, comprit que sans général, sans armée et sans armes, il serait tout simplement suicidaire d'affronter une armée comme celle qui arrivait — la plus importante depuis la bataille des Plaines d'Abraham, qui avait fait du Bas-Canada un pays anglais. Ils firent donc place nette, chacun s'en retournant dans ses terres.

* * *

Dans les mois qui suivirent, les prisons se remplirent encore de huit cent cinquante-cinq patriotes. C'était enfin pour Colborne le temps des représailles. Il avait maintenant beau jeu de se venger, car Lord Durham, le Gouverneur en chef de toutes les provinces britanniques de l'Amérique du Nord, qui, en arrivant, avait vidé les prisons que Colborne avait remplies lors de la première insurrection, était retourné en Angleterre quelque jours avant le début de la deuxième rébellion. En partant avant la fin de son mandat, Lord Durham avait cédé les pleins pouvoirs à l'administrateur de la colonie, Sir Colborne, qui devenait Gouverneur par intérim.

Quand Lord Durham était arrivé, il avait la mission d'enquêter et de faire rapport sur la situation du Bas-Canada. La conclusion de son rapport avait été sans équivoque: il fallait assimiler, angliciser tout le peuple canadien, qui était à ses yeux «un peuple sans culture et sans histoire». Tant que les Canadiens français ne comprendraient pas qu'il leur fallait s'assimiler ou périr, il importait, avait conclu Durham, de les tenir en état de subordination politique et économique. Pour ce faire, une assemblée coloniale dominée par les Britanniques renforcerait les liens impériaux et rassurerait les investisseurs britanniques. L'immigration, elle aussi, devait contribuer à isoler les Canadiens français. Londres, qui reçut le rapport de Durham, trouva l'idée bonne.

Comme bien d'autres Fils de la Liberté, Jean-Baptiste était si démoralisé par l'amateurisme militaire qui, à trois reprises, avait mené les rebelles à un échec lamentable, qu'il se demanda pour la première fois si Durham n'avait pas raison; ne valait-il pas mieux s'intégrer et devenir des Britanniques? Il n'était plus du tout certain de vouloir s'identifier à tout prix à un groupe chez qui la religion et la ferveur naïve tenaient une plus grande place que la raison. En Angleterre autant qu'en France et aux États-Unis, les meilleurs cerveaux se consacraient à la science, à la philosophie, aux humanités, et c'était à ces hommes-là qu'il s'identifiait. La France séparait les affaires de l'Église de celles de l'État, les États-Unis construisaient en priorité des universités, l'Angleterre développait son commerce alors qu'ici, se répétait Jean-Baptiste, «les meilleurs cerveaux, on en fait des curés; au lieu d'universités, on bâtit des séminaires; au lieu de développer le commerce, on renvoie nos paysans à leurs jardins et à leurs champs».

Jusque-là inébranlable, sa foi dans le grand idéal d'égalité et de fraternité chancelait. Il n'était plus certain de ce que pouvait vouloir dire l'égalité, avec ces paysans superstitieux et bigots qui se méfiaient des idées neuves comme d'autant de sources de péchés. Si cette égalité supposait qu'il devait adopter leurs valeurs, il choisissait tout de suite le parti des Anglais instruits et libéraux. Quant à la fraternité, c'était un sentiment qu'il avait toujours éprouvé envers toutes les personnes de son peuple, quelle que soit leur classe; mais il doutait aujourd'hui de sa réciprocité. Les habitants, il ne pouvait plus l'ignorer après cette année passée à les fréquenter, donnaient leur plus totale confiance aux chefs en soutane, mais ils se méfiaient des intellectuels de la ville, qui avaient l'air d'en savoir trop long. Qui étaient ses véritables frères? Les habitants dont il partageait la langue et le territoire géographique, ou les Français de la même classe que lui, ou les Américains, ses alliés républicains, ou même les Anglais, avec leur libéralisme idéologique? Jamais de toute sa vie il n'avait été si hésitant quant à la direction à prendre. Seuls ses sentiments pour Joséphine pouvaient lui servir de gouvernail pour passer à travers cette mer déchaînée des identités contradictoires. Il avait là, au moins, une certitude à laquelle il pouvait s'accrocher pour ne pas chavirer.

XVIII

Les procès commencèrent le 28 novembre 1838.

Jean-Baptiste avait la difficile tâche d'informer la Brindille de l'emprisonnement de Timoléon, car celui-ci était parmi les premiers qui devaient être traduits en cour martiale. Il la fit venir dans son cabinet.

La Brindille, se voyant convoquée en plein cœur de l'après-midi, sut tout de suite que les nouvelles étaient mauvaises: les maîtres ne s'intéressent à vous, pensa-t-elle, que lorsque la situation est très grave; ils ne viennent pas aux noces et aux baptêmes de leurs domestiques, mais ils suivent le cortège de leur enterrement.

Avant d'entrer dans la pièce chargée de livres, elle se frotta les reins car l'enfant, qui lui faisait un ventre énorme et une silhouette disproportionnée, pesait terriblement. Le cœur inquiet, elle prit place devant Jean-Baptiste, séparée de lui par le bureau de chêne clair que réchauffait un grand rayon de soleil. Jean-Baptiste lui apprit la nouvelle.

Elle demanda à Jean-Baptiste de quel crime au juste Timoléon s'était rendu coupable envers les maîtres anglais.

— Y en aurait-y tué tant que ça? Pis, même à ça, quand on est soldat, est-ce que c'est pas ce qu'on est supposé de faire?

En tous les cas, les Anglais, eux autres, y se gênent pas pour tirer, incendier, emprisonner. Pour eux c'est permis?

Jean-Baptiste lui répondit qu'il ne savait rien du comportement de Timoléon ni de ses actions contre les Anglais — pendant ce qui n'avait pas été une guerre, mais bien une *insurrection* —, puisque les prisonniers n'avaient pas le droit de recevoir de visite et que malgré les démarches qu'il avait faites, il n'avait pas eu la permission de lui parler. La Brindille ne faisait pas la différence entre une guerre et une insurrection, mais elle savait que lorsqu'on est en prison, normalement, c'est pour être jugé.

— Y vont le juger, hé? Pis moé, j'pourrai aller dire à la face du juge que Timoléon, c'est pas un malfaiteur ni un pintocheux; que ce gars-là, y en endure épais avant de se rebiffer.

Elle demanda qui allait juger Timoléon, et où elle pouvait aller témoigner de son honnêteté. Jean-Baptiste lui répondit que ce n'était pas une cour ordinaire mais une cour martiale, composée de quinze militaires anglais choisis par Colborne.

— Ça s'peut pas pantoute, M'sieur Paradis, pour la raison ben simple que Timoléon parle pas un seul mot d'anglais! Y pourront rien comprendre de ses explications, vu qu'eux autres parlent pas un mot de not' langue!

Jean-Baptiste ne trouva rien à répondre à la Brindille. Évidemment, tout cela n'était qu'une caricature de justice: la cour martiale était composée des mêmes militaires que ceux qui avaient réprimé l'insurrection; ils allaient pour ainsi dire juger ceux qui leur avaient fait la guerre! Leur opinion était évidemment faite avant même que la cour ne commence à siéger: il fallait envoyer toute cette racaille à l'échafaud, le plus vite possible, pour nettoyer la province de la pourriture indépendantiste! C'est du moins ce que suggérait Adam Thom du journal *The Herald*.

Jean-Baptiste ne révéla pas à la Brindille ce qu'un journaliste lui avait appris: pendant les audiences, certains officiers s'amusaient à dessiner au crayon, sur des morceaux de papier qu'ils se passaient, des échafauds où étaient pendus les hommes qu'ils étaient censés juger. Parce qu'il était un grand maigre aux épaules tombantes et qu'avec son air de chien battu il passait pour plus benêt que les autres, Timoléon était devenu leur sujet de caricature préféré. On représentait son grand corps étiré dans le vide au bout de la corde, et on lui dessinait des pieds monstrueusement petits, chaussés des mocassins de bébé qu'il portait à la ceinture.

* * *

Le 28 novembre, Timoléon comparut en même temps que douze de ses compagnons, tous accusés de haute trahison puisqu'ils avaient marché sur Caughnawaga avec l'intention d'acquérir des armes pour renverser le gouvernement.

On ne put trouver de preuve ni de témoignage incriminant Louis Le Siège dit Le Sage, l'ami de Timoléon, ni contre quelques membres de cette malheureuse expédition; ceux-là furent libérés. Mais les autres furent déclarés coupables *et condamnés à être pendus par le cou jusqu'à ce que mort s'ensuive, à l'heure et à l'endroit fixés par Son Excellence le Général commandant des forces de cette province et administrateur du gouvernement,* c'est-à-dire Sir Colborne.

Timoléon ne comprit rien à la lecture de sa condamnation parce qu'il ne comprenait pas l'anglais et qu'il était si abattu que son esprit semblait l'avoir quitté.

Dès qu'il fut au courant du verdict, Jean-Baptiste fit revenir la Brindille dans son bureau pour l'informer que Timoléon venait d'être condamné à mort. Elle refusa catégoriquement de le croire:

— Ça se peut tout simplement pas ce que vous m'annoncez là. Le bon Dieu est pas si méchant. Y va se passer un miracle. Vous saurez me l'dire!

De très mauvaise humeur, elle sortit vivement de la pièce comme si Jean-Baptiste venait de médire de Timoléon. Dans l'escalier sombre qui la ramenait à la cave, elle tendit le bras pour s'appuyer sur le mur de pierre. Son ventre était si gros et elle, si petite qu'elle perdait parfois l'équilibre quand le bébé se mettait à bouger. Ce n'était pas le temps de débouler l'escalier. Elle mit toute sa concentration à descendre prudemment et à ne pas penser aux terribles paroles que venait de prononcer Monsieur Paradis. Ne savait-il pas qu'il faut épargner aux femmes enceintes les spectacles horribles et les mauvaises nouvelles?

«Le bon Dieu est pas si méchant. Y va faire un miracle», se répétait-elle comme une litanie apaisante, et elle se fit une tisane de salsepareille.

Comme pour donner raison à la foi de la Brindille, Colborne trouva prudent de ne pas trop charger le programme des exécutions dès le début: il commua la sentence de mort en déportation à vie pour un certain nombre des condamnés. La Brindille apprit cette nouvelle et se dit que le bon Dieu, comme de raison, était intervenu et que Timoléon serait déporté et reviendrait.

— Y faut pas exagérer sur la misère. Même le bon Dieu comprend ça!

Ce n'est qu'une semaine plus tard qu'elle apprit, encore de Jean-Baptiste, que Colborne avait décrété qu'il ne saurait y avoir de pardon ni pour le notaire Cardinal ni pour le jeune Joseph Duquette, qui étaient tous les deux des récidivistes, ni pour Timoléon Pilotte, qui avait commencé les arrestations et conduit les prisonniers britanniques chez le notaire Cardinal. Ces trois-là, décréta Colborne, seraient pendus le 21 décembre 1838, dans la cour de la prison du Pied-du-Courant, à la vue des autres rebelles prisonniers qui attendaient leur procès. Cela leur servirait d'exemple et les rendrait plus dociles par la suite.

Pendant qu'on continuait les procès, des menuisiers commencèrent à dresser un échafaud énorme, pour faire comprendre à tous les prisonniers agrippés aux barreaux des fenêtres que, avec un échafaud assez gros et assez solide pour exécuter six ou sept condamnés à la fois, les choses n'allaient pas traîner! Colborne était décidé à pendre avec efficacité. Le journaliste Adam Thom, du *Montreal Herald,* vint en personne se réjouir du tableau, invitant ses lecteurs à faire de même, en attendant que le vrai spectacle commence.

Timoléon, regardant par la lucarne de sa fenêtre, comprit tout de suite ce que les menuisiers fabriquaient. S'il n'avait pas été certain de son sort, c'était parce que beaucoup de condamnés avaient vu leur peine commuée en déportation. Mais le bois, les clous et les cordes qui s'assemblaient sous ses yeux en forme de potence le convainquirent, plus sûrement qu'aucun tribunal, que certaines condamnations n'étaient pas révisées.

Un compagnon de cellule lui confirma que c'était là l'échafaud sur lequel lui, Timoléon, monterait dans une semaine, en même temps que le notaire Cardinal et le jeune Duquette, incarcérés dans une autre cellule.

Timoléon, tout d'abord, ne le crut pas. Le Sage n'avait-il pas été libéré? Pourquoi lui devrait-il mourir? Habitué à la méchanceté, il crut d'abord à un triste tour qu'on essayait de lui jouer, pour le voir trembler de peur. Mais le regard triste et compatissant de ses compagnons de cellule massés avec lui autour de la lucarne ne lui laissa aucun doute: tous le regardaient comme s'il était déjà mort.

Se détachant de la fenêtre pour ne plus voir cette estrade de malheur, il se mit à frissonner comme si une forte fièvre s'emparait de lui, puis il pleura, debout, avec des petits jappements aigus et étouffés, comme un chiot battu à coups de pied; la bouche ouverte, les yeux fermés et la tête renversée vers le plafond de sa cellule, il laissait pendre ses grands bras, inertes; les veines gonflées de ses mains bleuissaient et avaient déjà l'air de mains de pendu.

Dans l'heure qui suivit, il perdit l'usage de la parole et tomba dans une sorte d'hébétude. Il avait osé aimer, osé se battre, osé être complètement un homme, un homme libre, et maintenant, il fallait payer. Que le prix exigé soit exorbitant lui paraissait presque normal. C'était comme si l'ordre des choses, aussi injuste fût-il, était rétabli. Né pour un petit pain, il avait goûté aux plus grands délices de la vie: les plaisirs de l'amour et l'exaltation de la guerre. L'un et l'autre avaient été bien brefs, à peine quelques instants chacun, mais d'une intensité qui pouvait donner son sens à toute une vie. Il avait vécu. Il avait eu l'audace de sortir du rang, de se faire remarquer; on l'avait applaudi, aimé, et pour cela, il se balancerait au bout d'une corde.

Bientôt il cessa de frissonner, et intérieurement tout s'éteignit, comme s'il passait de l'autre côté de la vie. Il ne fut plus capable de parler, de formuler une idée ou d'éprouver un sentiment; son esprit venait de mourir. Il était comme un enfant irrémédiablement fermé, à l'âme durcie comme une roche, un enfant qui attend le prochain coup de bâton comme s'il allait de soi. Timoléon était dans un désert de pierres froides qu'il reconnaissait comme son lot. Monter à l'échafaud ne serait qu'une blessure de plus; il ne souffrirait pas davantage, à condition de ne pas laisser entrer dans son cœur le souvenir de sa nuit avec la Brindille. Ce petit brin d'amour, s'il pénétrait son âme, lui ferait plus mal que la mort.

XIX

Dès qu'il apprit la condamnation irrévocable de Timoléon, Jean-Baptiste entreprit des démarches pour obtenir de Colborne qu'il commue la sentence de mort en déportation. Mais chacune de ses démarches échoua. Pour que la Brindille cesse de le regarder comme si c'était lui qui inventait toutes ces mauvaises nouvelles, il décida de la mettre au courant du contexte et de la gravité de la situation. Il ne restait que très peu de temps avant l'exécution, et il voulait qu'elle sache où en étaient les choses.

Encore une fois, il la fit venir dans son bureau et s'arma de patience. Mais il avait beau lui expliquer les choses lentement, la Brindille n'y entendait rien: elle ne savait pas ce qu'était une cour martiale, ne comprenait pas que ce que signifiaient la suspension de l'*habeas corpus* ni le rétablissement de la loi martiale. Elle n'acceptait toujours pas que Timoléon, qui ne parlait ni ne comprenait l'anglais, ait été jugé en anglais, qu'il n'ait pas eu le droit de recevoir des visiteurs et qu'il n'ait pas ce droit, même avant de mourir. Elle ne voyait pas en quoi il était plus coupable de haute trahison que ceux dont la sentence avait été commuée. Mais à mesure que

Jean-Baptiste répondait à toutes ses objections, elle voyait un échafaud se bâtir dans son imagination et Timoléon y monter en tremblant.

Quand enfin elle se résolut à envisager le pire, elle eut mal comme si on venait de lui dire qu'*elle* était condamnée à être brûlée vive. Toute sa conception du monde, basée sur une distinction claire, nette et tranchante entre le bien et le mal, basculait devant la cruauté incompréhensible de l'exécution de Timoléon. Elle ouvrait des yeux exorbités en écoutant les explications de Jean-Baptiste, les yeux d'une personne qu'on étrangle.

Quand Jean-Baptiste se tut enfin, la Brindille se sentit gelée, comme si on l'avait jetée en pleine nuit sur un banc de neige, dans sa chemise de nuit en coton usé. Les lèvres bleues et pincées, elle dit d'une voix brisée:

— Le bon Dieu nous a fait cadeau d'une ben grosse portion d'amour, à Timoléon pis moé. Y nous a juste laissé le temps d'y goûter pis de comprendre à quel point c'est bon... Mais y nous a pas laissé le temps de nous rassasier. C'est un festin d'amour gaspillé... gaspillé...

La Brindille s'enroula dans son châle, comme si ce geste pouvait contenir sa souffrance dans les limites de son corps. Refusant le verre de brandy que lui offrait Jean-Baptiste, elle s'en retourna dans la cave et s'enferma dans sa petite chambre sombre et froide. Debout, les deux mains appuyées sur le pied de son lit de fer, comme si elle avait besoin de se tenir à quelque chose de stable, elle fixa le mur de pierres grises. Il lui semblait que son ventre devenait énorme: il portait toute la misère du monde, une grouillante et dangereuse boule de vie, condamnée à la souffrance avant même de naître. Son ventre, qui ne l'avait pas empêchée ce matin de courir d'une tâche à l'autre avec une vivacité d'écureuil, était maintenant une roche avec laquelle elle aurait voulu se noyer. Que viendrait faire ici-bas cet enfant sans père? Pourquoi apparaissait-il dans la vie d'une misérable fille engagée? Elle ne pouvait concevoir que Dieu puisse se venger sur un innocent de son péché contre la chair. Elle ne pouvait admettre qu'il soit si opposé à l'amour entre les humains. «À moins que ça soye comme Monseigneur l'avait dit, parce que c'est péché de se rebeller contre l'autorité en place.» Mais, raisonnait-elle, si c'était péché d'attaquer l'Anglais, pourquoi était-ce pardonnable de pendre Timoléon? La moralité des personnes divines lui paraissait d'une cruauté aussi incompréhensible que celle des Anglais.

Elle eut soudainement envie de s'arracher les cheveux à pleines poignées, de se lacérer le visage avec les ongles jusqu'à ce que la meurtrissure du corps dépasse sa douleur intérieure; elle aurait préféré une douleur physique à l'infinie souffrance d'imaginer la pendaison de Timoléon. Sentant qu'elle perdait l'esprit, elle s'habilla et décida de se rendre à l'église Notre-Dame. Elle voulait tenter un dernier plaidoyer auprès de Dieu le père, Dieu le fils et la sainte Vierge, car c'était là sa sainte trinité. Aussitôt entrée dans l'église, alors qu'elle s'avançait vers l'autel, son œil fut entraîné jusqu'à la voûte élevée, qui donna à sa peine l'élévation et la beauté dont les grandes douleurs ont besoin.

Tout d'abord, elle ne pensa pas tant à l'enfant à venir qu'à la perte de Timoléon. Avant de savoir à quels délices l'amour pouvait conduire, elle n'aurait jamais cru qu'il puisse être si difficile d'y renoncer; à la pensée qu'elle n'aurait plus jamais de nuit avec Timoléon, il lui semblait qu'on lui arrachait le cœur avec des pinces brûlantes. Maintenant qu'elle connaissait l'amour de l'homme, tout le reste, en comparaison, lui semblait fade, y compris la maternité, car la vie elle-même devenait peu de chose si les sommets de joie en étaient exclus pour toujours. La contemplation de la voûte de l'église la ramenait au ciel étoilé du mois de mai, sous les pommiers; la beauté des sculptures et des dorures semblait avoir pour unique fonction d'amplifier ses souvenirs d'amour, et toute cette splendeur lui faisait comprendre pourquoi elle avait si mal.

Elle s'agenouilla dans le cinquième banc, et se mit à chuchoter, comme elle le faisait dans la solitude de sa chambre quand elle livrait à Dieu le fond de ses pensées ou qu'elle avait des remontrances à lui faire.

— Vous qui êtes supposé être l'Amour en personne, on peut dire que c'est par amour que j'me suis donnée à Timoléon; du bon amour qui venait du meilleur sentiment. C'est toujours ben pas parce que j'y ai trouvé du plaisir que ça salit l'amour? Si c'est seulement vous qu'on a le droit d'aimer, c'est donc que vous êtes pire que les maîtres, parce qu'eux autres, au moins, y nous laissent nous aimer entre nous autres. Vous êtes not' seigneur et maître, j'entends bien ça! J'sais c'est quoi un seigneur! Pis j'sais c'est quoi un maître! Mais il y a toujours ben une limite à la vengeance! Seriez-vous pire que ce démon de Colborne? Timoléon avait un cœur aussi pur que l'enfant que j'porte; ça, vous le savez parce que vous savez tout ce qui se passe dans le cœur des humains. Alors envoyez donc un miracle en urgence, parce que ça presse!

La pensée de la Brindille se déplaça de Timoléon vers l'enfant à naître. Elle se tourna vers la statue de la Vierge et se mit à imaginer l'annonce faite à Marie, enceinte alors qu'elle n'était pas encore mariée. «Une fille-mère, comme moé», pensa la Brindille. Elle revint à ses remontrances à Dieu puisque c'était avec lui qu'elle avait commencé le dialogue.

— Dans vot' abaissement, vous êtes pas allé jusqu'à naître d'une pauvre fille-mère. Vot' père a arrangé les affaires pour que Marie ait le temps de se marier avant de vous mettre au monde. Toute seule pour raconter qu'elle était devenue enceinte d'un moéneau, elle était pas mieux que morte, la pauvre! Mais vot' père lui a envoyé Joseph, un bon gars ben installé avec une p'tite échoppe de menuisier comme celle que mon Timoléon aurait eue en devenant cordonnier. Dans sa sainte sagesse, vot' père s'est dit qu'y fallait pas exagérer sur la misère, pis y vous a donné une vraie famille avec une mère, pis un père. Dites-moé donc ce que Timoléon a faite, et ce que moé j'ai faite de si mal pour mériter votre haine. C'est çartain que vous avez le droit de m'enlever mon homme. Ça serait pas la première fois que vot' volonté serait de séparer ceux qui s'aiment. Mais aujourd'hui, ça déborde. J'vous trouve tellement cruel que je peux pus penser à vous comme au *bon* Dieu.

La Brindille était arrivée au bout de son exploration intérieure. Elle ne pouvait plus reculer devant ce qu'elle découvrait au fond de son cœur. Elle fit une pause, leva les yeux vers le grand crucifix et conclut:

— À partir d'aujourd'hui, j'vas faire affaire avec vot' sainte Mère.

En cet instant, et pour toujours, Marie rompit son contrat avec Dieu et décida de faire affaire uniquement avec son homonyme. C'est avec elle, dorénavant, qu'elle s'expliquerait. Marie, elle, au moins, allait comprendre ses misères, puisqu'elle n'avait eu que cela: un mariage privé d'amour terrestre, une vie de soumission, de solitude et de larmes, avec comme récompense un fils crucifié. La Brindille adressa la suite de son monologue à la Vierge.

— Sainte Mère de Dieu, j'vous adresse ma prière: prenez cet enfant-là pour en faire un p'tit ange. Si vous m'enlevez Timoléon, pourquoi pas reprendre l'enfant et le faire monter directement dans vot' paradis? Y serait ben mieux avec vous, qu'icitte en bas, à souffrir comme une pauvre bête blessée. J'aime pas la misère des enfants, elle a pas de bon sens. Les bêtes blessées, quand on a du cœur, on les achève. Faites donc un p'tit ange du mien, et reprenez-le aussitôt qu'y sera né. C'est pas que je l'veux pas! Ça me crève le cœur de vous l'donner tout de suite. Vous savez ben que j'demanderais pas mieux que de me consoler en l'berçant. Mais on devrait pas avoir le droit de grossir la souffrance des p'tits parce qu'on a envie de bercer leur misère au lieu de la nôtre. J'vous le demande: si vous me prenez mon homme, prenez aussi mon enfant; faites-le monter tout drette dans vot' paradis avec les autres p'tits anges. Marci.

La Brindille se signa, sortit de l'église et rentra chez elle. Elle se réfugia sous les couvertures, roulée sur le côté autant que son gros ventre le lui permettait, son oreiller entre les genoux pour empêcher que la douleur au dos ne se répande dans tout le corps, les genoux ouverts comme si elle s'était attendue que l'enfant se sauve pendant la nuit pour aller au ciel.

XX

Ignace Potvin et Jean-Baptiste Paradis eurent beau se démener comme si Timoléon avait été leur propre frère, ils n'obtinrent pas la remise de la sentence. Colborne fit même savoir à Ignace, par l'entremise d'un sergent de police, qu'il n'ignorait pas que Paradis s'était caché chez lui, à Contrecœur. Il ne fallait tout de même pas pousser leur chance trop loin en prenant la défense d'un autre rebelle, un homme engagé qui n'était même pas de leur classe.

Le matin précédant l'exécution, Jean-Baptiste, ne renonçant toujours pas, se rendit avec la Brindille chez la femme du notaire Cardinal, lui aussi condamné à l'échafaud. Il présenta la Brindille comme l'épouse de Timoléon Pilotte. La Brindille lui lança un coup d'oeil de reconnaissance silencieuse.

Madame Cardinal venait de passer la nuit à écrire une lettre et elle voulut la faire lire à la Brindille; malgré la différence de classe, la femme du notaire se sentait proche de cette domestique au ventre rond, car elle aussi attendait un enfant. Son idée était de s'adresser à Lady Colborne, qu'elle espérait toucher par sa situation d'épouse, de mère et de femme enceinte. Jean-Baptiste, sachant que la Brindille ne savait ni lire ni écrire, offrit de lui faire la lecture à voix haute. Madame Cardinal le lui permit. Avec émotion, il lut:

Vous êtes femme et vous êtes mère! Une femme, une mère poussée par le désespoir, oubliant les règles de l'étiquette qui la séparent de vous, tombe à vos pieds, tremblante d'effroi et le cœur brisé, pour vous demander la vie de son époux bien-aimé et du père de ses cinq enfants! L'arrêt de mort est déjà signé! L'heure fatale approche! Demain! Hélas!

Je serais plus forte si une autre existence ne dépendait pas de la mienne! Mais mon malheureux enfant ne verra jamais son père.

Faut-il que soit répandu le sang d'un homme qui n'a jamais causé le moindre tort dans tout le cours de sa vie? Car c'est une atroce calomnie que de dire qu'il a causé la ruine des autres. D'un caractère très timide, il fréquentait très peu la société, ne jouissant de la vie qu'au milieu de sa famille qui l'adorait. Il n'a pas fait de victimes, au contraire, il est lui-même victime.

Autrefois heureux avec lui, bien que de condition humble, n'avons-nous pas été bannis de notre demeure par la torche et la brutalité de l'incendiaire? N'avons-nous pas été dépouillés de tout, même de nos vêtements? N'avons-nous pas été obligés de vivre du pain qui nous était donné par des personnes charitables?

Oh! l'humanité n'est certainement pas bannie de cette terre de vengeance, elle doit s'être réfugiée dans le cœur des femmes, sans doute, dans le cœur des mères comme le vôtre. L'humanité parlera par vos lèvres, elle sera persuasive, éloquente, irrésistible, elle arrêtera le glaive de la mort, prêt à immoler tant de victimes, elle apportera la joie dans le cœur de tant d'infortunés qui redoutent le lever du soleil de demain, elle sera entendue même dans le ciel et sera inscrite à votre crédit dans le livre de la vie.

Eugénie Saint-Germain,
épouse de Joseph-Narcisse Cardinal

La Brindille fut très impressionnée, certaine qu'une telle lettre ne pouvait pas manquer de toucher le cœur de Lady Colborne.

— Si elle a un cœur dans la poitrine, au lieu d'une roche, comme son diable de mari, elle va faire quoque chose, dit la Brindille en reprenant espoir.

Madame Cardinal ajouta ensuite que la veuve Duquette, la mère du jeune Joseph, l'autre condamné, avait vu son auberge brûlée par les Anglais, et que des voisins charitables avaient recueilli ses trois petites filles. Elle se trouvait à Montréal, chez des parents, et travaillait fort, elle aussi, à écrire une lettre qui devait parvenir à Colborne avant le coucher du soleil. La veuve Duquette n'avait pas autant d'instruction qu'une épouse de notaire, et madame Cardinal semblait suggérer à Jean-Baptiste de vérifier la forme de cette lettre. Il fallait mettre les efforts en commun, et garder espoir jusqu'à la dernière minute.

Jean-Baptiste fit ses adieux à Madame Cardinal, lui conseillant de ne pas perdre espoir. Accompagné de la Brindille, il alla voir la veuve Duquette. Il suggéra quelques corrections, mais ne se sentit pas capable de lui reprocher le ton excessivement suppliant, ampoulé, et tragiquement sentimental de sa lettre. Elle était une suppliante qui se jetait aux pieds du Maître anglais; quel autre style avait-il à offrir à cette femme? Il laissa à la lettre sa forme originale, et en fit lecture à la Brindille avant que la veuve ne la cachette.

Qu'il plaise à Votre Excellence que la vieille mère d'un fils malheureux, que son âge tendre a entraîné au bord de l'abîme, se jette aux pieds de Votre Excellence, la douleur dans le cœur, les sanglots dans la voix, pour demander à Votre Excellence le pardon de son fils. Demain, l'ordre fatal en vertu duquel le fil de ses jours sera tranché doit être exécuté. Faut-il qu'il meure au matin de la vie, lui, le seul soutien de sa vieille mère dans les derniers jours de son existence;

lui, le seul protecteur de ses trois jeunes sœurs; lui, ce modèle parfait de piété filiale et d'amour fraternel; lui, si chéri de ses amis!

Faut-il que sa jeune tête tombe en sacrifice sur l'échafaud ensanglanté? Faut-il que votre requérante et les enfants qui lui restent (peut-être hélas! pour son malheur) soient réduits à mendier leur pain de chaque jour? Si abondant que soit ce pain, il sera toujours mangé dans l'amertume de notre âme, car il ne viendra pas d'un fils bien-aimé, d'un frère idolâtré! Et tout cela parce que l'infortuné jeune homme s'est un moment laissé égarer et s'est jeté dans la tempête qui a enveloppé tant d'hommes d'âge et d'expérience. Non, non! Votre cœur, qui connaît le sentiment de l'amour paternel, doit compatir à ma situation.

Vous ne pouvez dédaigner la prière d'une mère malheureuse; et si vous ne me rendez pas mon fils, vous commuerez au moins sa sentence et lui donnerez au moins le temps de se repentir. Vous vous souviendrez qu'il n'a pas répandu une seule goutte du sang de ses semblables. Vous n'oublierez pas ce qu'il a déjà souffert. Vous n'oublierez pas non plus ce que votre requérante a souffert pour lui, lorsqu'elle fut chassée de sa demeure par le feu qu'y avait allumé la main de l'incendiaire. La clémence qui est la vertu des rois devrait être une de vos plus nobles jouissances. Pardonnez à mon fils et l'expérience apprendra au monde que la miséricorde, et non la rigueur, produit la loyauté.

Et votre requérante ne cessera d'implorer le ciel pour la conservation et la gloire de Votre Excellence et le bonheur de votre famille.

L. Dandurand, Veuve Duquette

Ayant lu ces deux lettres, Jean-Baptiste résolut de ne pas en écrire une troisième à Colborne. Jamais il ne pourrait égaler l'intensité de la supplique d'une épouse s'adressant au cœur d'une autre femme, elle aussi épouse et mère, ou l'intensité du cri d'une mère prête à se traîner à genoux devant Colborne pour implorer la vie de son fils. Une lettre à la défense de son homme engagé ne pourrait que paraître tiède et presque ridicule à côté des deux autres. Ce qu'il aurait voulu obtenir, c'était une entrevue avec Colborne. Devant lui, il saurait trouver les mots pour demander la grâce des trois condamnés. Mais depuis une semaine qu'il essayait d'obtenir cette entrevue, il n'avait essuyé que des refus. Tout ce qu'il put obtenir, vers cinq heures de l'après-midi, ce fut une entrevue avec l'avocat que Colborne avait désigné comme défenseur des condamnés. L'avocat Drummond acceptait de recevoir Jean-Baptiste parce qu'il le connaissait. Il lui conseilla, si jamais il obtenait une audience avec Colborne — ce dont il doutait fort — de jouer la carte politique: si on exécutait ces trois condamnés, ils deviendraient des martyrs et la cause patriote n'en serait qu'avivée. Drummond venait lui-même de faire parvenir une lettre à Colborne; il y développait un argument du même genre. Jean-Baptiste demanda à lire cette lettre, et Drummond lui en présenta une transcription.

Si je m'adresse à Votre Excellence, c'est pour vous demander, dans l'intérêt de la justice, pour l'honneur de la nation anglaise, de vous arrêter avant la consommation de l'acte qui doit mettre fin à l'existence de vos semblables, dont la culpabilité (comme il sera démontré avant longtemps) n'a pas été établie de manière légale.

S'il n'existe qu'un doute sur la légalité du pouvoir du tribunal qui les a jugés, le seul doute devrait, je le suggère humblement, porter Votre Excellence à suspendre leur exécution jusqu'à ce que l'on ait eu l'occasion de faire de ce doute une certitude ou de l'anéantir. Mais les principes de l'équité mis par la nature dans le cœur de l'homme, et consignés au code de toutes les nations civilisées du monde, nous crient hautement qu'aucun homme ne peut être mis en jugement par une loi promulguée après la perpétration de l'offense dont il est accusé.

Je ne parle pas de la nature de la preuve faite contre eux. Je ne parle pas du fait qu'ils n'ont pas trempé leurs mains dans le sang; que leur plus féroce ennemi n'a pu leur imputer un seul acte de violence. Je ne veux pas peindre la douleur de la femme mourante et des enfants abandonnés de l'un, ni de la vieille mère de l'autre; je ne parle pas de leurs malheurs présents ni de ceux qui les attendent.

Je ne fais pas appel aux sentiments d'humanité qui jusqu'à présent ont distingué Votre Excellence. Je n'élève la voix que pour demander justice et pour que l'exécution de la sentence qui a été prononcée contre eux soit suspendue jusqu'à ce qu'on puisse faire voir qu'ils ont été condamnés sans avoir subi de procès légal. Je parle librement, mais consciencieusement, et Votre Excellence recevra sans doute avec indulgence l'appel que m'inspirent des motifs qu'on ne peut désavouer.

Lewis T. Drummond, avocat

Après avoir lu ces lettres, Jean-Baptiste fut convaincu que Lady Colborne et son époux ne pouvaient pas demeurer insensibles aux arguments du cœur appuyés par ceux de la raison. Il attendit, confiant qu'à la dernière minute Colborne mettrait fin à ce qui était certainement une mise en scène. Colborne savait que le peuple canadien-français était naïf et influençable et croyait que cette démonstration avait pour but de l'effrayer; le peuple n'en serait ensuite que plus impressionné par la clémence du Régime.

Jean-Baptiste communiqua un peu de son espoir à la Brindille. Pas plus que Jean-Baptiste, elle ne pouvait croire que Timoléon monterait vraiment à l'échafaud le lendemain matin, un 21 décembre, trois jours avant le réveillon de Noël.

Jean-Baptiste voulut protéger la Brindille d'un spectacle insoutenable pour une femme dans son état, et le matin de l'exécution, il descendit à la cuisine à six heures pour lui dire que l'heure de l'exécution n'était pas encore décidée, et que le jour en serait retardé. Il avertit les autres domestiques de la laisser se reposer et leur donna congé. À la Brindille, il conseilla d'aller se recoucher.

Il se rendit seul à la prison, attendant le coup de théâtre qui viendrait gracier les condamnés. Il espérait vraiment rentrer en fin de matinée, porteur de la bonne nouvelle de la grâce de Timoléon.

Mais Cardinal, le jeune Duquette et Timoléon furent pendus sur le grand échafaud, dans la cour de la prison.

Timoléon avait encore, attachés à sa ceinture, les petits mocassins d'enfant en peau de chevreau. Les jolis mocassins dorés continuèrent de se balancer au bout de leur ficelle, alors que le corps de Timoléon ne bougeait déjà plus au bout de la corde qui l'avait étranglé.

Adam Thom, le journaliste du *Montreal Herald* qui avait écrit qu'il fallait débarrasser la terre de la race des Canadiens français, applaudissait et jubilait. Lewis Drummond avait honte. Les yeux de Jean-Baptiste se remplirent de larmes, sa mâchoire se contracta sous l'effet d'une rage qu'il ne pouvait plus exprimer d'aucune façon. Il voulait quitter le spectacle horrible; trop de gens en étaient contents; la femme de Cardinal, la mère de Duquette et lui-même ne faisaient pas le poids. Leur douleur était silencieuse.

Jean-Baptiste ne se sentit pas davantage capable d'annoncer la terrible nouvelle à la Brindille. Il partit vers l'hôtel Nelson. Il lui fallait quitter ce lieu sur-le-champ et faire quelque chose pour passer la prochaine heure. N'importe quoi. Timoléon venait de monter à l'échafaud et lui s'en allait boire de la bière à l'hôtel, pour se remettre. Péché de vie. Il y rencontrerait des amis, parlerait avec eux et cela lui ferait un peu de bien. Coupable. Au printemps, il se fiancerait, et à l'été, il se marierait. Péché de vie.

Mais aussi: stupide Timoléon! Quelle bêtise qu'une telle naïveté! Autant de bonne volonté et si peu d'intelligence étaient à s'enrager contre les morts. La bêtise, voilà ce qui avait tué Timoléon! Péché contre le mort. «Jusqu'où doit-on honorer les morts, glorifier les martyrs?» se demanda-t-il. Cette question, il pouvait au moins se la poser, en discuter avec des amis. Privilège de vivant.

XXI

Pendant que Timoléon montait à l'échafaud, la Brindille était seule dans les soubassements de la maison. Narcisse et Clarinda avaient profité du congé que leur maître leur avait donné pour filer aussitôt. La Brindille attendait le retour de Jean-Baptiste.

Personne n'avait entretenu le feu dans la cuisine et il faisait si froid dans sa chambre qu'elle ne put demeurer au lit. Elle se rendit à la cuisine pour rallumer le feu. Mais elle s'aperçut vite que les douleurs au dos qui l'avaient tenaillée toute la nuit étaient les douleurs de l'enfantement. Péniblement, elle mit son manteau d'hiver, incapable de se pencher pour attacher ses bottes tellement son dos lui faisait mal. Elle se dit qu'il fallait tout de même qu'elle aille chercher de l'aide, qu'elle se rende chez une certaine Charlotte Cedilot, une sage-femme dont elle avait entendu dire merveille. Seulement, cette femme habitait dans le faubourg Sainte-Marie, le quartier des pauvres; il fallait marcher une vingtaine de minutes pour s'y rendre. La Brindille crut pouvoir le faire. Elle sortit par la porte de service qui donnait sur le jardin, fit le tour de la maison et se rendit jusque dans la rue Notre-Dame.

La rue était étrangement déserte. Il était encore tôt, mais l'activité était d'habitude beaucoup plus intense à cette heure-là. Elle eut une vague inquiétude, se demandant si tout le monde ne se trouvait pas à la prison pour assister à l'horrible spectacle des exécutions. Monsieur Paradis lui avait pourtant quasiment promis qu'elles n'auraient jamais lieu. Mais la douleur reprit son attention.

Voyant qu'elle pouvait à peine mettre un pied devant l'autre tellement la douleur la paralysait, la Brindille renonça à son projet et décida de demander de l'aide à la femme de chambre de la maison voisine. Personne... Il ne lui restait qu'à rentrer et à attendre que Narcisse ou Clarinda, ou monsieur Paradis, ou son clerc, ne revienne. Tout le monde ne pouvait pas disparaître comme ça d'un coup!

Ne pouvant plus tenir debout, elle rentra s'allonger sur son lit de fer mais elle se releva aussitôt, incapable de supporter cette position. Ni assise. Ni debout. Elle s'agenouilla à côté du lit et appuya son front sur le matelas.

À mesure que l'intensité des douleurs augmentait, elle criait de plus en plus fort, appelant au secours. Lorsqu'elle n'eut plus de voix, elle comprit qu'elle accoucherait toute seule et qu'elle ferait mieux de concentrer ses forces sur le travail au lieu de crier comme une perdue.

Pendant les trois interminables heures qui suivirent, la Brindille gémit, à genoux, le front plaqué au matelas, se tenant par instants le ventre à deux mains tandis qu'à d'autres moments elle s'agrippait au montant de fer du lit et se mordait les lèvres jusqu'au sang. Quelque chose ne se passait pas normalement. Elle savait qu'à partir du moment où une femme sent le besoin de pousser, l'enfant est engagé et commence à descendre. Or, elle avait beau pousser à s'en déchirer les muscles, la progression ne se faisait pas et elle demeurait sur la crête de la vague de douleur. Il n'y avait pas de rémission.

L'intensité de la torture s'accentua au point qu'elle eut la certitude que c'en était fini, qu'un être humain ne pouvait en endurer davantage et qu'elle allait enfin mourir. Mais la poussée de l'enfant emprisonné en elle se fit encore plus insupportable. Les mains levées au ciel, elle implora la Vierge de lui donner la grâce de mourir pour être enfin délivrée de cette bête féroce qui lui déchirait le ventre et gardait l'enfant dans ses serres. De nouveaux cris, inhumains, d'épouvante et d'horreur, résonnèrent dans la tête de la Brindille comme s'ils venaient d'une autre qu'elle-même.

Elle perdit connaissance, mais se réveilla aussitôt la contraction passée, déçue de ne pas être morte, étendue sur le plancher froid de sa chambre. Elle se remit à genoux et, ne trouvant plus la force de se relever pour se coucher sur son lit, elle resta là, agrippée au montant, agenouillée dans les eaux salées de la naissance.

Cette lutte féroce se poursuivit jusqu'à ce que, dans un sommet de douleur, elle hurle à fendre la pierre épaisse de sa cellule. Elle reperdit conscience au moment où la peau tendue de ses organes, noircie comme du vieux cuir usé, se déchira d'un coup en une multitude d'endroits, laissant glisser hors d'elle un enfant qui se présentait par le siège. La Brindille tomba mollement sur le dos et ne vit pas arriver l'enfant qui demeura entre ses jambes, encore attaché par le cordon sanglant. La mère et l'enfant gisaient sur le plancher glacé, baigné de sang et d'eau salée.

L'enfant bougeait à peine, tout replié, le nez rempli de sécrétions, le visage dans la mare répandue autour de lui.

Quand elle reprit conscience, le bébé était là, masse ronde et gluante entre ses jambes, rattaché au placenta déjà tout froid. Frissonnante de froid et de douleur, elle dégagea l'enfant du placenta et coupa le cordon avec ses dents. Le bébé, un garçon, était bleu, et ses petits membres, immobiles. Comme une mère animale, la Brindille, oubliant sa prière à la Vierge, était prête à tout pour qu'il vive, se réchauffe, bouge, respire. Elle désirait, avec une intensité qu'elle n'aurait jamais crue possible, que l'enfant de l'amour, l'enfant du bonheur avec Timoléon, vive et grandisse, et que le temps révèle quelle personne il était. Elle l'aimait et lui pardonnait déjà la torture qu'elle venait de subir pour le mettre au monde. Elle tenta de le ranimer en appliquant sa bouche sur la sienne, pour lui insuffler de l'air. Mais elle reçut dans sa bouche le dernier souffle de l'enfant, comme un souffle d'ange.

Maintenant que la Vierge lui accordait ce qu'elle avait demandé, cette mort était aussi difficile à accepter que la condamnation de Timoléon. L'image des sept glaives transperçant le cœur de Marie à la mort de son fils s'imposa à elle. Elle *était* cette Vierge des Sept Douleurs dont la souffrance infinie lui avait été, jusque-là un mystère; elle *était* une femme au cœur transpercé de sept glaives. Le seuil des larmes était dépassé depuis longtemps. Tremblante, les yeux agrandis comme ceux des bêtes, la nuit, saignant encore abondamment, elle enveloppa l'enfant mort dans son châle et le posa à côté d'elle sur le plancher. Elle enleva ensuite sa jupe poisseuse remontée jusqu'aux aux hanches. Elle s'en dégagea en serrant les dents, car le moindre mouvement lui faisait mal. Le vêtement lui servit à enrouler la masse de chair gluante du placenta qu'elle repoussa sous le lit pour ne plus la voir. Sans force pour enlever son jupon raidi de sang séché et se mettre une chemise propre, incapable de refermer les jambes tellement la déchirure la brûlait, elle eut tout au plus l'énergie de se relever avec l'enfant, se hissant d'une main au montant de fer du lit, pour enfin se glisser entre les draps avec l'enfant mort qu'elle enserrait de son bras gauche. Aussitôt qu'elle eut la tête sur l'oreiller, elle perdit de nouveau conscience, car elle se vidait de son sang.

Vers six heures du soir, Clarinda trouva la Brindille inconsciente et presque au bout de son sang, l'enfant mort à côté d'elle, les petits membres potelés à peine dépliés et déjà raidis.

* * *

Jean-Baptiste, révolté contre l'injustice de la mort de Timoléon, ne s'était pas senti capable de rentrer à la maison après l'exécution, pensant que la Brindille apprendrait bien assez tôt sa terrible fin.

Il en avait assez d'être le porte-malheur, il en avait assez de souffrir du sort de ce Timoléon avec qui il n'avait finalement pas grand-chose en commun; il en avait assez de se torturer l'esprit avec le malheur d'une misérable fille qui s'était laissé engrosser. Plus il buvait de bière et plus il se faisait violence pour oublier la mort et la misère de ses domestiques. Il croyait pouvoir alléger sa révolte en rétablissant la distance sociale. Il tentait de se rassurer sur la vie en pensant à son mariage futur. Mais la même question revenait, obsédante. Aurait-il dû user de plus d'autorité pour convaincre Timoléon de revenir à Contrecœur? Aussitôt, la réponse venait: «Oui, *tu aurais dû* convaincre Timoléon...oui tu aurais dû faire appel à tous les arguments possibles... tu aurais dû savoir qu'il était naïf, tu aurais dû comprendre qu'il ne fallait pas le laisser se perdre.»

Son accablement s'amplifiait et contaminait le jugement qu'il portait sur toute l'aventure commencée avec les Fils de la Liberté. «Il ne fallait pas... nous n'aurions pas dû...»

Sentant qu'il en avait «assez, assez, assez» et n'ayant rencontré personne à l'hôtel Nelson avec qui il aurait eu envie de parler, il décida d'aller chez les Potvin.

Quelques amis, eux aussi des Fils de la Liberté qui jouissaient depuis plusieurs mois déjà de leur liberté retrouvée, bouleversés par les pendaisons, s'étaient réunis chez Ignace Potvin.

Chacun tentait de convaincre l'autre qu'un homme mort, en prison ou exilé ne pouvait être d'aucune utilité et qu'il valait mieux se tenir tranquille, se faire élire député, et continuer de lutter de l'intérieur pour les idées libérales. On but beaucoup de vin, de rhum, et de bière, dans un effort pour donner à la vie une petite chance de revenir dans ce pays déchiré.

Quand Jean-Baptiste arriva enfin chez lui, vers six heures et demie du soir, Clarinda monta lui dire que Narcisse était parti chercher un prêtre pour les derniers sacrements: la Brindille n'était pas mieux que morte, ayant accouché seule d'un enfant mort-né.

— Narcisse pis moé, on a pris sur nous autres de faire mander le docteur Deslages, vu que c'était, au dire de Narcisse, un cas d'urgence extrême. Il l'a examinée, la porte fermée, pis en ressortant, c'est lui qui nous a dit d'appeler pour les derniers sacrements, que c'était rendu l'affaire du prêtre.

Jean-Baptiste n'était pas encore remis du spectacle de l'exécution et s'était demandé anxieusement comment il allait annoncer à la Brindille qu'il avait vu le corps de Timoléon se balancer au bout d'une corde. Il se sentit submergé par autant de mort. Avec ce que venait de lui annoncer Clarinda, la dose était trop forte. La souffrance débordait dans la ville, dans la province, et maintenant elle inondait la cave de sa maison.

Narcisse revint une demi-heure plus tard avec le prêtre et son enfant de chœur, qui portait la petite valise de cuir noir contenant les accessoires de l'extrême-onction. Au moment où Jean-Baptiste se résignait à descendre avec eux jusqu'à la chambre de la Brindille, Joséphine et sa mère firent irruption. Elles venaient offrir à leur ancienne domestique un mot de réconfort, car elles avaient appris la mort de Timoléon. De plus, Antoinette tenait à lui dire que personne, chez les Potvin, ne lui aurait fait honte de sa grossesse illégitime. Accompagnées de Jean-Baptiste, qui venait de les informer de l'état de la Brindille, elles descendirent en même temps que le prêtre et son enfant de chœur.

Quand Joséphine ouvrit la porte de la chambre, une épouvantable odeur de sang lui monta au visage. Étendue dans son lit, la Brindille paraissait morte, blanche comme neige et sans un souffle. Elle serrait dans ses bras le petit cadavre comme si elle s'était agrippée à lui pour ne pas couler.

Pour la première fois de sa vie, Joséphine était admise au spectacle terrible et puissant de l'amour: on s'aime, on fait l'amour, et tout cela peut finir dans le sang, la souffrance et la mort. Un violent coup de sang lui empourpra le visage. Sa vision devint plus aiguë, plus profonde, comme si elle pouvait deviner par une représentation intérieure toute la souffrance que l'odeur révélait. Joséphine regardait, les yeux exorbités. Jean-Baptiste et sa mère restaient derrière elle, car elle occupait toute l'embrasure, comme pour les empêcher d'entrer. Joséphine ne voulait pas qu'on la précède ni qu'on la dérange dans sa contemplation de la Brindille. Il se noua, dans ces instants d'intense vision, entre Joséphine et cette petite femme à moitié morte d'avoir mis bas, un lien silencieux, inconscient, une alliance de deux femelles soumises au même destin animal.

Joséphine ne voulait pas que la Brindille meure.

Le prêtre eut un geste autoritaire qui exigeait qu'on le laisse passer puisqu'il avait affaire dans cette chambre et qu'il était en quelque sorte le plus autorisé à y pénétrer, le médecin ayant fait son travail. Joséphine, Antoinette et Jean-Baptiste se retirèrent; le prêtre et son enfant de chœur passèrent devant. D'un geste de la main, le prêtre signifia son congé à l'enfant.

Le prêtre entra dans la chambre de la Brindille et referma la porte derrière lui. Il ressortit presque aussitôt, un mouchoir de coton rouge plaqué sur le nez comme s'il venait d'affronter la peste. Au creux de son bras libre, il portait l'enfant mort qu'il avait enlevé des bras de la Brindille, toujours inconsciente.

À la cuisine, où les autres attendaient, Clarinda s'affairait à ranimer le feu pour préparer du thé à tout ce monde qui envahissait le quartier des domestiques. Le prêtre pénétra dans la pièce sans qu'on l'ait entendu venir et tendit son paquet à Narcisse, comme si ce qu'il contenait était la matérialisation même du péché. Il suggéra, d'une voix d'homme pressé, qu'on lui trouve tout de suite un petit cercueil pour l'enterrement du lendemain matin, sans plus d'exposition.

— On ne peut pas savoir pour l'instant si la mère a eu le temps d'ondoyer son enfant avant qu'il meure. Comme elle ne semble pas vouloir reprendre connaissance pour répondre à cette question, je reviendrai demain matin, si... si cette pauvre fille n'est pas déjà morte!

Jean-Baptiste ne dit rien. Il laissa le prêtre avec les domestiques et suivit Joséphine dans la chambre de la Brindille. Le prêtre en profita pour se rapprocher de Clarinda et, lui prenant des mains la tasse de thé qu'elle s'apprêtait à lui offrir, la réprimanda d'un ton qu'il n'aurait pas osé employer devant le maître de la maison.

— D'ici demain, tu ferais bien de laver tout ce sang répandu sur le plancher; c'est écœurant dans cette chambre. Ça sent l'abattoir; il faut se boucher le nez tellement ça pue!

Clarinda se sentit comme s'il lui reprochait, à elle, le sang de la Brindille; elle se demanda si elle aurait dû d'abord laver le plancher, et ensuite seulement s'occuper de faire venir le prêtre pour les derniers sacrements. Mais est-ce que la vie éternelle d'une personne n'était pas plus importante que l'odeur de sa chambre? Voilà ce qu'elle aurait aimé répondre au prêtre, mais elle n'était pas une insolente, et elle se tut.

XXII

Le prêtre revint le lendemain matin à sept heures et demie. Cette fois Clarinda l'attendait:

— Quand ben même j'aurais frotté le plancher jusqu'aux solives, si ça puait tant dans cette chambre, c'est qu'y avait ça en dessous du litte!

Elle saisit le seau à ordures contenant le placenta qu'elle avait trouvé enroulé dans la jupe de la Brindille et le mit sous le nez du prêtre comme une preuve que ce n'était pas de sa faute si ça sentait fort dans la chambre.

Le petit vicaire en eut un haut-le-cœur violent et s'éloigna du seau comme s'il contenait une bête féroce.

— Es-tu folle ma pauvre fille?

Clarinda avait été élevée sur une ferme; sa mère avait mis au monde treize enfants dont elle était l'aînée. Pour les trois derniers, c'était elle qui avait assisté sa mère au moment de l'accouchement, afin d'économiser le prix qu'auraient coûté les services d'une sage-femme. Elle trouva le prêtre très douillet. Docilement, elle éloigna le seau, mais lui dit tout de même qu'elle avait lavé la chambre à grande eau.

— La pauv' petite, dit Clarinda, même si elle a repris conscience, est fermée comme une roche depuis que j'y ai appris, coup sur coup, en y apportant son déjeuner, la mort de l'enfant et celle de son homme. En conséquence de quoi, vous comprendrez ben que j'ai pu rincer le plancher rien qu'une seule fois, alors qu'y aurait fallu rincer au moins trois fois à grande eau, et frotter aussi, car le sang, ça s'incruste dans les craques des planches, pire que de la vieille crasse. Mais avec la peine qui lui gonfle le cœur, c'est pas le moment du grand ménage, hé! Excusez donc si l'odeur qui vous a fait sortir votre mouchoir rouge n'est pas toute disparue.

Le prêtre, qui retrouvait à peine son souffle, fit un geste pour la faire taire; il ne voulait pas entendre ces écœurantes histoires de sang et de crasse. Il se dirigea vers la chambre de la Brindille. Il était venu seul, sans son enfant de chœur, mais il portait sa petite valise noire.

Encore incapable de bouger, les organes déchirés, exsangue, blessée à mort dans le corps et dans l'âme, la Brindille était dans un état au-delà de l'émotion. Elle n'avait plus de fibre pour ressentir la douleur; tout en elle était éclaté, effiloché, déchiré; elle ne ressentait qu'une grande hâte de fermer à nouveau les yeux, autant que possible pour ne plus jamais les rouvrir. Elle désirait la mort comme on désire s'allonger dans son lit, un soir d'extrême fatigue.

Ce prêtre qui entrait dans sa chambre sans frapper la forçait à ouvrir des yeux vides et à le regarder. Il se tripotait le nez avec son mouchoir, se méfiant de l'odeur de sang qui flottait encore dans l'atmosphère humide et froide. Sans prendre le temps de s'asseoir ou de lui demander de ses nouvelles, il entreprit aussitôt l'interrogatoire moral pour lequel il était venu.

— Ma fille, dans votre misère, avez-vous délibérément laissé mourir votre enfant?

La Brindille fit signe que non. Elle comprenait que cet interrogatoire était le début d'une confession et en déduisit qu'on lui donnait les derniers sacrements; elle aurait donc bientôt la paix éternelle, et cette pensée la soulagea. Coupable ou non, elle en aurait bientôt fini, comme Timoléon. Le prêtre continua:

— Avez-vous eu le temps de baptiser votre enfant?

Le prêtre ajouta aussitôt, puisqu'il avait affaire à une ignorante à laquelle il fallait tout expliquer:

— On dit *ondoyer* quand il s'agit d'un baptême de ce genre. La mère, le médecin ou la sage-femme, quand ils ont de bonnes raisons de croire qu'un enfant ne survivra pas, on le droit de l'*ondoyer*.

La Brindille haussa les épaules et fit non de la tête, n'ayant jamais entendu dire qu'une mère avait le pouvoir de baptiser son enfant. Elle croyait ce pouvoir entièrement réservé aux prêtres; mais même si elle avait su, elle n'aurait pas eu le temps. Elle fit encore signe que non, non... elle n'avait pas «ondoyé» son petit.

Le prêtre se tripota le nez avec son mouchoir rouge et le fourra dans la poche de sa soutane avant d'expliquer à cette pauvre fille — une autre ignorante des choses spirituelles, se disait-il, probablement la fille d'un coureur des bois et d'une Indienne, à voir ses yeux bridés — son point de vue théologique récita, comme s'il répétait pour la centième fois une règle de grammaire à des attardés:

— Les nouveau-nés morts sans avoir été baptisés ni ondoyés ne vont pas au ciel, mais demeurent pour l'éternité stationnés dans les limbes, car seuls les baptisés peuvent entrer dans le royaume de Dieu! C'est pourquoi vous auriez dû l'ondoyer.

Marie n'en revenait pas d'entendre ça. Elle acceptait la mort de son enfant, mais pas la nouvelle qu'il n'irait pas au ciel; elle était également troublée par la trahison de la sainte Vierge: au lieu d'en faire un petit ange, comme elle le lui avait demandé, la sainte Vierge le faisait envoyer dans un orphelinat à perpétuité! Les limbes! Les limbes! Ce mot sonnait comme «plainte»; la Brindille entendait la plainte éternelle des enfants abandonnés dans les limbes! Des bébés innocents, abandonnés pour l'éternité. Qui avait bien pu imaginer ça pour eux?

Trop faible pour se fâcher contre le prêtre ou contre le dogme, Marie gardait les yeux fixés au plafond en hochant la tête. Elle entendit à peine sonner, dans le vide de son cœur, les mots du prêtre qui poursuivait inexorablement. Il tenait à l'informer qu'on enterrerait son enfant l'après-midi même, sans attendre qu'elle se rétablisse puisqu'il était bien évident qu'elle ne pourrait pas se lever de sitôt, si jamais, d'ailleurs, elle se relevait, car elle semblait si faible qu'il n'était pas exagéré de procéder à une grande confession générale, qui serait comme un dernier lavage de son âme avant de rencontrer Dieu. Comme la Brindille ne réagissait pas, il se lança dans un sermon qu'il avait l'habitude d'employer avec les filles abandonnées. «Celles-là, se disait-il, après avoir accouché seules et beaucoup souffert, tournent souvent à la révolte et se perdent.» Son sermon avait pour but de la récupérer.

— Peut-être considères-tu, ma fille, avoir suffisamment fait pénitence pour ton péché, car, à ce que je comprends, tu es une fille-mère et ton amoureux était un rebelle. Mais il faut bien comprendre que la société tout entière, qui est basée sur la famille et sur l'honneur des femmes de toutes conditions, doit être protégée; c'est pour cette raison, et non pas parce que Dieu s'acharne sur toi, que la punition est exemplaire. Dieu n'est pas cruel, ma fille, mais il ne nous laisse pas nous comporter comme des bêtes. Pourquoi? Parce qu'à la différence des bêtes, nous avons une âme et que cette âme est éternelle, divine, et d'une tout autre nature que la chair, qui finit toujours par pourrir.

Il dit ce dernier mot en reniflant et en regardant autour de lui, comme si l'odeur de la chambre était bien une preuve que la chair était putrescible et que l'âme divine n'avait rien à voir avec les miasmes de l'amour charnel ni avec les processus écœurants de la naissance du corps.

Le prêtre reprit son sermon, car il tenait à la persuader du grand nettoyage final et ne voulait pas avoir apporté pour rien, dans sa petite valise, tout l'attirail de l'extrême-onction. Voyant que la Brindille gardait les yeux au plafond et refusait de lui porter attention, il éleva la voix, comme lorsqu'il lui arrivait de prêcher une retraite et qu'il voulait que les élèves bavards de la dernière rangée ramènent les yeux sur le prédicateur et l'écoutent. Il attaqua sur une note haute qui s'abaissait progressivement, une modulation oratoire qui avait généralement bon effet:

— En un moment de folie, emportée par une faiblesse que Dieu seul a le pouvoir de pardonner, tu t'es comportée comme une femelle en rut. Ta punition est bien cruelle, bien cruelle en effet, mais il aurait fallu penser aux conséquences *avant, avant* de tomber dans l'ornière du péché de chair. Il ne te reste maintenant qu'à implorer le pardon de Dieu.

La Brindille hurlait en pensée que Dieu pouvait bien, s'il le voulait, la saigner et lui faire éclater le bas du ventre comme un cochon qu'on étripe, qu'il pouvait la torturer pour mettre au monde un enfant à qui il n'accordait même pas une chance, mais elle ne pouvait pas, *elle ne pourrait jamais accepter* que le don qu'elle avait fait d'elle-même, un don d'amour, bon comme le pain, rayonnant comme le soleil, soit traité comme un abaissement, une erreur, un péché. Elle avait vu la face de Dieu dans le visage de Timoléon; personne au monde ne pourrait jamais la convaincre du contraire. Et Timoléon, dans ses bras à elle, avait vu les portes du ciel s'entrouvrir pour lui révéler la beauté du monde; il le lui avait dit. Ça non plus, personne, surtout pas cet homme, si on pouvait appeler cela un homme, ne viendrait le lui voler. Elle ne laisserait pas ce crapaud noir définir l'amour d'une façon qui excluait ce qu'elle avait vécu avec Timoléon. Non!

Elle ne pouvait pas, non plus, et ne pourrait jamais, accepter que son petit ange soit refusé à la porte du paradis parce qu'elle n'avait pas pu prononcer quelques paroles magiques au-dessus de sa tête. Cette histoire de limbes n'avait absolument pas de bon sens, et ça prenait des vicieux pour inventer une histoire pareille et maltraiter l'âme des enfants nouveau-nés.

Il y avait maintenant une chose que la Brindille souhaitait plus que la mort: le voir s'en aller, le plus vite possible, parce qu'il salissait tout. S'il continuait encore une seule minute, il réussirait peut-être à lui faire croire que l'amour pouvait être un péché, et elle serait définitivement damnée; elle mourrait damnée, toute sa vie perdant son sens. Cet homme-là ne pouvait pas comprendre qu'une mère qui perd son enfant perd aussi la foi; qu'il y a des moments où, si elles avaient la permission d'être sincères, les femmes avoueraient être plus proches des femelles animales en rut, des femelles qui mettent bas en gémissant, donnent la mamelle à leurs petits, et les lèchent, et les cachent et les protègent et les nourrissent et les aiment, qu'elles ne sont proches de lui, ce poteau sec habillé d'une soutane, qui parlait de l'âme alors qu'il était plus dépourvu de cœur que n'importe quelle mère animale.

La Brindille détourna la tête du côté du mur et ferma les yeux pour ne plus voir l'ombre noire que le prêtre projetait sur son lit.

Celui-ci, la voyant aussi fermée, pensa qu'elle devait être encore attachée à l'homme qui l'avait mise dans cet état. Ce n'était pas la première fois qu'il rencontrait une fille déshonorée qui, au lieu d'en vouloir à l'homme qui l'avait abandonnée, ne souhaitait que le revoir.

— Le père de cet enfant-là, à ce qu'on m'a dit, a été pendu? La rébellion, ce n'est pas la même chose que la guerre; il n'y a pas de grâce spéciale pour les rebelles qui meurent dans ce cas-là. Espérons que votre homme s'est au moins repenti à temps...

La Brindille reçut ce nouveau coup les yeux fermés, le cœur fermé, l'esprit dans l'état le plus noir.

Elle se demanda où allaient les Sauvages après la mort, car c'était là qu'elle voulait s'en aller, avec son petit qu'elle n'allait tout de même pas abandonner dans le désert de solitude que ce vieux corbeau de malheur appelait «les limbes». Une fois dans ce paradis-là, elle y ferait venir l'âme de Timoléon, et ils seraient réunis.

Tout ce qui lui restait encore de foi en la sainte mère de Dieu, car il lui en restait une trace encore ce matin, avant l'arrivée du prêtre, s'était écoulé d'elle en une hémorragie subite. La Brindille redevenait une sauvageonne.

Voyant que la fille refusait de se confesser, donc qu'elle refusait les derniers sacrements, le prêtre eut un doute: peut-être perdait-il son temps; ces filles, quand elles se révoltaient, c'était souvent définitif. Mais il s'imposa tout de même une dernière manœuvre. Il sortit de sa petite valise noire l'ostensoir portatif. Et comme un marchand ambulant qui déballe une marchandise exceptionnelle, sûr de son effet, il haussa l'ostensoir à bout de bras, et attendit, espérant qu'elle ouvrirait les yeux. Certainement, ce truc, qui marchait avec tant d'autres moribonds récalcitrants, aurait son petit effet sur elle. L'or de l'ostensoir, même du petit ostensoir portatif et démontable qui servait pour les sacrements à domicile, impressionnait toujours. Il attendit quelques instants, par acquit de conscience professionnelle, car après tout, si cette femme mourait et qu'elle passait l'éternité en enfer, il aurait sur la conscience de n'avoir pas tout essayé. Or, il aimait garder sa conscience aussi nette qu'un salon de presbytère, au parquet luisant et propre fleurant le citron.

Après quelques minutes, il n'en pouvait plus de tenir les bras en l'air, surtout qu'elle gardait la tête tournée vers le mur et n'entrouvrait même pas les paupières pour vérifier s'il était encore là. Il avait toujours ce vague mal de cœur dû à l'odeur de la souffrance animale et féminine, une souffrance bien typique, qui sentait le sang, la chair éclatée et le lait tourné, et il n'avait plus envie de faire de zèle. Il baissa les bras.

Il ne savait pas pourquoi, mais il détestait, il avait toujours détesté, depuis vingt ans qu'il était prêtre, aller au chevet des femmes qui se mouraient des suites d'un accouchement. C'était plus éprouvant que d'être appelé au chevet d'un malade atteint du choléra. Pourtant, il savait bien que la souffrance d'une accouchée à l'agonie n'était pas contagieuse, mais elle lui était insupportable. Il lui semblait qu'un démon femelle, le plus dangereux de tous, risquait à tout moment de l'attaquer et de le forcer, comme un chien qu'on dompte à être propre, à plonger son nez dans ces chairs ensanglantées. Cette vision lui faisait plus peur que l'enfer, car l'enfer, il savait comment y échapper, mais devant le démon femelle, il se sentait impuissant. Il se ressaisit; il ne fallait pas même *penser* à ce démon femelle, de peur qu'il ne se matérialise.

Chaque fois, il revoyait sa mère, une grosse femme malodorante qui devenait lubrique sous l'effet de l'alcool et transpirait comme un homme. Un jour, elle l'avait obligé à nettoyer les blessures qu'elle s'était infligée avec de l'huile bouillante. Comme elle avait les mains enveloppées de bandages, c'est lui qui avait dû nettoyer sa plaie en haut de la cuisse et chaque fois repousser quelques poils venus de plus haut, avant de refaire le bandage. Ce souvenir le mettait dans un état nauséaux, comme plus tôt avec Clarinda. Il était temps qu'il sorte de cette chambre.

Il renonça à l'impressionner avec l'élévation de l'hostie et commença à remballer dans la valise noire l'ostensoir, le crucifix, la goupille. Il essaya la douceur.

— N'as-tu rien à me dire avant que je m'en retourne?

La Brindille ouvrit les yeux et dit:

— J'ai honte... honte.

«Ah, on y vient!» pensa le prêtre. Il ouvrit grand les bras dans un geste qui signifiait: «Vas-y, je t'écoute, plein de miséricorde.»

La Brindille le regarda pour la première fois droit dans les yeux et lui dit sans broncher de quelle honte elle voulait parler.

— Le bon Dieu m'aime si peu que j'en ai honte pour lui.

Le prêtre, sèchement, saisit sa valise et s'en retourna sans prendre la peine de refermer la porte, comme un mauvais perdant qui refuse de ranger le jeu de cartes.

Le prêtre parti, la Brindille n'eut plus autant envie de mourir. Elle avait perdu sa belle indifférence, la langueur qu'il fallait pour se laisser aller à mourir, sa mollesse de femme abandonnée. Elle était piquée d'une colère qui n'attendait que le retour d'un peu de force pour enfler à sa pleine mesure. Elle ne ferait pas à ce crapaud morveux le plaisir de mourir pour faire place nette. Oh que non! Elle vivrait, ne serait-ce que pour lui montrer qu'on peut très bien se débaptiser, se dé-christianiser et redevenir une graine de Sauvage, piquante comme un grain de moutarde. Elle irait inscrire ses disparus dans un autre paradis, là où les animaux pouvaient être admis; les ratons laveurs, les oiseaux, les chevaux, les écureuils... il y aurait de la place pour tout le monde! Timoléon la rejoindrait certainement, puisque là, au moins, on devait être libre; il pourrait flatter la grande encolure des chevaux qui avaient avec lui une certaine ressemblance.

XXIII

Après l'enterrement du bébé, Jean-Baptiste descendit dans la chambre de la Brindille pour prendre de ses nouvelles; il s'attendait presque à la voir morte, mais au lieu de cela, il trouva une Brindille moins pâle, qui semblait avoir retrouvé la force de parler, car elle lui déclara qu'elle l'attendait. Installée à son chevet, Joséphine avait encore son manteau doublé de fourrure sur les épaules; elle était assise sur la petite chaise en babiche qui constituait, avec le chiffonnier et le lit, tout le mobilier de la chambre. Quant à la Brindille, la tête appuyée sur son oreiller, elle avait les lèvres durcies de détermination et sa force semblait venir d'une sorte de résistance agressive. Elle attendait, les yeux fixes et la bouche pincée, le retour de Jean-Baptiste pour lui parler en même temps qu'à Joséphine. Jean-Baptiste prit place au pied du lit.

— Avec le respect que j'vous doué, M'sieur Paradis et vous Mam'selle Joséphine, j'vous doué aussi la vérité: j'suis plus une vraie chrétienne. J'débarque de ce bateau-là. Une religion cruelle avec les enfants, c'est pus mon affaire!

Elle expliqua qu'à partir de ce jour, elle ne ferait plus de dévotion à la sainte mère de Dieu, ni à son Fils. Que si cela les dérangeait d'héberger une sauvageonne sans croyances qui ne mettrait plus les pieds dans une église, même pas dans l'église Notre-Dame, si belle avec sa voûte étoilée, il fallait le dire tout de suite; elle partirait aussitôt qu'elle serait capable de se tenir debout. Peut-être bien qu'elle irait se jeter dans le fleuve à un endroit qu'elle connaissait et qui ne serait pas encore gelé à ce temps-ci; elle en avait assez de regarder les autres croquer la vie comme une belle pomme alors qu'elle restait plantée là avec l'envie de tout vomir. Peut-être qu'aussi, étant complètement fâchée de ce que le prêtre lui avait dit, elle n'irait pas, pour cette raison, se jeter dans le fleuve. Mourir fâchée ne coïncidait pas avec l'idée qu'elle se faisait de la mort, qu'elle imaginait comme une sorte de grand repos.

— Moé, à chaque soir, j'ai l'habitude de faire ma paix; j'peux pas m'endormir si une tracasserie, même une toute petite, me picote encore le cœur. Les grandes peines, comme celles qui m'arrivent là, c'est pas à placer dans la même espèce que les tracasseries; ces peines sont tellement plus grandes qu'elles vous ôtent pas seulement l'envie de dormir, mais aussi celle de vivre. Mais même les peines, comme les colères et les petites tracasseries, toute ça, il faut le nettoyer avant de dormir du sommeil éternel.

Ce qu'elle essayait de dire depuis le début, c'était qu'elle se sentait prête à vider sa chambre en un temps et trois mouvements si on trouvait inacceptable de garder une femme désormais sans religion. Une fille-mère par-dessus le marché, et qui reniait son baptême, même si, à vrai dire, elle ne savait pas tellement ce que cela impliquait de se dé-baptiser.

— À partir de tout de suite, j'rouspéterai pas qu'on m'appelle Brindille. C'est ça que j'suis: une brindille, tellement ben agrippée dans la terre épaisse que l'bon Dieu, quand ben même y changerait d'idée sur mon compte, y pourrait jamais me déraciner pour me transplanter dans ses hauteurs. J'en veux pas de son grand ciel bleu, où y pleut jamais. Un désert, ça vaut rien pour une brindille, hé! J'suis pas intéressée. Un ciel bleu tout le temps, pas de saisons, sans mon enfant pis sans mon Timoléon... j'appelle pus ça le paradis, moé!

La Brindille avait parlé d'une petite voix dure, sèche, avec des trémolos de tristesse ou de rage contenue. Elle regardait Jean-Baptiste et Joséphine presque en ennemis, ne sachant pas quel parti ils prendraient. Elle ne faisait plus confiance à personne; même la sainte Mère de Dieu — toute une mère celle-là! — l'avait trahie. Privée de son panthéon habituel de Jésus-Marie-Joseph-et-Bonne-Sainte-Anne, séparée de la famille Potvin, qui, se disait-elle, dans ses moments de tristesse, ne voudrait pas la reprendre et la traiterait peut-être comme n'importe quelle autre domestique, et les patriotes, par-dessus le marché, qui avaient encore manqué leur coup, tout le monde l'avait trahie. Elle avait tout perdu: Timoléon, son bébé, sa place, sa foi, tout. Joséphine et Jean-Baptiste pouvaient se révéler aussi traîtres que les autres.

Mais Joséphine la regarda avec affection, comme on regarde quelqu'un qu'on aime et qui vous en veut terriblement d'avoir oublié sa fête. Elle resta là, témoin patiente de la révolte et de la souffrance de la Brindille, l'acceptant, l'absorbant sans se défendre. La présence forte de Joséphine aidait Jean-Baptiste à ne plus ressentir la peine de l'autre comme une maladie contagieuse dont il devait se protéger. Lorsque la Brindille se remit à parler, ayant senti qu'on ne la rejetait pas, il y avait dans sa voix davantage de sanglots que de crainte.

— C'est toujours pas d'la faute du p'tit si y avait personne pour l'ondoyer. Y était quasiment mort avant que j'aie repris mes esprits. Si la porte du paradis est fermée aux p'tits anges comme le mien, qui a pas eu le temps de trois battements de cœur sur cette terre, j'aime autant rejoindre ma sauvageonne de mère, après toute... Elle n'était pas baptisée, elle. Mais son âme doit ben être quoque part! Y me semble qu'astheur, j'la sens près de moé, ou peut-être même dedans moé. Peut-être que c'est comme ça chez les Sauvages: les morts prennent refuge dedans nous. Quand mon p'tit a passé de l'aut' bord, j'ai senti son dernier souffle; son âme d'ange est passée dans la mienne. C'est pas dans les limbes qu'y est, c'est icitte, dans mon cœur, à la même place que Timoléon. Y était une sorte d'ange, lui avec. Un homme avec un cœur d'ange, si vous comprenez ce que j'veux dire, malgré que ce pauv' Timoléon avait plutôt l'air d'un grand cheval maigre; avec sa tignasse en chargement de foin pis ses joues creuses de gars toujours affamé, j'le vois mal avec des ailes pis une robe blanche. Mais les anges, j'peux les imaginer comme j'veux, astheur que j'me cherche un aut' paradis. Si y était mort en se battant, j'aurais dit «à la guerre comme à la guerre». J'suis pas une braillarde. La mort c'est la mort, pis la guerre c'est la guerre. Mais on me l'a pendu! C'est aut' chose. Que le curé, par-dessus tout ça, vienne me dire que Timoléon a pas eu droit au bénéfice du ciel garanti pour les soldats morts au service de leur pays, c'est la fin de toute. Ma croyance est fatiguée, tellement fatiguée qu'elle pourra plus jamais se relever.

La Brindille était épuisée. Joséphine la prit dans ses bras et la berça comme une enfant, lui caressa la tête pendant qu'elle gémissait doucement. Quand la Brindille fut rassasiée de larmes, Joséphine lui parla en la tenant par les épaules, la regardant droit dans les yeux.

— Tu vas m'obéir maintenant, ma petite Marie, dit-elle avec une tendre autorité, comme mon fiancé t'a obéi quand tu lui as commandé de te suivre dans la forêt pour s'y cacher. Nous tenons à toi.

Jean-Baptiste ajouta avec un petit sourire :

— Ce serait du gros gaspillage de jeter dans le fleuve la meilleure cuisinière de la ville, du gros gaspillage, tu ne penses pas, Marie, que ça n'a pas de bon sens un gaspillage pareil?

La Brindille le regarda avec un petit air, comme si elle était effectivement sensible à l'argument mais qu'elle ne voulait pas qu'il le lui serve à ce moment.

— Repose-toi, dit Joséphine en flattant les cheveux raides de la Brindille avant de se lever, je reviens tout de suite.

Joséphine et Jean-Baptiste sortirent de la chambre. Ils montèrent au salon, où Antoinette Potvin, qui accompagnait sa fille, avait été conduite par Clarinda. Joséphine prit place à côté de sa mère. Jean-Baptiste devina, à sa façon décidée de le regarder et à une certaine rapidité dans son mouvement, qu'elle avait quelque chose de très précis à proposer.

— Je pense, dit Joséphine, qu'une personne dans l'état où se trouve la Brindille ne peut guérir tant qu'elle demeurera dans cette chambre glacée et sans lumière. Puisque les travaux à l'étage sont terminés, je suggère que nous transportions la Brindille et son petit lit de fer dans la chambre qui sera la nôtre; le foyer lui apportera la chaleur, et les grandes fenêtres, la lumière.

Antoinette et Jean-Baptiste étaient si abasourdis qu'ils ne répondirent rien.

— Vous feriez entretenir un feu en permanence, poursuivit Joséphine, et Clarinda lui apporterait ses repas. La beauté de cette pièce la ramènerait à des sentiments moins sombres.

— Mais, dit Antoinette en regardant sa fille comme si elle avait perdu la tête, cela ne se fait pas!

— Avez-vous pensé, dit Jean-Baptiste avec le plus de délicatesse possible, que c'est notre future chambre que vous prêteriez ainsi?

Joséphine vit dans cette remarque le signe d'une alliance entre la mère et son gendre pour la rabrouer. Elle en fut piquée. Jean-Baptiste ne l'avait-il pas encouragée à penser par elle-même? De plus, elle était certaine de son intuition. Elle avait assez vu la Brindille admirer la beauté des grands arbres à Contrecœur, et jouir de la lumière éclatante du soleil sur la neige pour savoir à quel point un tel changement pouvait l'aider à survivre.

Joséphine fut prise d'une sorte de panique: si son futur mari prenait cette attitude gentille et paternelle pour la soumettre, elle ne ferait que passer de la domination parentale à la domination conjugale. Elle répondit à Jean-Baptiste d'un ton si cassant qu'il en fut alerté.

— Vous êtes évidemment chez vous, et je ne devrais pas me mêler de mener votre maisonnée. Mais si la Brindille meurt dans son trou glacé, cette belle chambre ne sera jamais la nôtre. Moi, je refuserai d'y mettre les pieds.

Sans même se rendre compte de la violence de sa réaction, Joséphine se dirigea brusquement vers le vestibule et s'apprêtait à sonner pour avoir son manteau, mais Jean-Baptiste lui prit la main. Joséphine n'était pas femme à se laisser dominer et il venait de le comprendre. Cette affaire pouvait lui coûter son mariage. Il avait peur de la volonté de fer qu'il découvrait en elle, et en même temps, il était curieusement rassuré: voilà une future épouse qui serait une maîtresse femme.

— Pardonnez-moi, dit Jean-Baptiste, je n'aurais jamais dû vous faire cette remarque. Elle est d'autant plus déplacée que je me fie complètement à votre jugement. Après tout, la gestion des domestiques sera votre entière responsabilité d'ici quelques mois, et vous aviez tout à fait raison de commencer tout de suite à faire preuve d'autorité. Je vous demande de me pardonner, Joséphine, je vous le demande en tremblant. Je ne veux pas vous perdre, et j'aime le feu qu'allume en vous l'exercice de votre volonté. Je vous aime encore davantage.

Joséphine rejeta la tête en arrière comme pour aspirer tout ce que venait de dire Jean-Baptiste et voir au travers de ses mots. Aussi soudainement qu'elle était venue, sa méfiance se dissipa.

— Alors, venez, je vais expliquer tout ça à la Brindille.

Cette fois, Antoinette Potvin n'intervint pas. Elle était assez fine pour comprendre que cette histoire concernait l'autre vie de sa fille. Mais elle les suivit à la cave. Elle aurait tout de même le plaisir d'assister aux événements.

Joséphine entra doucement dans la chambre de la Brindille et reprit la petite chaise basse.

— Écoute-moi bien. Narcisse et Clarinda vont monter ton lit dans la grande chambre du haut, la chambre des maîtres. Ce n'est pour l'instant qu'une vaste pièce sans aucun meuble, mais les ouvriers ont terminé leurs travaux hier. Tout est propre maintenant; il n'y a plus de plâtre, plus de bran de scie, ça ne sent même plus le mastic. Ce n'est pas de meubles que tu as besoin, de toute façon, mais de chaleur, de lumière et de soins. Cette chambre est la mieux chauffée de toute la maison, il y a du soleil qui entre à pleines fenêtres, et le foyer peut la chauffer comme si c'était le plein été. Clarinda y gardera un feu en permanence. Tu y demeureras tout le temps qu'il te faudra pour reprendre des forces. Tu pourras avoir tout le vin de salsepareille que tu voudras, puisque tu y crois, mais tu boiras aussi du brandy et tu mangeras trois gros repas par jour, des repas comme ceux que tu servais à Timoléon en cachette. Te souviens-tu?

La Brindille regarda Joséphine de travers. Il était bien évident que Joséphine ne lui en faisait pas le reproche, mais lui en parlait avec complicité. La Brindille en fut étrangement contente: ainsi, les Potvin, ou du moins Joséphine, approuvaient le fait que Timoléon puisse se régaler de temps en temps? Et qu'on lui parle enfin de Timoléon lui faisait beaucoup de bien. Elle répondit:

— J'pourrais jamais manger autant que lui, Mam'selle Joséphine, j'aurais jamais la panse assez grande, pensez-donc! Timoléon, y avait l'air d'un grand cheval, mais y mangeait plutôt comme un ours. J'ai jamais vu quelqu'un aimer la mangeaille autant que lui. C'était un homme ben en vie, vraiment ben en vie!

Jean-Baptiste s'avança à son tour vers le lit.

— J'ai fait demander un médecin, dit-il, un excellent médecin, qui sera ici tout à l'heure. Tu reprendras des forces, et même si tu ne peux pas le croire aujourd'hui, je t'assure qu'au printemps, tu auras retrouvé ton appétit pour la vie.

— Une fois rétablie, tu seras notre cuisinière, reprit Joséphine, et Clarinda deviendra ton marmiton. Ce sera toi qui lui commanderas, c'est promis. Comme tu le vois, ma mère et moi avons parlé ensemble; elle m'a expliqué qu'il fallait que tu sois la seule à commander dans la cuisine, sinon, il paraît que tu ne saurais même pas mettre de l'eau à bouillir sans la faire coller.

La Brindille sourit à cette taquinerie.

— Même si Clarinda est ici depuis plus longtemps que toi, poursuivit Joséphine, elle ne te vaut pas comme cuisinière. Maintenant, assez parlé! Nous allons te monter à l'étage. Narcisse va te porter, et ensuite ils reviendront prendre ton lit et tes effets.

XXIV

La Brindille se laissa porter par Narcisse, qui avait une large poitrine et des bras musculeux. Il la déposa par terre, sur des coussins, car elle ne pouvait ni s'asseoir, ni se tenir debout, puis il retourna à la cave et déménagea le lit au milieu de la vaste pièce du deuxième étage. Clarinda étendit des draps propres et remit les couvertures encore humides. Narcisse déposa précautionneusement la Brindille dans son lit.

La tête du lit se trouvait en plein soleil. Le pied était dirigé vers le foyer; les flammes réchauffaient tellement la pièce que La Brindille eut l'impression que, pendant qu'elle montait d'un étage, l'hiver avait disparu. Le feu ajoutait encore à la lumière dorée et à la douce couleur des murs nouvellement tapissés de soie jaune pâle, de la couleur d'une fleur de camomille. En un rien de temps, la chaleur sécha l'humidité des couvertures et ses pieds gelés se réchauffèrent. Depuis que Narcisse l'avait prise dans ses bras, elle n'avait rien dit et s'était laissé porter. Maintenant Joséphine lui disait qu'on allait la laisser seule pour qu'elle se repose, en attendant le médecin. Elle lui fit un sourire de remerciement et tourna son visage vers le soleil. Il dardait avec une rare intensité pour une avant-veille de Noël. Elle ferma les yeux tellement la lumière contrastait avec la noirceur habituelle de sa cave.

Le visage embelli de Timoléon lui apparut avec clarté. Elle le revoyait sur le fond des branches du pommier en fleurs, avec, à travers le feuillage, la lumière blanche de la lune. À lui aussi, elle avait quelque chose à dire, et elle le lui dit, tout bas, la figure tournée vers le soleil du matin.

— J'suis sans rancune,Timoléon! J'espère que t'es quitte de ton bord. Ça prenait un homme pour faire une femme de moé comme ça prenait une femme pour faire un homme complet de toé. J'aurais pas pu trouver un meilleur homme, Timoléon. T'as été le plus beau, le meilleur homme qu'une femme pouvait rêver d'avoir. T'as pas pu revenir me marier pis ouvrir ta boutique... parce qu'on fait pas toujours ce qu'on veut avec la vie, encore moins avec la mort. Tu m'auras donné autant de bonheur et de souffrance qu'en toute une vie. Les Anglais ont eu beau te pendre, j'suis pas influençable au point de penser que tu méritais ça. J'ai vu le fond de ta nature, et je t'aimerai toujours, mon homme, beau comme le firmament.

Elle ferma les yeux, et resta tranquille pendant que se faisait le travail de la mémoire: l'image de sa nuit d'amour avec Timoléon, tranquillement, se fixait dans la partie inaltérable de son âme, celle où l'on entrepose, pour les garder toujours, les souvenirs heureux et les grandes douleurs.

Vers trois heures, Clarinda se présenta avec un plateau chargé d'une tasse de bouillon de légumes, d'une miche de pain frais et d'une assiettée de crème épaisse sucrée à la confiture. La Brindille, qui n'avait jamais été servie au lit, goûta d'abord à la crème épaisse en y trempant le bout du doigt. Elle avait faim, et elle mangea, étonnée de trouver cela bon.

Elle accepta ensuite de voir le médecin que Jean-Baptiste avait fait demander. Mais celui-ci avait le teint si maladif qu'elle se méfia en le voyant, comme s'il allait répandre son propre malaise au lieu de guérir sa patiente. Elle rougit de honte quand il releva, sans trop de cérémonie, ses couvertures et sa chemise de nuit pour examiner la gravité de ses déchirures aux organes génitaux. Le médecin se contenta de hocher la tête en regardant les chairs effilochées et boursouflées. Il remballa ses instruments sans dire un mot et s'en alla faire son rapport à Jean-Baptiste, comme un vétérinaire renseigne l'habitant sur l'état de sa vache. La Brindille, qui n'avait jamais consulté de médecin, ne comprit pas pourquoi il ne la mettait pas d'abord au courant: allait-elle mourir, oui ou non? Et, si oui, quand?

Elle n'entendit pas le médecin qui conseillait à Jean-Baptiste de se chercher tout de suite une nouvelle cuisinière. Cette petite femme, expliqua-t-il, pas plus haute qu'une fillette de neuf ans, n'avait pas une constitution pour mettre un enfant au monde. Encore moins un enfant qui, à ce qu'il pouvait en déduire, avait dû se présenter par le siège.

* * *

Choquée du silence concernant son état, la Brindille, après avoir fait une longue sieste dans l'après-midi, décida d'agir par elle-même. Elle avait perdu son indifférence vis-à-vis de la mort. Mourir, ça pouvait toujours aller, mais rester là à attendre d'en finir, c'était insupportable. Quand Clarinda s'amena avec du thé et des biscuits en la servant comme si elle avait été la demoiselle de la maison, la Brindille lui demanda d'aller chercher cette dénommée Charlotte Cedilot, une sage-femme originaire de Contrecœur mais qui demeurait depuis des années à Montréal. Elle avait, disait-on, un don de guérisseuse et avait la science des plantes, des bêtes et du corps des femmes. C'est avec son aide que la Brindille aurait voulu accoucher, car elle avait la réputation d'en connaître plus long sur les souffrances des femmes que tous les médecins réunis.

La sage-femme fit savoir par Clarinda qu'elle viendrait le lendemain matin, et la Brindille l'attendit.

* * *

Charlotte Cedilot devait être dans la cinquantaine; haute et droite comme un tronc d'épinette, elle apporta avec elle, en entrant dans la grande chambre, une odeur de farine de sarrasin fraîchement moulue, une odeur que la Brindille aimait autant que celle de la camomille ou du foin frais coupé. Dès que Charlotte Cedilot se fut approchée de son lit, Marie regarda ces fameuses mains de femme, dont on lui avait raconté qu'elles pouvaient retourner un enfant dans le ventre de sa mère, et agrandir l'ouverture pour que l'enfant passe sans déchirer les chairs, et faire venir le lait dans le sein des femmes en les massant d'une certaine façon, et arrêter le sang, et apaiser, par des gestes étranges, les douleurs les plus aiguës.

La femme regarda la grande chambre remplie de soleil, le foyer où brûlait une énorme bûche noueuse, et ne demanda pas ce que faisaient une fille engagée et son lit de fer dans une chambre de maîtres. Marie fut surprise de ne ressentir ni honte ni gêne lorsque la sage-femme lui demanda de repousser les couvertures et de relever sa robe de nuit pour qu'elle examine ses organes. Les gestes amples et lents de ses mains, qui s'ouvraient et se refermaient comme de grands oiseaux paisibles, fascinaient Marie. Ses doigts étaient aussi grands et gros que ceux d'un homme, mais ses mains étaient étroites comme si on les avait taillées sur mesure pour entrer dans le ventre des femmes; leur paume était arrondie en creux comme pour recevoir la tête d'un nouveau-né. Charlotte Cedilot examina Marie doucement, attentivement, puis la recouvrit de sa robe et de son drap.

— Ma pauv' p'tite fille, t'es ben mal amanchée, dit-elle. Tes chairs ont déchiré comme une vieille guenille qu'aurait trop servi. Mais ça peut se raccommoder. On peut toujours essayer de faire du neuf avec du vieux, hein ma fille?

— C'est pourtant pas parce que ces organes-là ont ben ben servi... répondit la Brindille. Rien qu'une nuit dans toute ma vie! J'ai eu rien qu'une nuit d'amour! La première, pis aussi la dernière!

— Que c'était la première, j'te crois si tu le dis, ma pauv' p'tite fille... et que c'était la dernière, j'ai ben peur que ça soye aussi vrai! J'peux pas t'arranger ça solide; c'est comme coudre dans le tulle. J'aurais beau faire des miracles, ça serait jamais assez solide pour l'usage d'un homme.

Marie lui demanda sans grande anxiété:

— Ça veux-tu dire, là, que j'suis finie; que j'vas mourir?

— J'ai pas dit ça! Mais ça veut dire de te tenir loin de l'homme. Pour toujours. J'te dis pas ça pour te priver d'un plaisir, un plaisir que j'peux plus avoir moi-même, parce que j'ai passé l'âge. C'est pour la simple raison qu'amanchée comme tu l'es, y a pas tellement de plaisir à y avoir. Et tu pourrais y passer, si t'étais encore engrossée. Mais j'te dis ça en sachant qu'y a rien pour arrêter ce besoin-là quand ça nous possède, autant les femmes que les hommes. J'ai assez vu de femmes qui allaient encore à leur homme, même quand elles savaient qu'un autre petit les tuerait! C'est la nature qu'est comme ça, qu'esse tu veux! Mais tu pourras pas dire que je t'aurai pas avertie, fille.

Marie avait écouté cet avertissement avec impatience et répondit avec une certaine raideur:

— Mon homme, de toute façon, y est ben loin... ben loin pour toujours! Y s'est donné à la cause des patriotes comme moé j'me suis donnée à lui. Ça nous aura pas profité, ni à lui, ni à moé, ni à not' petit. J'irai jamais à un autre homme pour la bonne raison que j'aimerais mieux mourir dix fois de suite que de payer encore une fois le prix que j'viens de payer. Rien que de penser à toute le beau, à toute le bon que j'ai eu pour le perdre aussitôt, j'ai envie de pleurer comme un torrent, jusqu'à me noyer dedans.

— Si t'as envie de pleurer, pourquoi que tu pleures pas, fille? Les larmes qu'on empêche de couler restent prises en travers de la gorge. Elles durcissent comme des p'tits cailloux râpeux qui vous barrent le souffle. Laisse-les couler. Aie pas peur de l'eau...

La Brindille entendait son cœur battre dans sa voix et ne se risquait pas à faire de longues phrases. Elle serra les dents encore plus fort; son menton tremblait. Si elle pleurait maintenant, elle avait peur de ne plus jamais s'arrêter. Tout son corps était tendu en un effort de maîtrise qui l'épuisait. La sage-femme ouvrit sa grande main légère comme une aile et la posa sur la joue de la Brindille, qui continuait de serrer les mâchoires. Alors Charlotte Cedilot fit un geste bref: elle posa le bout de son index sur le menton tremblant de la Brindille et y exerça une pression, légère mais insistante, qui força Marie à desserrer les dents et à ouvrir la bouche. Cela eut l'effet d'une écluse qu'on ouvre: aussitôt qu'elle eut ouvert la bouche, un long gémissement s'échappa de sa poitrine. Elle se mit à pleurer d'abondance, les épaules secouées par une marée montante de sanglots et de hoquets, la bouche ouverte, cherchant son air comme si elle allait se noyer. La peine contenue comme une boule dure et oppressante se liquéfiait en larmes de soulagement.

Lorsque La Brindille ouvrit enfin les yeux, elle se trouvait dans les bras de Charlotte Cedilot, qui la berçait d'un mouvement lent et régulier comme celui que Joséphine avait eu la veille. Lorsque sa respiration eut retrouvé un rythme moins saccadé, Charlotte Cedilot lui tapota doucement la tête, comme si elle donnait le signal de fermer le robinet des larmes. La Brindille, satisfaite de la quantité de larmes versées, obéit sans rechigner et referma la bouche.

La sage-femme se leva, s'approcha du foyer, ouvrit les mains vers la flamme pour en évaluer la chaleur. Elle se dirigea ensuite vers la porte de la chambre et y mit le verrou d'un geste brusque. Elle revint s'asseoir au pied du lit de la Brindille:

— Bon, astheur que t'es débarrassée des cailloux qui t'étouffaient, on va commencer le traitement. T'es chanceuse, t'as du feu dans ta chambre; avec un bon feu, de la bonne nourriture, de la lumière, on peut aller loin sur le chemin de la guérison. Si tu veux faire ce que j'te dis ben religieusement, chaque jour pendant au moins trois semaines, t'as une chance de t'en tirer. Veux-tu essayer, ou ben si t'aimes mieux te laisser mourir? Dis-le franchement, parce que j'aime pas perdre mon temps.

La Brindille fit signe que oui, elle voulait essayer de guérir. La sage-femme poursuivit:

— Sors de ton lit, prends ton oreiller, et viens t'allonger ici, par terre, devant le feu, couchée sur le dos, les pieds aussi avancés dans l'âtre que tu peux le supporter.

Charlotte Cedilot faisait un geste du bras qui signifiait d'obéir tout de suite. La Brindille se leva de son lit, et pieds nus, vêtue de sa robe de nuit de coton usé, elle s'approcha du foyer, laissa la sage-femme l'allonger sur le dos, les genoux relevés, la plante des pieds appuyée sur la pierre de l'âtre, si proche du feu qu'elle en sentait presque la brûlure. Charlotte lui expliqua alors la position précise qu'elle voulait lui voir prendre.

— Ouvre tes genoux comme une femme qui accouche... y faut que tu sois grande ouverte, grande ouverte… Tu comprends, fille, y faut que tu te donnes au feu, parce qu'y a que le feu pour sécher toutes les plaies que t'as là. Les blessures dans cette région-là, c'est méchant comme des bêtes de forêt la nuit; y a que le feu pour leur faire peur. Le feu peut te guérir à condition que t'ouvres grand, comme une femme qui se donne; y faut que tu oublies la gêne, que tu soyes aussi innocente qu'un bébé qui lève les pattes en l'air pour se sucer les orteils. On ne guérit pas quand on tord ses nerfs comme des fonds de raquettes.

De ses deux mains, Charlotte écartait les genoux de la Brindille.

— Ouvre, ouvre grand... Pense à un lac en été, quand y a même pas une brise pour le déranger, un lac qui s'étend, qui s'allonge entre deux rives. Pense à un lac, à la manière qu'un lac s'étend au milieu d'une chaîne de montagnes.

En disant cela, la sage-femme posait ses deux mains sur les genoux ouverts de la Brindille, et appuyait dessus, comme pour les fixer dans cette posture. Elle continua:

— Il faudra que tu passes plusieurs heures par jour, comme ça, à te faire sécher la marguerite. Mets bien le verrou sur la porte; y faut pas que tu commences à t'énerver chaque fois qu'y a des pas dans le couloir. Y faut que tu *deviennes* une chatte, une chatte avec les quatre pattes en l'air, une chatte ben paresseuse qui se fait sécher le bobo au soleil, une chatte qui pense pas à d'autre chose que manger, dormir, ronronner... manger, dormir, ronronner... manger, dormir, ronronner... Une chatte qui se respecte, vois-tu, y a rien qui la dérange. Si elle a un petit bobo, elle oublie toute, sauf de se lécher le bobo, et ensuite de le faire sécher au soleil. Et ça sèche, tranquillement, ça sèche au lieu de pourrir comme un pomme qu'on laisserait dans une cachette humide.

Les paroles de Charlotte Cedilot avaient un pouvoir hypnotisant: la Brindille se détendait, elle voyait une chatte se lécher une plaie avec cet air orgueilleux que prennent les chats pour faire toute chose; elle *devenait* cette chatte et sentait la chaleur sécher sa plaie, qui, déjà, lui faisait moins mal.

— En plus de ça, reprit Charlotte, le doigt levé comme une mère qui dicte à son enfant une règle qu'il ne doit pas oublier, chaque fois que tu feras tes besoins, le petit comme le gros, tu vas te laver là, comme on lave les petites filles. Seulement toi, tu prendras de l'eau bouillie et cette eau, tu vas la faire bouillir et rebouillir ici sur le feu. Y te faut de cette eau-là en permanence, tiédie sur le rebord de la fenêtre. J'vas te faire monter le nécessaire de la cuisine. Y faut aussi t'essuyer ben propre, avec une serviette qu'y faudra changer chaque fois. Je dis pas chaque jour! Je dis *chaque fois!*

Charlotte s'éloigna et fit une pause avant de reprendre.

— T'es cuisinière, hein, c'est ça?

— Oui, répondit la Brindille, une vraie bonne cuisinière... à ce qu'on dit.

— Alors, tu comprends ce que ça veut dire d'être propre. Garde ton eau, tes draps, tes mains, et tes parties secrètes propres comme le fond de tes casseroles. Regarde les chattes: quand elles ont une plaie, elles passent toute leur temps à la laver. Et les ratons, les connais-tu ben les ratons?

— Ben sûr, les ratons, que j'les connais! répondit Marie, comme si elle se découvrait de la parenté avec Charlotte Cedilot.

— Alors tu sais que c'est plus propre que nous autres, ces bêtes-là, reprit Charlotte. Y faut que tu fasses pareil avec tes parties féminines. C'est-y clair, ou ben y faut que je r'commence une deuxième fois?

La Brindille répondit, en plissant ses petits yeux:

— J'ai compris; faut-y que j'le dise deux fois: j'ai compris!

La sage-femme rit d'un bel éclat de rire, et pinça affectueusement la joue de Marie. La Brindille, d'habitude si soucieuse de sa dignité d'adulte et de grande personne, ne fut pas choquée du geste et se sentit bien pendant un bref instant. Elle voulait maintenant guérir, ne serait-ce que pour faire plaisir à cette femme et lui prouver qu'elle ne lui avait pas fait perdre son temps. Charlotte reprit:

— Demain je t'apporterai un p'tit pot d'onguent. J'le confectionne avec de la gomme d'épinette, de la gomme de sapin et toute une variété de plantes que si j'te les nommais toutes, tu me prendrais pour une vieille sorcière....

En disant cela, Charlotte Cedilot partit d'un autre grand rire, comme si elle cherchait à son tour à faire rire la Brindille. Puis elle se promena de long en large dans la chambre, voulant vérifier si la Brindille, toujours allongée sur le dos et offerte au feu, allait garder sa position. La Brindille tourna la tête pour suivre la déambulation de la femme, mais ne referma pas les genoux.

Pendant une demi-heure, Charlotte parla de choses banales avec la Brindille; elle voulait l'habituer à garder sa position jusqu'à ce qu'elle lui semble la plus naturelle et la plus digne pour faire la conversation. Avant de repartir, Charlotte Cedilot donna une petite tape d'encouragement sur l'épaule de la Brindille:

— T'es pas un gros brin de femme, mais tu m'as l'air d'avoir les yeux en avant des trous. J'penserais ben que tu vas t'en sortir, ma p'tite noire. Tiens bon!

La Brindille saisit alors d'un geste rapide la main que Charlotte avait posée sur son épaule et déposa au creux de la paume un baiser de reconnaissance, son petit visage de souris presque tout entier enfoui et contenu dans le creux de cette grande main qu'elle semblait ne plus vouloir lâcher. Charlotte sourit comme si elle reconnaissait là une réaction que plus d'une femme avait eue. Chaque fois qu'une de ses malades l'avait embrassée comme ça, dans le creux de la main, ç'avait été bon signe. La relation de guérisseuse à malade supposait une grande confiance, au point que Charlotte se demandait si ce n'était pas l'ingrédient le plus efficace de toute sa thérapeutique. Elle réitéra sa promesse de revenir le lendemain et s'en alla en répétant à la Brindille de se lever uniquement pour mettre le verrou après son départ et de reprendre immédiatement sa position.

La Brindille referma la porte derrière Charlotte et retourna s'allonger, ouverte, la tête sur l'oreiller posé par terre, devant le feu qui allait la guérir. La chambre restait remplie de la présence de la sage-femme. La Brindille s'endormit dans cette étrange posture, comme si la volonté d'obéir à la prescription de la sage-femme s'était inscrite si profondément qu'elle persistait dans le sommeil.

Quand elle revint le lendemain, Charlotte Cedilot demanda à voir Jean-Baptiste, pour être payée, mais aussi pour l'aviser que la seule façon de garder sa cuisinière en vie était de la laisser dans cette chambre, au moins pendant tout le temps que durerait le grand froid. Il ne fallait pas la déranger, sauf pour lui apporter ses repas, des repas légers et autant que possible délicieux, et lui monter de l'eau, des chemises de nuit propres, des draps frais et trois serviettes propres tous les matins. Elle se fit payer le cinquième du prix que le médecin avait demandé, et tira sa révérence.

La Brindille suivit à la lettre les prescriptions de Charlotte. Sa douleur était silencieuse et patiente; elle l'acceptait ainsi qu'elle acceptait l'hiver, comme une saison longue, froide et difficile. C'était toujours la même fibre qui vibrait, la fibre la plus profonde et la plus sensible. Mais au lieu d'un ange qui l'aurait caressée, c'était un démon qui la pinçait. Elle rentra en elle-même et se tut.

XXV

Pendant tout l'hiver, Charlotte Cedilot continua ses visites. Elle vint même faire son tour dans l'après-midi du jour de l'An 1839 et apporta pour l'occasion une bouteille d'un vin de sa confection.

La Brindille reprit peu à peu des forces jusqu'à marcher à petits pas dans sa chambre et à s'asseoir sur le plancher dur. Elle était fière, à chaque visite de Charlotte, de pouvoir lui montrer ses progrès. Elle avait la capacité de recevoir de toutes parts la bénédiction passagère des minuscules joies qu'une journée peut apporter: les visites de Charlotte, les draps propres, la crème fouettée, la chaleur de la pièce alors qu'il neige si fort dehors, le sommeil, le réveil, l'appétit, la contemplation du jaune des murs de la chambre, tendus d'une soie précieuse qui reflétait une lumière d'or. Elle vécut traversée d'ombre et de lumière, résignée, généreuse.

Un matin du début d'avril, la Brindille s'aventura à descendre d'un coup les deux étages qui la séparaient de la cave. Elle avait besoin de voir ce qui se passait à la cuisine.

Clarinda était occupée à laver la vaisselle du déjeuner. Elle offrit une tasse de café à la Brindille, qui refusa, car elle était occupée à tout inspecter. Elle souleva le couvercle du seau à ordures et y trouva un gros morceau de pain, jeté alors qu'il n'était même pas moisi. C'était totalement inacceptable. Aux yeux de la Brindille, les restes étaient *toujours* utilisables d'une façon ou d'une autre. Ce qu'elle voyait là, presque un demi-pain encore bon, constituait à ses yeux une faute très, très grave, car elle ne concevait aucune excuse au gaspillage de nourriture. Elle ne put se retenir d'apostropher Clarinda — elle s'était pourtant promis de la ménager, pour qu'elle n'éprouve pas trop d'amertume à passer sous ses ordres et parce que Clarinda l'avait bien traitée. Mais c'était plus fort qu'elle.

— Tu jettes un bon morceau, là, y m'semble!... dit la Brindille, le couvercle du seau dans une main et le gros croûton de pain dans l'autre, à la hauteur de ses yeux. C'est-y parce que tu manquerais d'imagination pour en faire quoque chose de mangeable?

Clarinda ne répondit rien, ne voulant pas indisposer cette petite femme qu'elle servait depuis trois semaines comme si elle avait été la demoiselle de la maison. Monsieur Paradis l'avait informée de la nouvelle situation: la Brindille deviendrait la première cuisinière tandis qu'elle-même serait reléguée au ménage. Clarinda avait accepté sans trop de difficulté, car elle aimait mieux faire le ménage que la cuisine.

Impatientée par le silence de Clarinda, le prenant pour de la défiance, la Brindille reprit:

— Attention, Clarinda, attention! le destin pourrait ben faire de toé une quêteuse de grand ch'min, pour t'apprendre la valeur du bon pain!

Clarinda crut voir une menace de congédiement, et trouvant que la Brindille allait un peu trop loin, et un peu trop vite, elle sentit le besoin de se défendre.

— Y a pas une miette de bon pain dans c'te seau là! répondit-elle d'un ton brusque, c'est rien qu'un vieux croûton qui ferait lever l'nez d'un prisonnier tellement y est sec. C'est pas de ma faute si M'sieur Paradis commande d'acheter du pain frais tous les jours, pis qu'y mange pas ici la moitié du temps. Y s'en gaspille un brin, c'est toute... C'est pas un péché mortel y me semble!

Mais la Brindille n'attendait que cela pour rétorquer:

— C'est pas un péché, c'est pire! Un péché, ça se confesse, mais un gaspillage, ça se rachète pas avec des Avé! Les prêtres cuisent même pas leurs hosties, c'est pour ça qu'y connaissent pas la valeur du manger.

La Brindille perdit son air menaçant et commença à expliquer à Clarinda ébahie:

— Si tu trouves rien à faire avec le pain sec, c'est parce que tu manques d'imagination. Une fois ramolli dans le lait chaud et ben sucré, c'te croûton là ferait le bonheur d'un quêteux; y serait quasiment aussi content que si tu y donnerais du pouddigne!

Clarinda voulut dire que des quêteux, il n'en venait pas sur la rue Notre-Dame, mais elle comprit que c'était inutile d'essayer d'avoir le dessus avec la Brindille.

Ce n'était pas que la Brindille voulait être dure; le fait que Clarinda était bavarde et mauvaise cuisinière l'agaçait un peu; mais, d'un autre côté, il n'était pas nécessaire d'avoir deux bonnes cuisinières dans une même cuisine et Clarinda, malgré son bavardage, s'appliquait autant qu'elle le pouvait. La Brindille n'aurait pas pu expliquer à Clarinda pourquoi elle s'était fâchée si vite, car elle ne le comprenait pas elle-même. Chaque année, quand elle avait quitté la campagne de Contrecœur, en septembre, la Brindille avait connu la même frustration: il ne se trouvait personne à Montréal qui voulait être régalé des restes abondants de la maisonnée des Potvin. Il y avait bien quelques quêteux à l'occasion, mais personne n'ayant un aussi bel appétit et prodiguant des compliments aussi appliqués que ceux de Timoléon.

Et maintenant, il n'y aurait plus jamais de Timoléon à qui donner la première tranche du rosbif — toujours un peu trop cuite — personne à qui servir un fond de ragoût qui ne pouvait servir à une base de soupe, personne pour qui ramollir les restes de pain dans du lait sucré, personne pour attendre une rognure de pâte, une petite galette, un pointe de tarte pas plus large qu'une note de piano, en échange de quoi elle recevait une charroyée complète de compliments. Timoléon lui manquait terriblement, et ça, elle ne pouvait pas l'expliquer à Clarinda.

Elle s'était efforcée d'oublier sa peine d'amour et les grandes extases de leur nuit, et voilà que le fantôme de Timoléon revenait par la porte entrouverte de la cuisine, pour se sucrer le bec, et elle s'était fait prendre. Soudainement, elle fut terriblement fatiguée, et ses déchirures la brûlèrent de nouveau. Elle n'était pas encore tout à fait guérie. Elle remonta à sa chambre, laissant derrière elle une Clarinda toute déconfite.

* * *

Quelques jours plus tard, elle redescendit, cette fois pour inspecter les chaudrons, le garde-manger, les placards. Elle fut satisfaite de l'état des choses à la cave et aucun fantôme ne vint raviver la peine. Le surlendemain, elle demanda à Jean-Baptiste la permission de faire l'inventaire du buffet à vaisselle de la salle à manger, d'examiner l'état de l'argenterie, de tâter la qualité des linges de table. La semaine suivante, vers le milieu de l'après-midi, elle prépara un lièvre au vin rouge et au thym pour le souper de Jean-Baptiste. Lorsqu'à six heures il se mit à table, c'est la Brindille en personne, rouge de fierté, qui apporta le lourd plateau du repas. En posant le plat odorant, elle annonça à Jean-Baptiste qu'il était plus que temps qu'elle retourne à la cuisine.

— Sauf vot' respect, M'sieur Paradis, j'dirais que vot' Clarinda, là, c'est une bonne parsonne, y a pas d'erreur... elle a été ben bonne pour moé, elle m'a servie comme si j'étais manchote pendant quasiment quat' mois. Mais c'est une fille de ville. J'veux dire par là qu'elle jette ses choux gras, qu'elle épluche épais, qu'elle a pas gros d'invention pour accommoder les restes. Quand on a pas d'imagination pour accommoder les restes, on en a pas plus pour inventer les extravagances d'un festin. J'ai pour mon idée que c'est plus que le temps que j'retourne à la cuisine, pour voir un peu à mes affaires, pis aux vôt' par la même occasion.

Jean-Baptiste sourit, content de constater que la Brindille était guérie.

Il émanait du lièvre un arôme de thym plus appétissant que d'habitude, et il y reconnut la touche de la fameuse cuisinière. La Brindille le regarda manger ; voyant le visage de son maître se détendre sous l'effet du plaisir, elle se campa bien droit, la tête haute, les deux mains sur le dossier d'une chaise.

— M'sieur Paradis, vous avez fini de remplir votre promesse, là. J'suis guérie, et j'ai pas l'idée d'aller me j'ter dans le fleuve. Marci ben. On est quitte. Avez-vous toujours l'idée de me prendre comme cuisinière? Si vous aimez mieux la cuisine de vot' Clarinda, dites-le tout de suite, je fais mon paquet, et j'suis retournée chez les Potvin à temps pour faire leur déjeuner de demain matin.

Jean-Baptiste la regarda avec un sourire d'incrédulité. Pouvait-elle encore douter qu'il tenait à la garder? Ignorait-elle son talent, ignorait-elle qu'il avait une certaine affection pour elle, ou avait-elle un besoin immodéré de compliments? Voyant le sérieux qu'elle se donnait, et le coup d'œil qu'elle lançait furtivement à son lièvre aux herbes, il comprit que l'orgueil de cette petite femme tenait tout entier dans sa valeur de cuisinière. Elle ne voulait pas de charité et tenait à être quitte avec lui. Il entreprit encore une fois de la rassurer.

— Il faudrait être fou pour te laisser partir, il n'en est pas question, jamais! Je suis contre le gaspillage...

Satisfaite, La Brindille hocha la tête et conclut avant de disparaître:

— On s'entend, on s'entend!

* * *

Les procès s'étaient poursuivis pendant tout l'hiver 1839. Des cent huit personnes traduites en cour martiale, neuf furent acquittées et quatre-vingt-dix-neuf, condamnées à mort. Douze des condamnés à mort furent exécutés — dont le beau Chevalier de Lorimier, à l'aube d'un matin glacial de février — et cinquante-huit virent leur peine commuée en déportation. On les embarqua pour l'Australie, où se trouvait alors une colonie pénitentiaire réputée pour être particulièrement sordide.

Avec l'approche de l'été, la vie à Montréal retrouva malgré tout une certaine gaieté. Même si Jean-Baptiste constatait qu'il n'avait pas d'autre choix que de redevenir un fidèle sujet britannique, ses pensées étaient tournées vers l'avenir et la consolidation de sa clientèle. Avec son ami George-Étienne Cartier, qui avait été amnistié par Londres depuis peu, il se rangea du côté de Louis-Hippolyte LaFontaine, qui promettait un nouveau rapport avec la politique et les Anglais. La perspective du mariage, surtout, lui redonnait confiance en la vie et le rendait optimiste. La date était fixée: Joséphine deviendrait sa femme le 1er juillet 1839. Elle avait déjà annoncé qu'elle ne voulait pas de voyage de noces et souhaitait simplement s'enfermer avec lui dans l'intimité de leur maison, où les travaux de rénovation étaient presque finis. Cossu, confortable, luxueusement meublé, lumineux, chaleureux, leur nid n'attendait plus que le couple qui viendrait y roucouler une longue lune de miel avant de pondre et d'élever une nichée nombreuse.

En vue des noces de leur fille, les Potvin modifièrent encore une fois leur routine et décidèrent de retarder leur migration annuelle à la campagne jusqu'après le mariage. Il y avait tellement à faire, au dire, du moins, d'Antoinette et de Joséphine.

Ignace Potvin se réjouissait de voir sa femme se consoler du départ imminent de Joséphine en s'étourdissant d'action.

Après la noce, se disait Ignace, Antoinette serait si fatiguée que le vide laissé par le départ de leur fille serait bienvenu. Quant à lui, il serait content de retrouver l'attention de sa femme, car depuis les fiançailles, il avait eu la désagréable impression d'être laissé entièrement à lui-même, comme un enfant jusque-là chéri qu'on néglige à la naissance d'un nouveau bébé.

Ce sentiment d'abandon lui rappelait les mois qui avaient suivi la venue au monde de Joséphine, vingt ans plus tôt, mois pendant lesquels Antoinette avait été complètement happée dans le tourbillon des responsabilités et des émotions maternelles, le laissant, lui, le géniteur qui se sentait devenu inutile, en dehors de toute l'aventure.

Ignace pensa que Jean-Baptiste avait été sage d'associer Antoinette et Joséphine aux plans de rénovation; cela donnait un prétexte à Joséphine pour rendre visite à son fiancé presque chaque jour, et Antoinette y trouvait une bonne excuse pour accompagner sa fille partout. Un homme aussi fin diplomate avec sa future belle-mère, pensait Ignace, avait du talent pour la négociation et il était heureux de voir que Jean-Baptiste, tranquillement, s'intéressait aux affaires.

Jean-Baptiste, en effet, s'était assuré de la collaboration de Joséphine pour choisir la couleur des murs, les tissus, les meubles, et décider de la disposition des objets. Sa seule exigence avait été que le confort ne soit jamais sacrifié à l'élégance. Il ne voulait pas de ces petites chaises aux pattes maigres qui vous donnent l'impression qu'elles vont casser si le hoquet vous prend. Il ne voulait pas non plus de dorures sur les boiseries; cela faisait vieille France et il préférait la simplicité qu'il avait observée chez les Américains. À part ces deux restrictions, Joséphine, s'appuyant à l'occasion sur le conseil de sa mère, pouvait choisir à sa guise. Cet arrangement permettait à Jean-Baptiste, d'une part, de multiplier les occasions de faire plaisir à sa fiancée et, d'autre part, de se consacrer à son cabinet de notaire, qu'il avait négligé pendant son exil.

XXVI

Joséphine ne venait jamais chez son fiancé sans sa mère, car il était inacceptable que les amoureux demeurent seuls dans la maison, ne fût-ce qu'une heure ou deux.

Un après-midi du début de juin, la mère et la fille arrivèrent de bonne heure. Elles venaient vérifier si les tentures de velours rouge vin, que le drapier avait livrées ce matin-là, étaient correctement confectionnées. Jean-Baptiste les reçut comme à l'accoutumée, dans son cabinet de travail; mais cette fois, au lieu de les laisser aller dans le reste de la maison, où les meubles étaient encore tout recouverts d'épaisses toiles blanches, il leur demanda de prendre un moment pour, écouter.

— Madame Potvin, dit Jean-Baptiste en lui avançant une chaise, vous qui avez été la maîtresse de la Brindille, vous n'aurez pas de difficulté à comprendre l'importance que cette petite femme accorde à sa qualité de cuisinière.

— Oh oui, je sais! dit Antoinette Potvin. Même si elle est tout juste assez haute pour tourner la cuillère de bois dans ses chaudrons, la Brindille connaît sa valeur.

— Imaginez-vous, dit Jean-Baptiste, qu'elle s'est mise en tête qu'il lui appartenait à elle de préparer le festin de noces.

La Brindille est convaincue que cette réception se donnera chez vous, à votre maison de Contrecœur, puisque la noce aura lieu en juillet. En prévision de l'événement, elle m'a demandé la permission de se remettre à votre service, ayant entendu dire par votre cocher que la cuisinière que vous avez engagée pour la remplacer ne la vaut pas. La Brindille a déjà une infinité de suggestions à vous faire pour le menu et ne doute pas une seconde que vous puissiez refuser une telle proposition. J'hésite à la détromper et à lui dire que votre mari a déjà réservé l'hôtel Rosco pour y faire servir le banquet de noces.

— Je comprends votre hésitation, dit Antoinette, car je suis tout à fait convaincue qu'elle prendra cela comme une offense personnelle. Vous aurez beau faire appel à sa raison, lui démontrer que les maisons ne sont pas conçues pour recevoir une centaine de convives, que nous ne pouvons pas, comme dans les noces paysannes, faire la fête dans notre grange de Contrecœur... Quoi que vous puissiez dire, elle ne comprendra pas qu'on la prive de cette occasion unique de se dépasser.

— Maman, dit Joséphine avec de l'inquiétude dans la voix, une fois la noce passée, si la Brindille veut encore retourner avec vous, la reprendrez-vous? Je me sens si peu sûre de moi lorsqu'il s'agit de recevoir et vous l'avez si bien formée!

La mère sourit de voir sa fille prendre peur devant ses responsabilités de future hôtesse. Antoinette avait envisagé ce retour possible de la Brindille et en avait même parlé avec son mari, car il aurait suffi d'un mot pour la ramener. Mais le grand train de maison qu'elle avait toujours tenu la fatiguait et, une fois sa fille mariée, elle avait l'intention de ralentir le rythme des réceptions. Joséphine et Jean-Baptiste, eux, commençaient dans cette voie et l'activité de leur maison irait croissant.

— Ne t'inquiète pas, dit Antoinette en esquissant un geste d'apaisement maternel. Je ne t'enlèverai pas la Brindille, je te l'emprunterai à l'occasion.

— Vous nous accordez là un cadeau inestimable, dit Jean-Baptiste, nous vous remercions.

Antoinette reçut ce nous conjugal avec un léger pincement au coeur.

— C'est donc à toi, ma fille, dit Antoinette avec une tendre malice, que revient la tâche d'annoncer à la Brindille nos arrangements avec l'hôtel Rosco.

Joséphine descendit seule à la cave. La cuisson d'un gros chapon dégageait un fumet où se mêlaient des odeurs d'herbes et d'épices présageant un bon souper. Joséphine commença par complimenter la Brindille.

— Voilà un chapon qui s'annonce bien. Ta maladie ne t'a pas fait perdre la main, Marie!

— J'ai perdu ben gros, mais le tour de fricoter, ça au moins, ça m'est resté!

La Brindille eut un sourire de contentement. Elle présenta une chaise et Joséphine s'assit, sa large jupe de faille quasiment coincée entre la table chargée des légumes à éplucher et la cuve à laver la vaisselle. Joséphine décida d'aller droit au but.

— Marie, tu n'auras pas à te préoccuper du repas de noces; le banquet de mariage aura lieu à l'hôtel Rosco.

La Brindille ouvrit la bouche, hébétée.

— Vous allez manger d'la nourriture d'hôtel le jour de vos noces? dit-elle sur un ton dégoûté.

Pour elle, comme pour beaucoup de ceux qui ne mangeaient à l'hôtel qu'en voyage, lorsqu'il n'y avait pas moyen de faire autrement, c'était dans les maisons qu'on mangeait le mieux.

Joséphine se sentit obligée d'expliquer que l'hôtel Rosco de la rue Saint-Paul était le rendez-vous de la bonne société de Montréal. Les réceptions les plus importantes se donnaient là, car l'hôtel comptait de nombreux salons et la salle à manger pouvait recevoir une centaine de convives. La Brindille devait comprendre que c'était tout naturellement l'endroit qu'avait choisi Ignace Potvin pour convier tous ses amis aux noces de sa fille.

— C'est une question de nombre, Marie. Mon père a beaucoup d'amis, ma mère a beaucoup de famille, mon fiancé a beaucoup de clients... Tous ces gens, une centaine, viendront boire et manger! Imagines-tu comment, à la maison, nous serions entassés les uns sur les autres? Nous ne pourrions même plus lever notre verre pour le porter à nos lèvres sans accrocher quelqu'un du coude! Et combien crois-tu qu'il faudrait engager de personnel supplémentaire pour t'assister à la cuisine? Au moins une dizaine de marmitons. Avec tout ce monde autour de toi, il n'y aurait plus de place pour les victuailles!

— Sauf vot' respect, Mam'selle Joséphine, je vois pas de problème à commander à une dizaine de marmitons à la fois; je peux m'arranger de ça, et des victuailles aussi... Y s'agit de jongler à son affaire longtemps à l'avance. Y a moyen, pour ça, y a moyen! C'est le vouloir qui manque.

«Mais seulement, continua la Brindille intérieurement, ce n'est pas dans la nature des maîtres de prendre l'opinion des domestiques.» Tout ce qu'elle pouvait encore faire, c'était essayer de comprendre pourquoi ses anciens maîtres en décidaient ainsi.

— Qu'est-ce que vous allez ben pouvoir manger dans un hôtel? Du ragoût? De la soupe? Du pouddigne au pain, tant qu'à y être! Un jour de noces... dit la Brindille avec dédain, en reculant un peu sa chaise, comme si elle ne voulait pas s'associer à un tel scandale.

Le ragoût, la soupe étaient si quotidiens que c'était une offense de les servir un jour de noces. Et c'était ce genre de nourriture que l'on servait régulièrement dans les auberges et les hôtels, du moins à ce qu'on lui avait raconté, car elle n'avait jamais mis les pieds dans une auberge, encore moins dans un hôtel, pour y manger. Joséphine lui expliqua:

— Mon père a invité un Français qui séjourne à Montréal à prendre la responsabilité du banquet. C'est un cuisinier reconnu parmi les grands chefs de Paris. Il est venu parce qu'il a de la famille ici, mais aussi pour expérimenter les possibilités culinaires de nos oies et de nos canards sauvages qui, paraît-il, ont bien meilleur goût que les espèces domestiquées qu'ils ont là-bas. Son projet est d'inventer de nouvelles recettes avec notre gibier et, si les résultats le satisfont, de ramener ensuite des spécimens en France pour tenter de les acclimater. L'hôtel Rosco, à la demande de mon père, a accepté de lui confier la responsabilité du banquet et de donner congé à son cuisinier habituel.

— Un *chef!* Un *grand* chef! Un grand chef *français*! dit la Brindille qui n'en revenait pas. Son expression changeait: d'une attitude offensée, elle passait à la curiosité. Elle dit, en balançant la tête et les épaules:

— Ah, que je voudrais donc voir ça!... que je voudrais donc voir ça!... bonté divine, que j'aimerais ça voir comment que ça brasse une sauce, comment que ça tourne une meringue, comment que ça coupe des oignons, comment que ça arrose un poulet, comment que ça invente un plat... un *grand chef français!*

La Brindille était impressionnée au plus haut point de découvrir qu'il existait des personnes dont l'habileté en cuisine était célèbre jusqu'au-delà de l'océan. On les qualifiait alors de GRANDS CHEFS. Oui! Comme c'était juste: Grand Chef. Elle venait de trouver plus grand qu'elle. Enfin, elle supposait... car cela, en fait, restait à voir. Les réputations on ne pouvait pas toujours se fier à ça! Un cuisinier, ça se jugeait à goûter. Sa déception changeait de forme: elle n'était plus désappointée de ne pas pouvoir cuisiner le festin, mais plutôt déçue de ne pas avoir la chance de voir, ni de goûter, ni de vérifier en personne si la réputation de cette idole n'était pas exagérée. Elle marmonna:

— Ah! que je voudrais donc voir ça!... Je donnerais gros, si j'avais de l'avoir, pour le regarder aller dans une cuisine, cet homme-là...

Joséphine eut une idée.

— Pourquoi pas? Y a-t-il une meilleure occasion d'apprendre que de regarder faire quelqu'un qui en connaît plus long que soi? Si ça te fait plaisir à ce point-là, Marie, je pourrais obtenir de mon père qu'il demande au chef de te laisser venir en observatrice!

— Mam'selle Joséphine, si vous m'faites entrer dans cette cuisine-là, ça vous rapportera gros: j'm'en vas lui piquer toutes ses recettes, à vot' grand chef! J'ai rien qu'à le regarder aller, pis ensuite j'serai capable d'imiter ses trucs. Sûr et çartain que ça vous rapporterait, à vous autant qu'à moé.

* * *

Consulté par Ignace Potvin, le chef accepta. Ignace avait eu l'habileté de lui présenter la Brindille comme une mystérieuse créature, métissée de sauvageonne, avec un extraordinaire talent naturel pour l'alchimie de la cuisine. Il avait ajouté, inocemment, qu'elle connaissait des herbes et des condiments qui ne poussaient qu'ici, qu'elle savait cuire le castor, l'écureuil, la tourte, la bécasse et l'orignal... et qu'elle était experte dans la préparation de toutes sortes de gibiers à plumes inconnus sur le vieux continent. Le mythe du Bon Sauvage ajouta encore au désir que le Français eut de rencontrer ce petit bout de femme.

Il s'appelait Antonin Duprat et avait acquis son expérience auprès du fameux Anthelme Brillat-Savarin, qui s'était fait une réputation à Paris pour avoir soutenu, jusqu'à la fin de sa vie, l'idée que la gastronomie, un nouveau mot qu'il avait contribué à mettre à la mode, deviendrait un des piliers les plus durables de la gloire de la France. Duprat, pendant toute sa jeunesse, avait servi et admiré Brillat-Savarin qui lui avait, en retour, montré ce que cuisiner pouvait signifier pour un gastronome.

XXVII

Habillée de neuf des pieds à la tête grâce à l'argent que Jean-Baptiste lui avait remis pour cette occasion, la Brindille se présenta à la porte de la cuisine de l'hôtel Rosco à six heures du matin, la veille des noces. Antonin Duprat y était déjà, avec les cinq marmitons habituellement au service de l'hôtel. Quand elle poussa la porte, elle le vit qui inspectait le gibier livré à l'aube.

Antonin Duprat leva les yeux vers la Brindille et comprit tout de suite à qui il avait affaire en voyant ce petit bout de femme timide, aux cheveux très noirs et aux yeux légèrement en amande.

— Vous êtes Marie, n'est-ce pas?

La Brindille fit signe que oui. Elle examina cette cuisine immense. Il devait y avoir au moins soixante chaudrons en cuivre luisant, accrochés par ordre de grandeur, pendus par la queue à une série de crochets de fer qui couraient tout le long du mur. Au-dessus des crochets, une tablette étroite recevait les couvercles, appuyés contre le mur, chaque couvercle exactement au-dessus de son chaudron. Elle aimait l'ordre dans une cuisine. C'était le premier point par lequel elle jugeait de la tenue d'une maison. L'enfilade des casseroles, l'immensité de la pièce, les cinq marmitons, le chef... ce spectacle lui donnait le visage ravi d'une enfant qui voit un chat... et un autre et un autre... pour la première fois. Duprat ne faisait plus attention à elle et examinait un panier rempli de tourtes, de pigeons, d'oies, de perdrix. Il tâtait chaque bête, la reniflait, la soupesait, en arrachait une plume ou deux, et la remettait à l'un des marmitons pour qu'il la prépare.

— Ah! ma petite dame! dit-il à la Brindille, comme s'il la connaissait depuis toujours, il y a dans ce pays tant de gibier à plumes, de gibier à poil, de gibier de marais, sans compter la venaison et autres animaux fissipèdes.... que c'est à en rêver!... Votre pays est si débordant de nourriture, de bois pour se chauffer, de bois pour construire, de fourrure pour se vêtir... que c'est une misère de penser que le régime vous enlève les plus belles terres pour en faire cadeau à des Anglais! Qu'ont-ils fait pour les mériter, ceux-là? Hein? dites-moi donc?

— Demandez-moé pas cette question-là à moé, M'sieur Duprat, vous allez me mettre les nerfs dans la friture.

Duprat ne connaissait pas grand-chose aux événements politiques des derniers temps et il n'aimait pas se trouver en terrain inconnu. La politique, de toute façon, ne l'intéressait pas.

— Tenez, ma petite, prenez ce tabouret, et installez-vous. La journée sera longue. On m'a prévenu que vous vouliez observer mon travail. C'est bien, cela ne me dérange nullement.

La Brindille se demandait ce que pouvait bien vouloir dire le mot «fissipède», que Duprat avait employé pour qualifier les animaux. Mais ce n'était pas cette question-là qu'elle voulait poser. Voyant qu'il n'était pas trop occupé, elle se risqua à lancer la question qui l'avait tracassée depuis le jour où Joséphine lui avait parlé du *grand chef français*.

— C'est arrivé comment, que vous êtes devenu un grand chef?

— Moi, ma petite dame, j'ai été potagiste, puis friturier, puis pâtissier petit fournier, avant d'être chef.

Les mots «potagiste, friturier, pâtissier petit fournier» résonnaient comme de la poésie dans l'oreille de la Brindille. Mais pourquoi buvait-elle avec avidité les paroles de Duprat, même quand elles lui paraissaient extravagantes? Pourquoi, en fait, avait-elle tant insisté pour être admise ici? Depuis sa grande blessure, la Brindille cherchait une raison de vivre. Elle était une survivante, oui, mais pour continuer à vivre, au jour le jour, il lui fallait quelque chose pour occuper sa tête. Il fallait qu'elle se donne un but, qu'elle se mette sur des rails et qu'elle roule. Ce Duprat, qui piquait sa curiosité comme un grain de poivre sur la langue, allait lui fournir les rails: elle allait devenir la meilleure cuisinière de Montréal, voilà la destination qu'il lui fallait!

Mais il ne fallait pas exagérer sur l'ambition. Elle ne pouvait pas, elle, une femme, prétendre répondre au beau titre de chef. Un chef, une chef? Et «cuisinière», cela ne voulait pas dire grand-chose; toutes les femmes étaient cuisinières! Les toques de cuisinier, les toges de magistrat, les médailles et les uniformes militaires, les chasubles et les mitres, les distinctions, les titres... les hommes se les réservaient.

Et puis, en plus d'être femme, elle exerçait son art à Montréal plutôt qu'à Paris et aucune renommée, ici, ne pouvait monter bien haut, comme s'il avait été entendu, une fois pour toutes que, tous les Canadiens français étant soumis à la domination des Anglais, personne, et surtout s'il s'agissait de l'obscure et minuscule personne de la Brindille, ne devait prétendre s'élever au-dessus des autres, même par les moyens les plus honnêtes, par exemple en excellant dans un art ou une science.

Même ses maîtres, réfléchissait-elle, ne pouvaient prétendre à la complète reconnaissance de leurs talents puisqu'ils étaient soumis, eux aussi, à un régime qui les brimait.

Si elle persistait dans son ambition de devenir une extraordinaire cuisinière, ce n'était pas tant pour les honneurs et les compliments. Bien sûr, elle aimait les compliments, comme de petites douceurs à déguster tranquillement, pour le plaisir, quand l'appétit de fond a été comblé. Mais ce qu'elle voulait profondément, c'était s'accrocher, s'amarrer à quelque chose. Les Anglais lui avaient pendu Timoléon. Le bon Dieu — ou peut-être la sainte Vierge, il était difficile de savoir à qui la faute — lui avait enlevé son enfant, et le prêtre lui avait ôté jusqu'à la consolation d'imaginer son petit ange jouant dans les nuages floconneux du paradis. Mais personne ne pourrait lui enlever un talent qu'elle développerait jusqu'au bout d'elle-même. Il lui fallait un but, une ambition, un projet indépendant des Anglais, du bon Dieu, des curés, des maîtres.

La Brindille comprenait enfin ce qu'elle était venue faire dans la cuisine de l'hôtel Rosco: trouver de nouvelles manières de se fatiguer les méninges pour se raccrocher à la vie et recommencer à rouler.

Duprat cherchait la rôtissoire dans laquelle il cuirait l'oie en examinant la rangée de chaudrons comme s'il passait en revue ses soldats au garde-à-vous. Quand il eut trouvé, il fit signe à un marmiton de la décrocher et continua son bavardage.

— C'est au cours d'un de ces longs goûters soupatoires, qui commencent à cinq heures et durent indéfiniment, que j'ai fait la connaissance de monsieur Brillat-Savarin. Il avait fait venir toute l'équipe de la cuisine, et avait commencé à interroger chacun de nous.

«Goûter soupatoire, goûter soupatoire...» se répéta la Brindille comme pour apprendre ces nouveaux mots. Le jeu lui plaisait.

Duprat avait aligné les perdrix, couchées l'une à côté de l'autre sur le comptoir de bois. Avec un hachoir de boucher au fil tranchant comme une guillotine, il leur coupa le cou: tac, tac, tac... douze fois de suite, comme un musicien qui jouerait douze fois la même note ronde en gardant la mesure. Pendant qu'il jouait du hachoir, il n'arrêtait pas son récit.

— Brillat-Savarin m'interrogea sur les différents effets des substances acerbes, âcres ou amères, et fut content de mes réponses. Il me posa des questions sur le point d'esculence de chaque substance alimentaire, car c'est là, vous le savez certainement, la tâche première du gastronome: fixer le point d'esculence. Il me demanda aussi de lui livrer les recettes les plus connues des peuples ichtyophages.

— Des quoi? De quoi est-ce que vous parlez au juste, là, vous? Sauf vot' respect, j'comprends rien à vot' jargon, rien pantoute. C'est-y trop vous demander de parler pour que j'vous comprenne? Si vous en êtes capable, ben évidemment.

— Des peuples ichtyophages, c'est-à-dire des peuples pour qui le poisson est à la base de l'alimentation.

— Ah, vous voulez dire les mangeux de poéssons...

Elle ne savait pas non plus ce qu'étaient un point d'esculence, une substance acerbe, un gastronome. Et alors? Est-ce que c'était un empêchement à la carrière de chef? Son admiration pour le personnage commençait à dégringoler. C'était ça, un grand chef? Quelqu'un qui vous assaisonne de mots bizarres? Elle se tortillait les doigts et ne savait plus quelle contenance prendre, juchée sur le tabouret haut qu'il lui avait assigné pour observer les opérations. Duprat, inconscient que la Brindille commençait à le juger pédant, continuait à jacasser tout en jetant dans son chaudron de cuivre les bases d'un bouillon, lançant des paroles en l'air comme autant de grains de sel.

Les mots rares, appris avec le maître ou glanés dans le traité de Brillat-Savarin sur la *Gastronomie transcendante,* étaient pour Duprat un amusement et une façon d'honorer la mémoire du maître. Il s'écoutait parler, s'impressionnait lui-même et cela constituait une distraction agréable. Quittant son bouillon, Duprat se mit à farcir les oies d'un mélange d'oignon, de riz, de coriandre, de raisins et d'autres ingrédients dont la Brindille n'avait jamais entendu parler.

La moutarde commençait à monter au nez de la Brindille; l'art culinaire, d'après l'idée qu'elle s'en était faite, n'était pas une affaire de mots mais d'odeur, de goût, de toucher, de jugement, d'invention. Et le rapport avec un maître devait vous faire monter d'un cran au lieu de vous donner le sentiment de reculer encore dans votre ignorance. Autrement, se disait la Brindille, ce n'était que de la poudre aux yeux et, Parisien ou pas Parisien, grand chef ou petit chef, elle ne passerait pas deux jours à observer ce Duprat pavaner sa toque autour des cinq marmitons soumis comme des esclaves noirs. Elle déguerpirait! Même, pensait-elle avec résolution, si ce Duprat n'était qu'une coquille vide et un orgueilleux, elle en aviserait Monsieur Paradis, pour que son festin de noces ne soit pas gâché.

Un chef, selon la Brindille, ça se jugeait au résultat d'ensemble; ça vous faisait gagner la partie. Et c'était ça qui avait manqué à ces pauvres Frères Chasseurs. Timoléon avait été un excellent soldat, elle en était convaincue. Mais comment l'avait-on dirigé? Chef de cuisine, chef d'État, chef d'armée... pour la Brindille, c'était du pareil au même. Il fallait doser, commander, faire avec les moyens du bord. Il fallait aussi de l'ordre, et autant d'outils que cette exagération de chaudrons accrochés au mur. Ce n'était pas grave d'en avoir trop pour être certain de ne pas en manquer. Les patriotes avaient manqué de tout: de fusils, de munitions, d'argent. C'était comme un banquet où on manque de nourriture; ce n'était plus un banquet. À la guerre comme au festin, trop valait mieux que pas assez. Timoléon n'aurait pas eu cette fin terrible s'il avait été dirigé par de meilleurs commandants, et à cause de cela, la Brindille n'avait aucune patience pour les beaux parleurs qui faisaient leur profit de l'admiration des naïfs. Elle était prête à admirer, oui, et à apprendre, ça oui! Parce que ceux qui refusaient d'apprendre étaient des imbéciles. Mais pas question de se faire emberlificoter par un beau parleur.

Mais puisque Monsieur Paradis lui avait offert des vêtements neufs et accordé deux journées de congé, elle décida de donner une chance à Duprat et de rester. Elle prit le parti de cesser d'écouter ses élucubrations, qui n'avaient pas besoin d'encouragement, et de se concentrer sur les gestes et les techniques du chef.

À la fin de la journée d'intense travail, qui dura de six heures du matin à sept heures du soir, Duprat invita la Brindille à manger avec lui et ses marmitons, sur une petite table qu'ils dressèrent dehors, sous l'auvent. Une épaisse haie de grands cèdres séparait les cuisines de l'espace jardiné et fleuri, réservé aux clients de l'hôtel. Le soleil déclinant projetait une lumière dorée sur la verdure. Ils mangèrent d'un peu de tout ce qui n'entrait pas dans le menu du repas de noces: cou de volailles, restant de farce, abats, soupe faite avec le bouillon de cuisson, retailles de gâteau, surplus de crème renversée, brisures de petits fours, râpures de noix de coco...

Tout était parfaitement délicieux, et la Brindille se félicitait de ne pas s'être emportée contre Duprat au début de la journée. Après l'avoir vu travailler, elle avait pour lui une grande estime et lui pardonnait tous ses grands airs. Elle avait même retenu quelques mots rares, et se promettait bien de les lancer un de ces jours dans une conversation. Mais vers huit heures, il était temps qu'elle parte. Elle remercia Duprat pour la journée et s'assura qu'elle pouvait reprendre son poste le lendemain, pour voir, de la cuisine ou de la cour, le déroulement de la noce. Il lui répéta qu'elle serait la bienvenue, et même qu'elle pourrait goûter de tout.

XXVIII

Le lendemain matin, la Brindille revint dès six heures. La journée s'annonçait magnifique; Marie fut heureuse à la pensée que Joséphine et Jean-Baptiste profiteraient d'un ciel bleu le jour de leurs noces. La cérémonie à l'église Notre-Dame eut lieu à dix heures. Comme le temps était absolument parfait, Duprat donna l'ordre, pendant que les invités étaient encore à l'église, de dresser les tables dans le jardin de l'hôtel, sous les branches des grands érables.

— Ils auront l'univers pour salle à manger, et le soleil pour luminaire, dit-il en se tournant vers la Brindille qui l'avait suivi dans le jardin. C'est l'idéal. L'appétit s'exprime avec plus de vivacité dans la verdure que dans un enclos, même quand il est somptueusement décoré de miroirs, de peintures, de sculptures, de candélabres et de tapis épais. Seule la nature peut être d'une aussi extravagante beauté, quand elle est de bonne humeur comme aujourd'hui.

La Brindille regardait les garçons de table se dépêcher sous l'œil sévère de Duprat. La parfaite journée d'été, remplie de la chaleur de juillet, était tempérée par la brise. L'ombre des érables adoucissait la luminosité du soleil, qui faisait de grandes taches sur les nappes blanches que le vent faisait lever mollement. Quand les invités commencèrent à arriver dans le jardin, les seaux à champagne, dont l'argent impeccablement poli miroitait au soleil, lançaient des éclats de lumière, comme autant de signaux d'invitation.

Assise dehors sur un tabouret, cachée des invités par les cèdres, la Brindille était en poste pour ne rien manquer de la procession des plats qui sortiraient de la cuisine dans les mains gantées de blanc des serviteurs. Elle pouvait même, en s'avançant un peu dans les branches, écouter les conversations et observer les mouvements des invités qui buvaient le champagne importé par Ignace Potvin.

À midi, au signal d'une clochette agitée par le maître d'hôtel, les invités, prirent place, cherchant leur nom sur un petit carton inséré dans la fente d'une minuscule boule d'argent. En premier service, on eut le choix entre des tourtes à la moelle étendue sur des toasts beurrés au basilic et de l'oie à la gelée transparente. En deuxième service, on choisissait entre de la perdrix en papillote et du brochet de rivière courbouillonné au madère et garni d'une crème d'écrevisse. En troisième service venait l'oie farcie avec sauce au vin, accompagnée de petits pois frais et de pommes de terre aux herbes. Pour faire transition avant le dessert: des laitues arrosées d'huile fine importée d'Italie et mêlée à du vinaigre de framboise. Le menu des desserts comprenait du sorbet au citron, des flans, des gâteaux, des croquignoles, des babas, des millefeuilles... Au café, les invités se dispersèrent de nouveau dans les jardins et les garçons silencieux, qui glissaient sur l'herbe comme des papillons noir et blanc, débarrassèrent les tables afin de les regarnir de petits fours, de macarons et de liqueurs fines.

Duprat devinait bien, à l'attention féroce que la Brindille avait portée au défilé des mets, qu'elle était impressionnée autant qu'il l'avait été par Brillat-Savarin. Tout l'après-midi, il avait aimé son regard noir, rivé au festin comme un bébé plonge le sien dans les yeux de sa mère lorsqu'il la tète. Elle avait eu l'occasion de goûter à tout, à mesure que les plats, jamais complètement vides, revenaient à la cuisine. À chaque dégustation, Duprat l'avait vue hocher la tête, approuvant l'exploit d'un plaisir renouvelé à tous les changements de service.

Les convives étaient si heureux de se retrouver entre amis et d'avoir enfin l'occasion de fêter que personne ne se sentait l'envie d'évoquer le parti patriote et son échec. Tous devaient tourner la page et voulaient, après cette année de deuil, profiter de la satisfaction à la fois animale et sociale d'un festin. Joséphine resplendissait en passant d'un groupe à l'autre et maniait la longue traîne de sa robe de mariée en soie pêche avec tant de naturel que Jean-Baptiste découvrait que sa femme, en plus d'être fraîche comme un fruit d'été, pouvait également avoir l'air altier d'une impératrice.

Vers trois heures, George-Étienne Cartier, garçon d'honneur de Jean-Baptiste, commença à se promener d'un groupe à l'autre en faisant tinter sa cuillère à café sur la porcelaine de sa tasse. C'était le signal pour demander le discours du père de la mariée et celui du nouvel époux. On fit un cercle autour d'Ignace Potvin, qui se tenait debout, l'épaule appuyée à un gros érable. Il n'était pas un orateur de grande envolée, mais il se redressa, s'avança, et fut digne de la circonstance, improvisant quelques variantes humoristiques sur le thème traditionnel du père de la mariée qui affirme ne pas perdre sa fille mais gagner un fils. Il exprima avec beaucoup de finesse son ambition de voir Jean-Baptiste entrer non seulement dans sa famille, ce qui était chose faite, mais aussi dans son entreprise d'importation de vins.

— Si Jean-Baptiste, dit Ignace, a réussi, avec ses airs de poète romantique, à conquérir le cœur de ma fille, c'est qu'il a du talent pour convaincre, pour influencer. En affaire, c'est très utile! Député... notaire... avocat... médecin... curé... Oui, il en faut, mais commerçant, importateur, industriel, banquier?

Je me donne tout le temps qu'il faudra pour le convaincre d'une évidence: quel que soit l'avenir du pays, une chose est certaine: jamais on ne pourra se passer du vin de France. À nous, qui le buvons, de l'importer, de le vendre, et d'en faire notre profit collectif!

Sur ce bon mot, il leva son verre de cognac et recula d'un pas pour s'appuyer de nouveau sur l'arbre, comme pour dire à Jean-Baptiste: «À ton tour!»

Jean-Baptiste ne tenait ni tasse ni verre, et il avait les mains tremblantes. Il se détacha du groupe et s'avança à côté de son beau-père, la tête basse, cherchant ce qu'il allait bien pouvoir dire. Il avait préparé un petit discours léger et drôle, dont le seul mérite était de glisser sur la politique. Mais la détente apportée par le banquet et le sourire confiant de ses amis lui firent trouver insupportablement fade le boniment qu'il avait préparé. Le bonheur lui ouvrait le cœur et l'esprit. Qu'y avait-il dedans? Il voulait en même temps le découvrir et le communiquer. Il se lança dans une improvisation, comme un nageur plonge dans une rivière et se laisse porter par le courant.

— Je suis si heureux aujourd'hui; mon épouse me semble si totalement belle et j'ai une reconnaissance si profonde pour ceux qui sont maintenant mes beaux-parents, que vous comprendrez que j'aie besoin d'un contrepoids pour ne pas m'envoler tout de suite au paradis... sans mauvais jeu de mots. Permettez-moi donc de formuler devant vous les éléments du programme de vie que je me trace en ce jour décisif. Le premier sera de rendre ma femme heureuse, car le seul élément de sagesse que je possède se résume à ceci: un homme est heureux lorsque sa femme est heureuse et qu'elle l'inclut dans cette atmosphère. Vous comprenez, car je ne peux vous le cacher, tout l'égoïsme derrière ce premier point de mon programme. Mais je vous demande de me pardonner en pensant qu'il s'agit d'un trait qui pourrait se répandre sans trop de mal pour l'avenir du monde. Mon premier but, donc: combler ma femme.

La plupart des hommes étaient debout en demi-cercle devant Jean-Baptiste. Joséphine, comme la plupart des femmes, était assise, entourée de sa mère et de ses tantes, leurs chaises de rotin blanc disposées autour d'une table où s'épanouissait le bouquet de la mariée. L'érable couvrait l'orateur et les cinq femmes de son ombre; elles écoutaient Jean-Baptiste. Il s'avança de quelques pas vers sa nouvelle épouse et, puisqu'il parlait de la rendre heureuse, vint lui baiser les mains. Tous applaudirent à ce petit théâtre conventionnel et s'assurèrent que, sur les joues de la mariée, la rougeur de circonstance était apparue. Ce n'était pas l'attention des autres qui la faisait rougir, mais la pensée qu'elle savait très bien, elle, ce qui allait la combler: être prise, enfin, par son époux, qu'elle désirait à en fondre. Depuis plusieurs mois, elle imaginait de façon obsessionnelle l'instant où elle pourrait se présenter complètement nue devant son mari; elle le ferait avec la même audace que lorsqu'elle s'était déshabillée, bravant le danger d'être surprise, pour se baigner dans la rivière, seule, à midi, pendant l'été de ses douze ans. Son corps était maintenant si mûr pour l'amour qu'elle se réveillait la nuit en gémissant de désir pour Jean-Baptiste, qui venait d'annoncer que son programme était de la combler. Très bien; ils se combleraient mutuellement, car son appétit de lui était sans limites. La lutte des Fils de la Liberté, l'avenir du pays et toutes les grandes idées philosophiques pour lesquelles elle s'était enflammée paraissaient secondaires par rapport à l'Amour, la seule divinité à laquelle elle était prête à se donner toute et sans réserve. «Je me donnerai *corps et âme*», se répétait-elle en accordant une signification nouvelle à cette expression que les religieuses employaient si souvent pour désigner l'amour que l'on doit avoir pour Dieu.

Elle eut un instant honte de l'égoïsme de ses pensées quand elle entendit la suite du discours de Jean-Baptiste.

— Le deuxième élément de mon programme, poursuivit-il, m'apparaît plus difficile, car il s'agit, dans la mesure de mes faibles moyens, d'aider notre peuple, encore enfant, sans identité, sans nom, à se libérer de sa mère, la France, de son père, un Anglais et de son directeur de conscience, la sainte Église!

Un des invités, dont le frère avait été déporté en avril, lança un commentaire sur un ton de harangue.

— Oui! Oui! Il faut se libérer du père fouettard! Les Anglais ne cesseront pas d'abuser tant qu'ils ne nous auront pas tous déshérités de nos terres. Il veulent faire de nous leurs porteurs d'eau, leurs esclaves blancs. Continuons le combat! La liberté ou la mort!

George-Étienne Cartier se retourna brusquement pour répondre à cet homme qu'il connaissait et qu'il détestait.

— Vous délirez, Monsieur! C'est notre nombre et le temps, et non la colère ou l'excitation, qui nous redonneront notre liberté!

Un autre, qui prenait le parti de Cartier, enchaîna:

— Nous sommes des Canadiens; nous savons ce que c'est que d'endurer l'hiver. Nous endurerons la domination comme nous endurons l'hiver. Le printemps viendra.

Un troisième apostropha à son tour l'homme qui voulait continuer le combat.

— C'est de la folie de s'exciter encore au combat. N'avez-vous pas assez d'un frère déporté en Australie? Replions-nous, ramassons-nous sur nous-mêmes. Cela ne sert à rien de parler de père fouettard et d'esclavage. Ce qui compte, c'est de survivre.

Un quatrième, un patriote des plus radicaux, émit une petite remarque acerbe, que seuls ceux qui étaient autour de lui purent entendre.

— Survivre, ce n'est pas vivre. On garde la tête sur les épaules, mais on se fait couper les ailes.

Cartier, voyant que les esprits s'échauffaient, voulut apaiser le ton du débat:

— Il s'agit de perdurer, perdurer... et faire des enfants, oui, beaucoup d'enfants. C'est cet avenir-là que je suis venu célébrer aujourd'hui. Réglez vos comptes avec votre propre père, Monsieur, et continuez seul votre combat, mais ne m'embarquez pas dans votre bateau! Et personne, aujourd'hui, ne me fera mettre en colère. C'est la noce de mon ami!

Mais Cartier était encore un peu en colère en disant cela, et un silence lourd empêcha Jean-Baptiste de continuer son discours pourtant bien démarré. Tout le monde avait envie de parler, et personne n'osait le faire de peur de déclencher l'avalanche. Jean-Baptiste comprit que la fête allait tourner court. Ses amis avaient trop de manières et de retenue pour transformer la noce en réunion politique mais, d'un autre côté, la censure que les convives s'imposaient devenait lourde. Le plaisir d'être ensemble s'était envolé. Jean-Baptiste eut peur que ce ne soit de mauvais augure: une dispute politique le jour de son mariage! La paix était-elle donc impossible?

Le bonheur ne semblait plus aussi légitime qu'il l'était il y avait seulement quelques instants. Jean-Baptiste devait bien l'admettre: lui-même, depuis la dernière exécution, s'était imposé une censure insupportable. Depuis le printemps, jamais, entre amis, il n'était question des événements récents; chacun se contentait de dire comment il allait s'arranger des circonstances et faire sa paix avec le Régime. Aujourd'hui, il était le seul qui pouvait se permettre d'aborder les thèmes du passé et de l'avenir sans offenser personne. Son bilan n'était pas clair et ses émotions, mêlées au désir brûlant qu'il avait pour Joséphine, le transportaient jusqu'à un sommet d'une intensité telle qu'il en éprouvait une sorte de vertige. Ce soir il ferait l'amour avec Joséphine pour la première fois, et maintenant, il devait faire un discours dans lequel il avait annoncé, en ouverture, les éléments de son programme personnel. Mais le connaissait-il vraiment?

Il reprit la parole comme un acteur que l'on pousse malgré lui sur la scène. Il s'entendit formuler sa phrase comme si elle venait d'un autre.

— Mes amis, mes amis... permettez qu'au lieu d'aborder la question de notre avenir politique en termes abstraits, je m'exprime en termes personnels.

Une fois lancées, les phrases semblèrent s'enfiler toutes seules, une idée amenant l'autre, guidées par le gouvernail de son émotion. C'était l'émotion qui le faisait nuancer une affirmation ou appuyer sur une autre. Il respira mieux, avec plus d'amplitude; on l'écouta avec intérêt et la tension disparut graduellement.

— Nous sommes français. Soit! N'insistons pas sur l'évidence. Mais qui, ici, dans ce jardin, peut affirmer qu'il n'a pas dans sa lignée une seule sauvageonne, qu'on a rapidement baptisée d'un nom bien français avant d'en faire une épouse? Qui? Nous ne pourrons jamais, jamais, démêler le sang des Blancs de celui des Hurons, des Algonquins, des Abénaquis... pour la simple raison que les colons, les coureurs des bois, et même les seigneurs, les marquis et les comtes se sont trouvés là des femmes ou des concubines.

Admettons que nous soyons des Français ensauvagés, admettons... Mais ne sommes-nous pas aussi, d'une autre manière, par l'esprit plutôt que par le sang, des Anglais? Malgré notre fréquentation des auteurs français, vous et moi, ne sommes-nous pas absolument imprégnés des idéaux du parlementarisme britannique et des éléments de leur culture? À commencer par vous, mon cher George-Étienne, qui m'avez avoué votre soulagement à quitter l'habit patriotique, en pure laine du pays, pour reprendre votre redingote anglaise et vos cravates de soie. J'ai ressenti le même soulagement. Suis-je un traître parce que la «pure laine», à la longue, me pique et m'agace? Je m'en suis vêtu pendant la période que vous savez, parce que c'était un drapeau, un manifeste. C'était en fait, un uniforme. Mais je n'ai jamais pensé vivre toute ma vie dans de la pure laine; cela finirait par me donner de l'urticaire. Ce n'est pas tant la laine, que la prétention à la pureté, qui me donnerait de l'urticaire.

Les «purs» ne voient pas leur ombre; ils me terrifient! Seul le diable n'a pas d'ombre. Ce n'est pas un hasard si les purs finissent tous par se croire au-dessus des autres, persudés qu'ils sont les élus d'un dieu ou d'une cause... tôt ou tard les «purs» se mettent tous à voir de l'impureté chez ceux qui ne leur ressemblent pas, qui ne modèlent pas exactement leur conduite sur la leur. La vie humaine est-elle pure? Ni notre sang, ni nos idéaux, ni nos motivations ne sont «pure laine».

J'ai des taches sur mon habit de patriote et ma redingote n'est pas en pure laine du pays. Elle vient de Londres, comme la vôtre, et comme nos cravates et nos hauts-de-forme. Mon impureté, elle tient à ceci: je suis tenté d'en finir avec le déchirement que nous connaissons, en prenant définitivement le parti des Anglais. Oui, j'ai été et je suis encore tenté de devenir «John» pour cesser d'être Jean-Baptiste.

Quelqu'un lança, pour faire rire:

— John The Baptist, John Paradise, ou John Heaven?

— Comme vous voulez. Il suffirait que je passe quelques années à Londres, puis à New York, et que je revienne ensuite ici, mais de l'autre côté, en ayant tranché une fois pour toutes la question de mon identité. John Heaven — il me semble que ce serait la moins ridicule des traductions — serait plus riche et plus tranquille. Vous et moi connaissons déjà tellement mieux la langue des Anglais, leur histoire, leurs institutions, qu'eux ne nous connaissent. Pouvons-nous nier, mes amis, que nous envions la force même par laquelle les Anglais nous oppriment? Non, car c'est aussi une force qui soutient les idéaux de progrès qui sont les nôtres. Admettons, admettons... seulement pour voir si notre esprit digère la proposition, que nous soyons anglais. Cela vous semble-t-il si indigeste?

— Nous serions donc des Français-ensauvagés-avec-des-idéaux-anglais? lança Ignace par derrière Jean-Baptiste.

— Oui, répondit Jean-Baptiste en souriant, si nous acceptons d'ajouter encore un autre ingrédient au ragoût de notre identité. Il manque encore l'assaisonnement Yankee. J'ai retrouvé chez eux la même passion démesurée pour la liberté, le même refus du Vieux Monde et de ses intrigues, le même dédain d'une vie vécue dans les dentelles poussiéreuses des palais trop grands. Il n'y a pas, dans les maisons des riches Américains, de ces galeries de portraits d'ancêtres, ils préfèrent ouvrir de grandes fenêtres et regarder le paysage. La géographie fait des Américains nos alliés naturels, à moins que nous ne soyons assez bêtes pour faire d'eux nos ennemis les plus puissants. Mais si nous ne pensons jamais à eux en ennemis, c'est parce que nous sommes, nous aussi, américains.

Sa mèche rebelle lui retombait sur le front, il gesticulait, il s'empourprait... et Joséphine le trouvait magnifique, tel qu'elle l'avait aimé le premier jour à Contrecœur. Ignace Potvin hochait régulièrement la tête, lentement, les mains croisées sur son ventre rond, l'épaule appuyée sur le gros érable. Jean-Baptiste, échauffé, reprit:

— Aucune identité ne nous habille parfaitement: nous nous déclarons tour à tour Canadiens, Canayens, Français, citoyens de l'Amérique du Nord... Le choix est à la fois trop vaste et trop restreint. Entre la tuque et le haut-de-forme, entre la culotte pure laine et la soie que nous importons, il y a une infinité de variations à essayer. Nous avons fait l'erreur de penser que la même tuque pouvait convenir à toutes les têtes et qu'il faudrait se limiter à de la laine brute jusqu'à la fin des temps.

— Et combien de temps, de générations, nous faudra-t-il pour savoir qui nous sommes? demanda l'invité turbulent qui avait commencé la chicane et qui voulait montrer qu'il était revenu à un ton plus civil.

Jean-Baptiste ne savait pas quoi répondre à une question aussi précise. Ignace vint à sa rescousse.

— Connaissez-vous un seul être qui n'ait pas trouvé difficile de quitter la sécurité de l'enfance?

Jean-Baptiste reprit:

— Notre cœur est français, notre raison, britannique. Notre frère est américain, notre sœur, une Sauvage en pleine nature. Mes amis, c'est le jour le plus heureux de ma vie: j'épouse la femme que j'aime. Cela explique mon délire verbal, et ma confiance peut-être imprudente, naïve, dans l'avenir. Mais si vous êtes mes amis, essayez de me comprendre: aurais-je le droit de célébrer mon projet d'avoir une descendance si je n'avais pas l'espérance? Si l'espoir n'est pas de circonstance le jour de ses noces, quand est-il permis?

Jean-Baptiste salua de la tête et on l'applaudit si bruyamment que le jardin sembla transformé en cour de récréation. Ses amis criaient «encore! encore!» comme si Jean-Batiste avait donné un concert. Il se laissa gagner par leur enthousiasme et, jugeant qu'il s'était arrêté un peu brusquement, donna un rappel.

— Laissez-moi vous lancer une invitation: pourquoi renoncerions-nous à défendre des idées libérales, des idées, en fait, que même les Anglais mettent de l'avant? Pourquoi, puisque nous sommes Fils de la Liberté, ne pas continuer de nous réunir pour discuter de la liberté d'esprit?

Joséphine eut un moment d'agacement à l'idée que son mari, qu'elle n'avait pas encore eu le temps d'avoir à elle, invitait déjà tous ses amis à poursuivre avec lui une réflexion politique. Allait-il donner, le jour même où elle devenait sa femme, toute son énergie à une cause au lieu de la réserver pour la passion? Elle se réprimanda intérieurement: «Il n'est tout de même pas pour annoncer comme programme que, pour le reste de ses jours, il se délectera sans interruption du bonheur d'être enfin seul avec sa bien-aimée! Si on m'avait demandé à moi de faire un discours, je sais bien ce que j'aurais dit: que j'aime mieux mon mari vivant que mort et que j'enseignerai à mes fils à se méfier des causes quand elles vous réclament tout entier!»

Si Joséphine avait été obligée de dire la vérité, elle aurait dû révéler que ses pensées, toutes remplies de sensualité, s'arrêtaient toujours au seuil de la nuit à venir.

— Je lance l'invitation, déclara Jean-Baptiste, en ouvrant les bras pour inclure tous ses amis présents. Songeons dès maintenant à une autre forme de regroupement; évitons que l'échec politique ne soit en même temps la mort des esprits.

Jean-Baptiste se tourna vers son ami de collège et, la main tendue vers lui, il ajouta en souriant:

— George-Étienne, de même que notre ami Ludger Duvernay, auront certainement des idées à proposer pour donner une forme acceptable à ce regroupement; ce ne sont pas les idées qui leur ont manqué jusqu'ici. Il me semble que notre regroupement pourrait être aussi ouvert que celui des Frères Chasseurs était fermé; aussi pacifique que les derniers mois ont été violents, aussi rationnel que notre foi religieuse est irrationnelle, aussi peu sectaire que possible tout en conservant notre identité. Un regroupement doit-il à tout prix se définir contre qui que ce soit? contre l'empire ou contre les Anglais? Alors je devrais me déclarer *contre* l'Église et les curés d'ici et *pour* les Anglais de la capitale — je veux évidemment parler de ceux qui représentent un idéal de démocratie laïque. Il est temps que nous pensions à définir cette identité riche et originale qui est la nôtre; il est temps que nous apprenions à défendre nos intérêts en favorisant d'abord nos amis et nos alliés, en multipliant les domaines de notre compétence, l'étendue de nos alliances et surtout, surtout... comme l'a souligné George-Étienne, le nombre de nos descendants. Pour cela, c'est sur nos épouses qu'il faudra compter. Pardonnez la longueur de ce discours, c'est l'amour qui m'a exalté!

La Brindille avait entendu Jean-Baptiste et elle avait vu comment la mention de la nombreuse descendance, en conclusion, avait reçu l'approbation enthousiaste d'Antoinette Potvin, qui s'était mise à faire de grands signes de la tête, souriant à cette idée qui résumait son souhait principal. Que le pays soit conquis, reconquis, que la bataille patriotique soit gagnée, perdue, regagnée, que la liberté s'exprime comme ceci ou comme cela, qu'on soit pure laine, pure soie, ou pur coton, Antoinette avait l'âge où ce qui comptait pour son avenir à elle, c'était de vivre assez longtemps pour entendre les galopades des petits-enfants dans les escaliers de la maison de sa fille, qu'ensemble elles avaient rénovée en pensant au confort d'une famille nombreuse. Tout le reste n'avait d'importance qu'en fonction de cela. Antoinette était confiante que les nombreux enfants qu'elle n'avait pas pu avoir, sa fille, elle, les aurait; elle se voyait déjà en aïeule entourée d'enfants bruyants, exigeant d'elle plus de soins et d'attention qu'elle ne pouvait rêver d'en donner.

La Brindille, derrière la haie de cèdres, enviait le couple qui s'unissait ce jour-là. Ce n'était pas qu'elle leur en voulait pour les enfants qu'ils auraient, de la nuit d'amour qui suivrait cette journée, et de toutes les autres nuits chaudes qu'un mariage apporte. Elle approuvait que ces deux-là puissent se posséder l'un l'autre; et même le spectacle de l'amour comblé la rapprochait de ses propres souvenirs. Mais Timoléon lui manquait, il lui manquait physiquement. Elle désirait être prise, embrassée, caressée par lui. Elle voulut rendre un hommage secret à l'homme qui avait été le sien pendant un si court moment. Le besoin de lui parler encore une fois la fit entrer dans la cuisine, se saisir comme une voleuse d'une poignée de petits fours et s'enfuir par la porte de service, qui donnait sur le côté de la rue et n'était pas visible du jardin. À quelques pas de l'hôtel Rosco, il y avait une étroite ruelle qu'un énorme chêne ombrageait complètement. Ses branches étaient remplies d'oiseaux. La Brindille émietta au pied de l'arbre sa poignée de petits fours et se mit à parler.

— Timoléon. J'suis ben mal prise pour te communiquer. J'crois pus au bon Dieu depuis l'histoire que tu sais. Mais j'y crois encore que tu m'entends, de même que notre p'tit. J'y crois pis... j'y crois pas. C'est comme une chicane avec le bon Dieu et avec sa mère. Voué-tu, pour l'instant, à cause de ma brouille avec eux autres, j'sais pas à qui m'adresser pour envoyer un message aux âmes des défunts. Peut-être même que les défunts existent nulle part ailleurs que dans not' souvenir. Dans le souvenir, ou dans la terre, ou dans les nuages ou dans la pluie, dans les animaux, dans les pierres, dans le ciel, le purgatoire, l'enfer, les limbes... tout ça... hé... on ne peut pas savoir exactement. Mais toé, Timoléon, quand ben même t'existerais seulement dans ma mémoire, j'te sens vivant comme si t'étais devenu mon ange gardien. Y me semble que ton âme est encore accrochée quoque part. Te connaissant, toé mon grand maigre de Timoléon, avec ton encolure de cheval pis ton ventre toujours affamé, j'me dis que tu dois rôder autour de moé pis d'la bonne odeur d'la pâtisserie. Des p'tits fours comme ça, Timoléon, même moé, en toute humilité, j'en fabrique pas des comparables. J'te les émiette, comme de l'encens que j'consumerais à ta mémoire. C'est pas du gaspillage, ça, Timoléon, parce que les miettes que j'répands là, par terre, pour que les oiseaux les picossent, c'est ta part. La portion est maigre, c'est pas la mesure que j'avais l'habitude de t'servir, parce que pour sûr, les esprits pis les anges, ç'a pas l'appétit des vivants! C'est comme l'hostie qu'est supposée d'être le corps et le sang du Christ. Y a pas un curé qui penserait à nous donner un vrai gars à manger. C'est pareil pour moé: j't'amène pas un repas complet. Mais c'est ta part tout d'même, et les oiseaux vont te l'apporter.

La Brindille rentra, apaisée.

Du même auteur

L'Enfant, l'Amour, la Mort — L'avortement: un geste sacré, Nuit Blanche Éditeur, Québec, 1990.

Pagan Grace, Spring Publications, Dallas, Texas, 1990.

La Dimension cachée: le conscient et l'inconscient (Petit manuel d'introduction à la psychologie au niveau collégial), Éditions éducatives C.G., Québec, 1988.

La Renaissance d'Aphrodite, Éditions Boréal Express, Montréal, 1986.

Pagan Meditations, Spring Publications, Dallas, Texas, 1986 (quatrième tirage).

Le Réveil des dieux, Éditions de Mortagne, Montréal, 1980.

Ce livre est imprimé sur
du papier contenant plus
de 50% de papier recyclé
dont 5% de fibres recyclées.

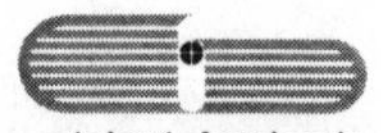

Achevé d'imprimer au Canada
Imprimerie Gagné Ltée Louiseville